D1358832

LES CHAMPIONS DE LA FORCE

ŒUVRES DE KEVIN ANDERSON
CHEZ POCKET

STAR WARS

SCIENCE-FICTION
Collection dirigée par Jacques Goimard

KEVIN J. ANDERSON

LES CHAMPIONS
DE LA FORCE

Titre original :
Champions of the Force

Traduit de l'américain par
Gilles Dupreux

Si vous souhaitez recevoir régulièrement
notre zine **« Rendez-vous ailleurs »,** écrivez-nous à :

« Rendez-vous ailleurs »
Service promo Pocket
12, avenue d'Italie
75627 PARIS Cedex 13

*A mon neveu et « compagnon de recherches »,
Jonathan Macgregor Cowan, qui m'a aidé à voir
avec l'émerveillement d'un enfant la « très, très
lointaine galaxie »...*

Remerciements

La plus grande partie de ce roman a été écrite au Montecito Sequoia Lodge, en Californie, au cœur de la forêt. Lillie Mitchell, ma dactylographe, m'a souvent encouragé à aller plus vite en me demandant, après avoir transcrit une montagne de cassettes : « Et après, qu'est-ce qui se passe ? » Ma femme, Rebecca Moesta Anderson, s'est chargée des séances de réflexion et des longues promenades nocturnes destinées à résoudre des problèmes de scénario. Bien entendu, j'ai pu aussi compter sur son amour et sa compréhension. Tom Veitch m'a aidé à développer l'histoire d'Exar Kun, qui paraîtra bientôt chez Dark Horse Comics, signée de nos deux noms. Tom Dupree, mon directeur de collection, a toujours su que je livrerais tout à l'heure, et il a même aimé l'histoire. Son assistante, Heather McConnel, s'est occupée d'un million de choses — et elle ne m'a jamais raccroché au nez quand je l'appelais pour râler. Lucy Wilson, de Lucasfilm, m'a aidé chaque fois que j'ai travaillé pour Star Wars, et sa collaboratrice, Sue Rostoni, a empêché que les divers projets ne se télescopent. Lors de nos conversations, Ralph McQuarrie m'a permis de visualiser le temple d'Exar Kun et d'autres parties de l'académie des Jedi. Comme toujours, West End Games fut une source irremplaçable de documentation. Et bien entendu, un grand merci à George Lucas, le père d'un merveilleux univers dans lequel il m'a laissé « jouer ».

CHAPITRE PREMIER

Le Broyeur de Soleil plongea dans le système de Carida comme le couteau d'un assassin dans le cœur d'un innocent.

Se sentant vieilli avant l'âge, Kyp Durron était assis devant le tableau de commande du navire. Les yeux brillants, il fixait sa nouvelle cible. Grâce à la super-puissance de ses armes et aux techniques apprises de son fantomatique mentor, Exar Kun, le jeune homme était à même de neutraliser toutes les menaces qui pesaient sur la Nouvelle République.

Quelques jours plus tôt, dans la nébuleuse du Chau-dron, il avait vaincu l'amirale Daala et détruit ses deux destroyers. Juste après l'explosion, Durron avait largué une des torpilles messages du Broyeur pour que la galaxie entière sache *qui* avait remporté cette victoire.

Son prochain défi ne manquait pas d'audace : le centre d'entraînement militaire impérial de Carida, rien que ça !

Cette planète géante avait une gravité élevée, l'idéal pour modeler les muscles des futurs commandos. Parfaitement sauvage, elle offrait une palette très intéressante de conditions climatiques : des étendues arctiques, des forêts tropicales, des chaînes de monta-gnes et des déserts peuplés de reptiles venimeux rappelant des dragons de légende.

Carida était à l'opposé de Deyer, la planète natale de Kyp, où sa famille et lui habitaient une des paisibles colonies flottantes installées sur les lacs artificiels.

Leur bonheur avait volé en éclats quand les parents de Durron avaient osé s'insurger contre la destruction d'Alderaan. Les Impériaux avaient rasé le village, déporté Kyp et les siens dans les mines d'épices de Kessel, et enrôlé de force son frère Zeth dans les commandos.

Alors qu'il orbitait autour de Carida, Durron affichait l'expression déterminée d'un individu qui est allé au bout de ses tourments de conscience. Des ombres dansant devant ses yeux, il n'espérait plus que Zeth soit encore vivant après tant d'années, mais il tenait à savoir ce qui lui était arrivé.

Si son frère n'était plus là, rien ne pourrait empêcher Kyp de détruire le système solaire de Carida.

Car il en avait le pouvoir...

Une semaine plus tôt, Durron avait laissé Luke Skywalker pour mort au sommet du Grand Temple de Yavin 4. Après avoir puisé dans le cerveau de la naïve Qwi Xux les spécifications du Broyeur de Soleil, le jeune homme avait fait exploser cinq étoiles dans le but de détruire Daala et ses deux destroyers. Au dernier moment, ses adversaires avaient tenté d'échapper à l'onde de choc. En vain. Dans une luminosité aveuglante, l'enfer avait englouti le vaisseau de Daala — le redoutable *Gorgone*.

Depuis cette terrifiante victoire, une idée avait tourné à l'obsession dans l'esprit de Kyp : détruire l'Empire.

Hyperdrive engagée, il avait fondu sur l'ennemi.

Dès qu'il entra en orbite, le système de défense de Carida repéra le Broyeur de Soleil. Avant que les forces impériales ne se risquent à une action stupide, Kyp diffusa son ultimatum sur toutes les fréquences.

— Académie militaire de Carida, dit-il, prenant une voix aussi grave que possible, ici le pilote du Broyeur de Soleil.

Il chercha le nom du crétin d'ambassadeur qui, sur Coruscant, avait provoqué un incident diplomatique en jetant son verre au visage de Mon Mothma.

— Je veux parler à l'ambassadeur Furgan pour préciser les termes de votre reddition.

Pas de réponse. Un moment, Kyp attendit qu'un son jaillisse des haut-parleurs de la console des communications.

Une alarme clignota sur le tableau de bord quand les Caridiens braquèrent un rayon tracteur sur le Broyeur de Soleil. Avec les super-réflexes d'un Jedi, Kyp modifia son orbite, la rendant trop aléatoire pour que l'ennemi puisse verrouiller le rayon.

— Je ne suis pas là pour jouer à des jeux idiots ! rugit-il dans son micro. Carida, si vous n'avez pas répondu dans les quinze secondes, je tirerai une torpille dans le cœur de votre soleil. C'est compris ? (Il entreprit de compter à voix haute.) Un... Deux... Trois...

Il en était à onze quand une voix se fit entendre :

— Navire ennemi, nous allons vous transmettre des coordonnées d'atterrissage. Suivez-les à la lettre, ou nous vous détruirons. Une fois posés, des commandos prendront le contrôle de votre vaisseau...

— Vous êtes à côté du problème, les gars, dit Kyp quand il eut réussi à s'arrêter de rire. Passez-moi l'ambassadeur sur-le-champ ou votre système solaire fera un joli feu d'artifice. J'ai anéanti une nébuleuse pour bousiller des destroyers impériaux. Devoir détruire un petit soleil ne m'arrêtera pas. Trouvez Furgan et passez-le-moi. En visuel !

Sur l'écran holographique, le visage plat de Furgan apparut. Kyp le reconnut à ses sourcils épais et à ses grosses lèvres rouge sang.

— Comment oses-tu venir nous menacer, Rebelle ?

grogna Furgan. Tu n'es pas en position d'avoir des exigences.

La patience de Kyp était déjà à bout.

— Tais-toi et écoute bien, Furgan ! Je veux savoir ce qui est arrivé à mon frère, Zeth Durron. Il a été conduit ici de force il y a dix ans. Quand tu auras la réponse, nous pourrons négocier.

Furgan le foudroya du regard.

— L'Empire ne traite pas avec les terroristes.

— Tu n'as pas le choix, bouffon. C'est ça ou la destruction.

Furgan hésita un instant puis rendit les armes.

— C'est une vieille histoire, il faudra du temps pour obtenir des informations. Restez en orbite pendant que j'effectue des recherches.

— Tu as une heure, dit Kyp avant de couper la communication.

Sur Carida, au cœur du quartier général des forces impériales, Furgan se tourna vers l'officier des communications :

— Vérifiez les affirmations de ce gamin, lieutenant Dauren. Je veux connaître la puissance exacte de son vaisseau.

Un officier des commandos s'approcha, la rigueur toute militaire de sa démarche emplissant d'admiration l'ambassadeur.

— Je vous écoute, capitaine.

Le micro intégré à son casque amplifia le voix du soldat :

— Le colonel Ardax vous fait savoir que les troupes d'assaut sont prêtes à partir pour la planète Anoth. Huit octopodes TA-TM sont embarqués à bord du *Vendetta*. Les troupes et l'armement idoine attendent de l'être.

Furgan pianota nerveusement sur la console métallique.

— Ça semble un déploiement de force démesuré

14

pour kidnapper un bébé et se débarrasser de la femme qui s'en occupe... Mais il s'agit d'un bébé *Jedi* et nous aurions tort de sous-estimer les défenses de la Rébellion. Dites à Ardax de différer un moment son départ. Nous avons... hum... un petit problème. Quand il sera résolu, nous partirons à la recherche d'un remplaçant pour notre pauvre Empereur. Un remplaçant jeune et malléable...

Le commando salua, tourna les talons et s'en fut.

— Ambassadeur, dit l'officier des communications, nos espions affirment que les Rebelles se sont approprié une arme nommée le Broyeur de Soleil qui serait capable de détruire une étoile. Et il y a bien eu une supernova dans la Nébuleuse du Chaudron, comme le prétend notre ennemi.

Furgan sentit un frisson courir le long de son épine dorsale. Ses suppositions étaient confirmées ! S'il pouvait mettre la main sur le Broyeur de Soleil *et* sur le bébé Jedi, il deviendrait le seigneur de la guerre le plus puissant de la galaxie. Alors Carida serait le cœur d'un fantastique Empire — *son* Empire !

— Profitons que le pilote du Broyeur de Soleil attende des nouvelles de son frère pour l'attaquer... Il ne faut pas laisser passer cette chance.

Kyp fixait le chronomètre du Broyeur de Soleil, sa colère grandissant à chaque seconde. N'était son désir d'en savoir plus sur Zeth, le jeune homme aurait déjà largué une de ses quatre dernières torpilles à résonance puis reculé de quelques années-lumière pour regarder le système de Carida s'embraser.

De la neige grésilla sur l'écran, vite remplacée par l'image de l'officier des communications, l'air à la fois professionnel et contrit.

— Carida au pilote du Broyeur de Soleil. Vous êtes bien Kyp Durron, le frère de Zeth Durron, recruté par nos soins sur Deyer ?

Le ton pompeux de l'homme exaspéra son correspondant.

— Je vous ai déjà dit ça. Qu'avez-vous appris ?

— Nous en sommes désolés, mais votre frère n'a pas survécu à la période de formation. Nos exercices sont très durs, car seuls les meilleurs candidats doivent les réussir.

Les mots résonnèrent comme des coups de canon dans les oreilles de Kyp. Il s'attendait à la nouvelle, mais en avoir confirmation le désespérait.

— Dans quelles circonstances est-il mort ?

— Je me renseigne, dit l'Impérial. (Kyp attendit de très longues minutes.) Pendant un exercice de survie en montagne, votre frère et son équipe ont été pris dans une tempête de neige. Il semble être mort de froid... A ce qu'on dit, il se serait sacrifié pour sauver ses camarades. Tous les détails sont consignés dans un fichier. Dois-je vous le transmettre ?

— Affirmatif, dit Kyp, la bouche sèche. Je veux tout.

Il revit des scènes de son enfance, quand Zeth et lui fabriquaient de petits bateaux en roseaux qu'ils regardaient dériver vers les chutes. Puis il se souvint de l'expression de Zeth au moment où les commandos l'avaient emmené.

— La transmission prendra un moment, dit l'officier des communications.

Kyp regarda les données défiler sur l'écran. Il pensa à Exar Kun, l'antique Seigneur de la Sith qui lui avait montré bien des choses que maître Skywalker refusait de lui enseigner. Apprendre la mort de Zeth avait tranché les derniers liens qui le rattachaient à la raison. Rien ne pouvait plus l'arrêter.

Le transfert du fichier n'était pas encore terminé. Il lui faudrait longtemps pour assimiler toutes ces informations et imaginer la vie qu'avait eue son frère — une vie qu'ils auraient dû partager.

Jaillissant de l'atmosphère de la planète, une formation de quarante chasseurs Tie mit le cap sur le Broyeur. Une autre unité, vingt appareils, fondait sur

16

l'autre flanc du navire. Le fichier concernant Zeth n'avait été qu'un moyen de le retarder pour lancer une attaque.

Kyp oscillait entre l'indignation et l'amusement. Un sourire flotta sur ses lèvres, puis disparut.

Les chasseurs Tie approchaient en tirant. Sur la coque du Broyeur, Kyp sentait l'impact de leurs rayons laser. Mais le blindage spécial pouvait résister à l'armement surpuissant d'un destroyer.

Un pilote ennemi contacta le Broyeur :

— Vous êtes encerclé. Toute résistance est inutile.

— Désolé, mais je suis à court de drapeau blanc !

Kyp utilisa ses senseurs pour repérer le chasseur d'où provenait le message. Quand ce fut fait, une décharge de canon-blaster désintégra l'appareil dans une gerbe de flammes blanches et orange.

Les autres chasseurs ouvrirent le feu. Kyp riposta, programmant cinq cibles sur son ordinateur tactique.

Il fit mouche trois fois.

Tirant parti de la mobilité supérieure du Broyeur de Soleil, il évita sans peine les rayons ennemis et ne put s'empêcher de ricaner en voyant que deux adversaires venaient de se désintégrer mutuellement !

La colère grandissait en Durron, l'emplissant d'une force insoupçonnée. L'heure n'était plus aux ultimatums, surtout après la manœuvre de Furgan.

— C'est la dernière erreur que tu auras commise, ambassadeur !

Les chasseurs Tie continuaient à tirer, manquant leur cible plus souvent qu'à leur tour. De toute manière, les lasers *glissaient* sur le blindage.

Les pilotes ennemis se débrouillaient comme des manches ! Gavés de simulations de combat, ils n'avaient sans doute jamais combattu un véritable adversaire. Kyp, lui, avait la Force pour alliée.

Il tira encore, détruisant un autre vaisseau, puis décida qu'il était inutile de continuer à combattre, car il avait en vue une cible plus importante. Il dévissa, poursuivi par deux Tie, s'arracha à l'orbite de Carida et fonça vers le soleil du système.

Les moustiques qui lui collaient aux basques pouvaient tout au plus s'en prendre aux tourelles de ses lasers. Les forces de Daala étaient parvenues à endommager l'armement extérieur du Broyeur, mais les ingénieurs de la Nouvelle République n'avaient eu aucun mal à réparer.

Kyp ne prêtait aucune attention à ses adversaires, car l'image de Zeth le hantait. Il le voyait geler lentement au cours de l'absurde exercice de survie d'une armée scélérate dont jamais il n'avait voulu porter l'uniforme.

Pour que cette vision s'efface, il faudrait que le feu dévore Carida la maudite. Un feu que pouvait cracher le Broyeur de Soleil.

Kyp activa le système de lancement des torpilles à résonance. Sous la forme d'une décharge de plasma ovoïde, le projectile surpuissant serait extrait du générateur toroïdal du Broyeur.

La dernière fois, Kyp avait tiré sur les supergéantes d'une nébuleuse. Le soleil de Carida était un astre beaucoup plus banal, mais ça n'empêcherait pas la torpille de déclencher une réaction en chaîne dans le noyau...

Kyp prit le temps de regarder derrière lui. Refusant de s'approcher aussi près du soleil, les chasseurs avaient abandonné la poursuite.

Un bouquet d'alarmes clignotait sur le tableau de bord, mais le jeune homme s'en fichait comme d'une guigne. Une fois le voyant de contrôle du système de tir passé au vert, il appuya sur la touche de mise à feu, expédiant une torpille au cœur du soleil de Carida. Le dispositif d'autoguidage du projectile lui permettrait d'atteindre le noyau et de provoquer une instabilité irréversible.

Kyp se laissa aller contre le dossier de son fauteuil et soupira. Sa détermination n'avait pas faibli. Le point de non-retour était dépassé.

Il aurait dû jubiler, car la destruction de l'académie impériale était imminente. Accablé par la perte de son frère, il ne se sentit même pas soulagé.

Les alarmes hurlaient dans toutes les sections du quartier général impérial. Les commandos couraient en tous sens pour rejoindre les positions qui leur étaient affectées en cas d'alerte. Mais ils ne savaient qu'y faire...

Sur le visage de Furgan se lisait une stupéfaction qui eût été comique dans d'autres circonstances. Ses yeux semblaient vouloir sortir de leurs orbites et ses lèvres tremblaient tandis qu'il luttait pour trouver ses mots.

— Co... comment *tous* nos chasseurs ont-ils pu tirer à côté ?

— Ils n'ont pas manqué leur cible, seigneur, dit le lieutenant Dauren. Le blindage du Broyeur de Soleil est impénétrable, voilà le problème ! Et... hum... Kyp Durron approche de notre soleil. D'après les relevés, il semble avoir tiré un projectile très puissant... (L'homme déglutit avec peine.) Hélas, nous savons ce que ça signifie.

— Si le danger est réel ! objecta Furgan.

— Seigneur, tout laisse à penser que c'est le cas. Selon nos espions, posséder une telle arme met la Nouvelle République mal à l'aise pour des raisons éthiques. Et les étoiles, dans la Nébuleuse du Chaudron, ont bel et bien explosé.

La voix de Kyp Durron jaillit des haut-parleurs :

— Gens de Carida, je vous avais avertis, et vous avez tenté de me tromper. A présent, il convient d'accepter votre destin. Si mes calculs sont exacts, il faudra deux heures pour que le noyau de votre soleil explose. Ça vous laisse le temps d'évacuer...

Furgan tapa du poing sur une table.

— Seigneur, demanda Dauren, qu'allons-nous faire ? Dois-je organiser le départ de...

Furgan se pencha sur la console et appuya sur une touche pour se connecter à l'aire de décollage de l'académie militaire.

— Colonel Ardax, faites embarquer vos troupes à bord du *Vendetta*. L'assaut sur Anoth sera lancé dans une heure. Et je viens avec vous !

— A vos ordres, seigneur !

L'ambassadeur se tourna vers Dauren :

— Vous êtes sûr que le frère de Durron est mort ? Nous n'avons aucune monnaie d'échange ?

— Seigneur... je n'en sais rien. J'avais ordre de distraire Durron, alors j'ai inventé une histoire et envoyé un fichier truqué. Vous voulez que je vérifie ?

— Bien entendu, sinistre crétin ! Si nous pouvons utiliser son frère comme otage, le foutu gamin sera forcé de neutraliser les effets du Broyeur de Soleil.

— Je m'en occupe sur-le-champ, seigneur !

Six officiers de haut rang entrèrent dans la salle et saluèrent l'ambassadeur. Plus petit que ses subordonnés, Furgan croisa les mains dans son dos, bomba le torse et parla :

— Recensez tous les vaisseaux en état de marche. Il faudra transférer les mémoires de nos ordinateurs et embarquer autant de techniciens que possible. Comme il est exclu d'évacuer tout le monde, choisissez en fonction du grade.

— Allons-nous abandonner la planète sans combattre ? s'insurgea un des hommes.

— Général, le soleil est sur le point d'exploser ! Comment vaincre pareil ennemi ?

— Le choix sera fait en fonction des grades, seigneur ? gémit Dauren. Je suis un simple lieutenant...

— Raison de plus pour trouver le frère de ce gosse et l'obliger à neutraliser sa torpille !

A travers les hublots à demi polarisés, Kyp regardait les chasseurs survivants battre en retraite vers Carida.

Un sourire se dessina sur ses lèvres. Voir les Impériaux essayer d'emporter une planète entière dans les soutes de leurs navires allait être distrayant.

Au cours des vingt minutes suivantes, il observa les essaims de vaisseaux qui s'envolaient du spatioport du centre d'entraînement : des chasseurs, des transporteurs privés, des barges industrielles, et même un cuirassé à l'allure redoutable.

Kyp s'en voulait de laisser les Impériaux avec autant d'armes qui serviraient un jour contre la Nouvelle République. Mais pour l'heure, son objectif — et son bon plaisir — était de détruire le système solaire.

— Vous êtes piégés, murmura-t-il. Quelques-uns s'en sortiront, mais pas tous.

Il regarda le chronomètre. Depuis que des perturbations étaient visibles à la surface du soleil, calculer l'heure de l'explosion devenait plus facile. Les Impériaux avaient encore vingt-sept minutes avant d'essuyer la première onde de choc.

Le flot de vaisseaux s'était tari, seuls quelques appareils en piteux état luttaient encore pour s'arracher à l'attraction de la planète. La flotte de Carida semblait anémique. Sans doute avait-elle été pillée par le Grand Amiral Thrawn ou quelque seigneur de la guerre impérial.

L'écran holographique scintilla, puis afficha l'image de l'officier des communications.

— Le lieutenant Dauren appelle Kyp Durron. Ceci est un message urgent !

Tu m'étonnes, songea Kyp. *Tous les malchanceux restés sur Carida doivent en avoir un à envoyer !*

— Ouais... De quoi s'agit-il ?

— Nous avons retrouvé votre frère !

Kyp eut l'impression qu'un sabrolaser lui transperçait le cœur.

— Comment ? Vous disiez qu'il était mort !

— Après vérification, il compte toujours parmi nos

effectifs. Je sais qu'il n'a pas pu trouver de vaisseau pour fuir la planète. Il sera bientôt ici et pourra vous parler.

— C'est une ruse ! s'exclama Kyp. Il est mort gelé, m'avez-vous dit ! Et il y a ce fichier...

— Un leurre, lâcha Dauren.

Kyp ferma les yeux pour refouler ses larmes. En lui, la joie se le disputait à la colère. Zeth était vivant, une sacrée raison de se réjouir ! Mais il avait commis une erreur élémentaire : croire ce que les Impériaux lui racontaient.

Il jeta un coup d'œil au chronomètre : vingt et une minutes jusqu'à l'explosion. Manipulant sans douceur les commandes du Broyeur de Soleil, il mit le cap sur la planète. Même s'il se donnait peu de chances de pouvoir sauver son frère, il devait essayer.

Il regarda de nouveau le chronomètre. Chaque seconde qui passait était un coup de poignard.

Il lui fallut cinq minutes pour rejoindre Carida. Adoptant une orbite serrée, le Broyeur franchit la ligne qui séparait le jour de la nuit. Kyp dirigea alors le navire vers le centre impérial.

Le lieutenant Dauren apparut de nouveau sur l'écran. Il poussa un commando en armure blanche dans le champ de la caméra.

— Kyp Durron, répondez !

— Je suis là, Impérial !

L'officier des communications se tourna vers le commando :

— Numéro deux mille cent douze, montrez votre visage !

Hésitant comme s'il ne l'avait plus fait depuis longtemps, le soldat se débarrassa de son casque. Il cligna des yeux, ébloui par la lumière qu'il n'avait plus l'habitude de voir sans filtre.

— Votre nom, soldat ! aboya Dauren.

Le commando semblait désorienté. Kyp se demanda s'il était drogué.

— Deux mille cent.. douze...

— Pas votre matricule, votre nom !

Le jeune soldat se tut, le front plissé comme s'il fouillait dans sa mémoire.

— Zeth... Zeth Durron ?

C'était plus une question qu'une affirmation.

Pour Kyp, il n'y avait pas de doute. Il avait reconnu le compagnon de jeu de son enfance, qui nageait comme une anguille dans les lacs de Deyer et n'avait pas son pareil pour attraper les poissons à l'épuisette.

— Zeth, mon vieux... J'arrive !

Dauren secoua la tête.

— Vous n'avez pas le temps, Durron ! Il faut stopper la torpille ! Inverser la réaction en chaîne ! C'est notre seul espoir.

— C'est impossible ! Rien ne peut arrêter le processus !

— Si vous n'agissez pas, nous allons tous mourir !

— Vous le méritez ! cria Kyp. Sauf Zeth, et je viens le chercher.

Il déchira la haute atmosphère de Carida, la coque de son navire atteignant rapidement une température critique.

La surface de la planète approchait à une vitesse vertigineuse. Kyp plongeait vers une région ravagée hérissée de rochers rouges et semée de canyons abrupts. Dans une zone désertique plate, il repéra des formes géométriques : les voies de communication tracées par les ingénieurs du génie impérial.

Comme un météorite, le Broyeur de Soleil fondait sur le centre d'entraînement. Un peu partout, ignorant que leur soleil allait exploser, des commandos continuaient à s'entraîner.

Il restait sept minutes.

Kyp activa l'écran tactique et localisa le bâtiment principal du centre — la citadelle. Le Broyeur de Soleil vibrait et des flammes dansaient autour de la coque, résultat de la friction avec l'atmosphère.

— Communiquez-moi votre position ! cria Kyp à Dauren.

L'officier des communications, terrorisé, n'était plus en état de répondre.

— Je sais que vous êtes dans la citadelle ! Mais où ?

— Dernier étage de la tour sud ! dit Zeth avec la précision d'un commando bien entraîné.

Kyp agrandit l'image de la citadelle et localisa la tour en question.

Il restait cinq minutes.

— Zeth, prépare-toi ! Je viens te chercher.

— *Nous* chercher ! gémit Dauren.

Kyp hésita un instant. Il aurait voulu abandonner à son sort l'homme qui, en lui mentant, l'avait poussé à détruire Carida. Le lieutenant avait mérité de mourir dans les flammes, mais il pouvait lui être utile...

— Tous les deux, tenez-vous prêts ! Je serai là dans une minute. Comme vous ne pourrez pas atteindre le toit assez vite, je vais le désintégrer.

Dauren hocha la tête. Zeth parut enfin sortir de sa torpeur.

— Kyp ? Mon frère ? C'est toi ?

Le Broyeur de Soleil arriva à l'aplomb de la citadelle, protégée par un immense mur d'enceinte. Sur le site de décollage, des centaines de fuyards s'entassaient dans les derniers petits navires disponibles. Sans hyperdrive, ils n'avaient aucune chance d'échapper à la zone de destruction d'une supernova.

Kyp immobilisa le Broyeur au-dessus du centre impérial. Les canons-lasers de la défense antiaérienne le prirent pour cible, le secouant comme un prunier.

— Désactivez les batteries automatiques ! cria-t-il à l'officier des communications.

En attendant, Durron dut perdre du temps à tirer sur les lasers adverses. Il détruisit deux casemates, mais le canon-blaster de la troisième porta un coup direct au Broyeur.

Le navire partit en vrille et heurta violemment une tour de la citadelle. Luttant avec l'énergie du désespoir, Kyp parvint à reprendre le contrôle de l'appareil.

La tour sud, vite !

Il restait trois minutes...

— Mettez-vous à l'abri, je vais tirer sur le toit !

Il visa et fit feu.

Un message ERREUR s'afficha sur l'écran. Le laser de bâbord était hors service à cause de la collision. Kyp lâcha une bordée de jurons et orienta le Broyeur afin de pouvoir utiliser un autre canon.

Après une courte rafale, le toit de la tour commença à fondre. Kyp activa son rayon tracteur pour empêcher les débris de pierre et de métal de s'écraser sur le dernier étage.

Après avoir positionné le Broyeur au-dessus du cratère fumant qui avait été un toit, Durron scanna la zone et localisa Zeth et Dauren, qui venaient de sortir de sous le bureau où ils s'étaient abrités.

Deux minutes...

Le plus délicat restait à accomplir : faire descendre le vaisseau dans le cratère afin que les deux hommes puissent s'accrocher à l'échelle, atteindre le sas et pénétrer dans le Broyeur. Ensuite, il faudrait fuir au plus vite.

Alors que Kyp amorçait la manœuvre, il vit le lieutenant Dauren se relever et abattre sur la tête de Zeth une barre de plastacier récupérée dans les décombres.

Etourdi, mais toujours conscient, Zeth tomba à genoux et dégaina son blaster. L'ignorant, l'officier impérial courut vers le Broyeur, les bras tendus pour attraper l'échelle.

Furieux, Kyp fit un peu remonter le vaisseau. Dauren sauta et manqua l'échelle, ses mains glissant sur la coque toujours brûlante.

L'Impérial hurla et retomba sur le sol. Avec la

précision d'un professionnel, Zeth fit feu, carbonisant la poitrine de l'officier des communications.

Une minute.

Kyp ramena le Broyeur de Soleil en position. Mais Zeth, le sang inondant son armure blanche, n'était plus en état de se relever.

Incapable de bouger, jamais il ne pourrait atteindre l'échelle.

Réfléchissant à la vitesse de l'éclair, Kyp verrouilla le rayon tracteur sur son frère et entreprit de le rapprocher du navire.

Ça pouvait marcher ! Kyp abandonna son fauteuil et courut vers le sas. Il allait devoir ouvrir, descendre l'échelle et porter son frère à l'intérieur.

Sa main se posait sur la poignée du sas quand...

... le soleil de Carida explosa.

L'onde de choc déchira l'atmosphère, charriant avec elle les feux de l'enfer. En un clin d'œil, la citadelle ne fut plus qu'une colonne de flammes.

Le Broyeur de Soleil piqua du nez, envoyant Kyp s'écraser contre la baie de plastacier. Une milliseconde, il aperçut une image fantôme de Zeth, littéralement désintégré par un éclair d'énergie stellaire.

Durron se traîna jusqu'au fauteuil du pilote. Bien qu'il fût à demi assommé, ses réflexes de Jedi lui permirent d'allumer les moteurs auxiliaires.

La première onde de choc de la supernova — des particules à haute charge en énergie propulsées par l'explosion du soleil — n'était rien comparée au raz de marée de radiations qui suivrait dans moins d'une minute.

A l'instant où la deuxième déferlante atteignait Carida et l'éventrait, le Broyeur de Soleil accéléra, tous ses voyants de contrôle passant au rouge en même temps.

La gravité déforma le visage de Kyp. Ses yeux se fermèrent, les larmes qui baignaient ses joues remontant vers ses paupières sous l'effet de l'accélération.

Le Broyeur de Soleil s'arracha à l'atmosphère de

Carida. Hyperdrive engagée, il plongea dans l'hyper-espace, échappant aux tentacules d'énergie de la supernova.

Kyp poussa un long cri de désespoir. Qu'avait-il fait, par le ciel, qu'avait-il donc fait !

CHAPITRE II

Sur Yavin 4, Leia Organa Solo sortit du *Faucon Millenium* et descendit la rampe, les yeux rivés sur la forme imposante du Grand Temple Massassi.

La matinée était glaciale sur la lune couverte d'une forêt tropicale. De la brume s'élevait du sol, flottant jusqu'à la cime des arbres et enveloppant le temple d'un voile vaporeux.

C'est plutôt un linceul, songea Leia. *Un linceul pour Luke...*

Une semaine plus tôt, les cadets de l'Académie Jedi avaient trouvé au sommet du temple le corps inanimé de Luke Skywalker. Ils l'avaient ramené à l'intérieur et soigné de leur mieux — hélas, ils ne savaient pas quoi faire. Les plus grands médecins de la Nouvelle République n'avaient diagnostiqué aucune atteinte physique. A les en croire, Luke vivait encore ; plongé dans un profond coma, il ne réagissait à aucun de leur examen.

Leia avait peu d'espoir de faire quelque chose d'utile, mais au moins serait-elle auprès de son frère.

Les jumeaux descendaient la rampe du *Faucon*, chacun cherchant à faire plus de bruit que l'autre avec les talons de ses bottes. Yan marchait entre Jacen et Jaina, leur tenant la main.

— Arrêtez ce boucan ! dit-il.

— On va voir oncle Luke ? demanda Jaina.

— Oui, répondit Yan, mais il est malade. Il ne pourra pas vous parler.

— Il est mort ? s'inquiéta Jacen.

— Non ! s'écria Leia comme pour conjurer le sort. Venez, entrons dans le temple.

Les jumeaux partirent à la course, laissant leur géniteur sur place.

Les senteurs puissantes de la jungle éveillèrent une vague culpabilité dans l'esprit de Leia. La jeune femme avait proposé le temple abandonné comme site de l'Académie, mais jamais elle n'avait jamais pris la peine de le visiter. Aujourd'hui, elle débarquait pour se précipiter au chevet de son frère.

— Je n'aime pas ça, marmonna Yan.

Leia glissa une main dans la sienne. Il la serra, la gardant un long moment dans sa chaleur.

Des silhouettes vêtues de bures sortirent du temple, se découpant à la pâle lueur de l'aube. Leia en compta une douzaine. Au premier rang, elle reconnut le visage couleur rouille d'une Calamarienne nommée Cilghal.

Sentant un fort potentiel de Jedi chez la femme-poisson, Leia lui avait conseillé de participer à l'expérience de Luke. Depuis la maladie de leur maître, c'était l'ambassadrice Cilghal qui assurait la cohésion des douze élèves.

Leia reconnut d'autres cadets. Il y avait là Streen, un homme d'âge mûr dont la tignasse dépassait de la capuche de sa bure. Prospecteur de gaz sur Bespin, il avait longtemps vécu en ermite, terrorisé par les voix qui parlaient dans sa tête. Plus loin se tenait Kirana Ti, une des sorcières de Dathomir, que Leia et Yan avaient rencontrée durant l'escapade fort peu romantique précédant leur mariage.

Kirana avança en souriant aux jumeaux. Sur sa planète natale, elle avait laissé sa sœur, qui avait à peine un an de plus que les enfants Solo.

Leia reconnut aussi Tionne, avec ses longs cheveux

d'argent cascadant sur les épaules. Spécialisée dans l'étude de l'histoire des Jedi, la jeune femme désirait ardemment en devenir un.

A ses côtés attendaient Kam Solusar, un Jedi autrefois corrompu que Luke avait ramené du côté lumineux de la Force, et Dorsk 81, un grand être maigre à la peau luisante, cloné depuis des générations car on pensait, sur sa planète, avoir atteint le stade idéal de la civilisation.

Leia ne connaissait pas les autres candidats, mais elle savait que la quête de Luke avait été fructueuse. Et on continuait, dans la galaxie, à inviter les Jedi potentiels à se joindre à leurs frères pour former un nouvel ordre de chevalerie.

Cilghal leva une main palmée.

— Nous sommes heureux que vous soyez là, Leia.

— Ambassadrice... Mon frère... y a-t-il du nouveau ?

Tous se dirigèrent vers le temple. Leia ne se faisait pas d'illusion sur la réponse de la Calamarienne.

— Non. Mais votre présence le fera peut-être réagir.

Impressionnés par la solennité ambiante, les jumeaux se retinrent de glousser et d'explorer sans vergogne le hall d'entrée.

Cilghal guida Leia, son mari et ses enfants jusqu'à un ascenseur.

— Venez, les microbes ! dit Yan en les prenant de nouveau par la main. Vous pourrez peut-être aider votre oncle à aller mieux.

— Comment ? demanda Jaina, ses yeux marron brillant d'espoir.

— Je n'en sais rien, ma puce. Mais si tu as une idée, fais-la-moi connaître.

Les portes se fermèrent et la cabine s'éleva. Soudain mal à l'aise, les jumeaux se serrèrent l'un contre l'autre. Ils redoutaient les ascenseurs depuis leur mésaventure de la Cité Impériale, où ils étaient descendus jusqu'à de bien sinistres sous-sols.

Le trajet ne fut pas long, les portes se rouvrant pour laisser les passagers entrer dans la grande salle d'audience du temple. Par les lucarnes, les rayons du soleil venaient jouer sur la large promenade de pierre conduisant à une plate-forme.

Des années plus tôt, après la destruction de l'Etoile Noire, c'était là que la princesse avait remis des médailles à Yan, à Chewbacca, à Luke et aux autres héros de la bataille de Yavin.

Aujourd'hui, Leia avait le cœur serré. A côté d'elle, Yan poussa un grognement qui ressemblait à une plainte — la première qu'elle entendait sortir de sa gorge.

Au fond de la pièce vide où chaque bruit rendait un écho sinistre, Luke était étendu sur une table de pierre comme un cadavre avant des funérailles.

Leia manqua défaillir. Elle aurait voulu tourner les talons pour ne plus voir l'affreux spectacle, mais ses jambes la forçaient à avancer. Yan la suivait, portant les jumeaux, chacun sur un bras. Ses yeux étaient rouges à force de contenir leurs larmes.

Leia sentit qu'elle ne pouvait rien contre les siennes...

Luke était vêtu de sa robe de Jedi. Impeccablement peigné, les mains croisées sur la poitrine, il ressemblait à une statue de cire.

— Oh, Luke, murmura Leia.

— Si seulement on pouvait le décongeler, comme moi dans le palais de Jabba le Hutt..., grogna Yan.

Leia caressa la joue de son frère. Utilisant la Force, elle chercha à atteindre son esprit, mais elle ne rencontra qu'un vide infini, comme si la *personne* de Luke avait disparu.

Mais il n'était pas mort. Elle l'aurait senti.

Senti comme sa propre fin...

— Il dort ? demanda Jacen.

— Oui... Enfin, c'est comme s'il dormait...

— Et quand va-t-il se réveiller ? s'enquit Jaina.

— On ne peut pas le dire. Personne ne sait comment le tirer du sommeil.

— Et si je lui donnais un baiser ? proposa Jaina.

Elle approcha et embrassa les lèvres pétrifiées de son oncle. Un instant, Leia retint son souffle, voulant croire que la magie d'une enfant pouvait tout accomplir. Mais Luke ne bougea pas.

— Il est tout froid, souffla Jaina.

La déception se lisait sur son visage et ses petites épaules s'étaient affaissées.

Yan posa une main le bras de sa femme, la serrant à lui faire mal. Mais pour rien au monde Leia n'aurait voulu qu'il la lâche.

— Il est comme ça depuis des jours, dit Cilghal derrière eux. Son sabrolaser est à sa ceinture. Nous l'avons trouvé près de son corps.

La Calamarienne s'approcha du gisant et le regarda tristement.

— Selon maître Luke, j'ai la capacité innée de guérir avec la Force. Il avait commencé à m'entraîner... Leia, j'ai tout essayé. Mais il n'est pas malade. On croirait que son âme a quitté son corps et que celui-ci attend son retour.

— Il attend peut-être que *nous* trouvions un moyen de la faire revenir, dit Leia.

— Peut-être, mais comment ? Personne n'en sait rien. En travaillant tous ensemble, nous finirons peut-être par le découvrir...

— Vous n'avez aucune idée de ce qui s'est passé ? Pas le moindre indice ?

La Calamarienne baissa la tête ; ce fut Yan qui répondit.

— C'est Kyp. Lui seul peut avoir fait ça.

— Que dis-tu ? s'étrangla Leia.

— La dernière fois que j'ai vu Luke, il s'inquiétait pour Kyp, qui semblait attiré par le Côté Obscur de la

Force. Le gamin avait volé le vaisseau de Mara Jade et fichu le camp. Je crois qu'il est revenu ici pour défier Luke.

— Mais pourquoi ? gémit Leia.

— Nous avons trouvé le navire de Mara devant le temple. Nous ignorons comment Kyp est reparti...

— Il a peut-être fui dans la jungle, suggéra Yan.

— Est-ce possible ? demanda Leia.

Cilghal fit non de la tête.

— Nous avons utilisé la Force pour localiser Durron. Il n'est pas sur Yavin 4. Il a dû trouver un autre vaisseau...

— Mais où ? s'impatienta Leia.

Soudain, elle se souvint des rapports des astronomes de la Nouvelle République sur l'explosion simultanée de cinq étoiles dans la Nébuleuse du Chaudron.

— Kyp a-t-il pu récupérer le Broyeur de Soleil dans le noyau de Yavin ?

— Comment diantre... ? commença Yan.

— S'il a réussi cela, dit Cilghal, ses pouvoirs dépassent tout ce que nous imaginions. Pas étonnant qu'il ait pu vaincre maître Luke.

Yan frissonna comme s'il redoutait de regarder la vérité en face. Leia devina que des émotions contradictoires luttaient en lui.

— Si Kyp se balade dans la nature avec le Broyeur de Soleil, je dois le poursuivre et l'arrêter.

Leia le foudroya du regard. Pourquoi fallait-il qu'il se précipite sur tous les défis ?

— Encore ta folie des grandeurs ? Pourquoi toi et pas un autre ?

— Je suis le seul qu'il écoutera peut-être... Leia, si on ne fait rien, Durron sera perdu pour nous. Et s'il est aussi puissant que ça, la République ne peut pas se permettre de l'avoir pour ennemi. (Il s'autorisa un sourire.) Pour finir, c'est moi qui lui ai appris à piloter ce vaisseau. Il ne pourra rien me faire.

Le dîner fut des plus sinistres.

Yan commanda un lourd repas corellien au synthétiseur du *Faucon*. Leia avala sans appétit quelques morceaux d'un rôti de woolamandre, l'animal ayant été chassé par Kirana Ti dans la jungle. Les jumeaux se gavèrent de compote de fruits pendant que Dorsk 81 se régalait d'un bouillie blanchâtre peu engageante pour ses compagnons.

La conversation se limita à des plaisanteries qui sonnaient faux. Personne ne voulait aborder le sujet qui les préoccupait tous.

Personne sauf Kam Solusar, qui se jeta à l'eau :

— Ministre Organa Solo, nous espérons votre aide. Dites-nous ce que nous devons faire. Nous sommes des aspirants Jedi privés de maître. Sans guide, comment continuer à nous entraîner ?

— Je crois, intervint Tionne, qu'il serait dangereux d'essayer de maîtriser des choses que nous ne comprenons pas. Souvenez-vous de Gantoris ! Il a été détruit par une entité maléfique accidentellement réveillée. Et Kyp Durron ? Que faire si nous sommes attirés vers le Côté Obscur de la Force ?

Le vieux Streen se leva.

— Il est là ! N'entendez-vous pas les voix ? (Il se rassit et se recroquevilla sur lui-même comme s'il avait voulu disparaître dans sa bure de Jedi.) Je l'entends... Il me parle. Oh ! il s'adresse à moi sans arrêt. Je ne peux pas cesser de l'écouter.

Un espoir fou envahit Leia.

— Luke ? Luke vous parle ?

— Non ! C'est l'homme en noir. Une ombre, un spectre... Il a parlé à Gantoris, puis à Kyp. Vous défendez la lumière, mais l'obscurité ne rend pas les armes. Elle est toujours là, à chuchoter des choses dans nos têtes.

Streen se plaqua les mains sur les oreilles.

— Tout ça est trop dangereux, dit Kirana Ti, les sourcils levés. Sur Dathomir, j'ai vu ce qui arrive quand un groupe important de personnes se vouent au Côté Obscur. Les sorcières maléfiques de Dathomir font le mal depuis des siècles. La galaxie a été sauvée parce qu'elles ne pouvaient pas voyager dans l'espace. Si leurs méfaits s'étaient répandus de planète en planète...

— Elle a raison, dit Dorsk 81, nous devons cesser de nous entraîner. Persévérer était une mauvaise idée.

Leia tapa des deux poings sur la table.

— Assez de bavardages ! Luke aurait honte d'entendre ses élèves parler ainsi. Avec ce genre d'attitude, vous ne serez jamais des Chevaliers Jedi. Bien sûr qu'il y a des risques ! Vous avez tous vu ce qui est arrivé à des *imprudents*. Cela signifie simplement que vous devez prendre des précautions. Ne vous laissez pas séduire par le Côté Obscur. Tirez les leçons de la mort de Gantoris. Méditez la manière dont Kyp Durron a rencontré la tentation. Réfléchissez à ce qu'a fait votre maître pour vous protéger...

Elle se leva et les regarda successivement. Certains baissèrent les yeux, d'autres soutinrent son regard.

— Vous êtes une nouvelle génération de Jedi, continua-t-elle. C'est un lourd fardeau, mais vous devez le supporter, parce que la Nouvelle République a besoin de vous. Vos prédécesseurs ont défendu l'Ancienne République pendant des milliers d'années. Et vous abandonneriez au premier obstacle ?

« Vous devez être les Champions de la Force, avec ou sans Maître Jedi. Apprenez comme le fit Luke : étape par étape. Travaillez ensemble, découvrez ce qui doit être découvert et combattez ce qui doit être combattu. La seule chose interdite, c'est d'abandonner !

— Elle a raison, dit Cilghal. Si nous renonçons, la Nouvelle République aura une arme de moins pour combattre le mal partout dans la galaxie.

— Agis ou n'agis pas..., commença Kirana Ti.

— ... Essayer ne veut rien dire, acheva Tionne.

C'était une des phrases favorites de maître Luke.

Leia se rassit, le cœur battant. Les jumeaux la regardaient, stupéfaits. Muet d'admiration, Yan lui prit la main.

Elle inspira un grand coup pour se relaxer.

Soudain, un long cri d'agonie déchira son âme. C'était comme si une avalanche se produisait dans la Force, balayant des milliers de vies en un instant. Autour de la table, les aspirants Jedi, tous sensibles à la Force, portèrent les mains à leur poitrine ou à leurs oreilles.

Streen gémit.

— Ils sont trop... Ils sont trop.

Le sang de Leia brûlait comme de la lave dans ses veines. Les jumeaux éclatèrent en sanglots.

Leia secoua sa femme par les épaules.

— Leia, qu'est-il arrivé ? Je n'ai rien senti, mais...

— Une terrible distorsion... dans la Force. Quelque chose d'affreux vient d'arriver...

Un frisson dans le dos, Leia songea au jeune Kyp Durron, tenté par le Côté Obscur et maître du Broyeur de Soleil.

— Oui, quelque chose d'affreux, répéta-t-elle.

Malgré sa bonne volonté, elle ne put répondre aux autres questions de Yan.

CHAPITRE III

La Force circulait en toute chose, tissant la grande toile de l'Univers, où tout était lié, de la plus petite créature vivante à la plus vaste galaxie, la synergie rendant la totalité bien supérieure à la simple somme de ses parties.

Qu'un fil se déchire et la maille courait le long de toute la toile. L'action et la réaction... Des ondes de choc se répercutant à l'infini...

La destruction de Carida était une blessure au cœur de la Force. Une blessure accompagnée d'un cri, qui devenait plus fort en passant d'esprit à esprit.

Un hurlement assez fort pour torturer une âme.

Ou la réveiller !

Les perceptions sensorielles revinrent à Luke Skywalker avec la puissance d'un cyclone, le libérant du néant où il était pétrifié. Le dernier cri qu'il avait poussé résonnait encore à ses oreilles et il se sentait étrangement engourdi.

Les tentacules du Côté Obscur de la Force s'enroulant autour de lui était la dernière chose dont il se souvenait. Invoqués par Exar Kun et Kyp Durron, un de ses élèves dévoyé, les serpents de la Sith avaient enfoncé leurs crocs dans sa chair. Incapable de résister à leur puissance, Luke avait tenté d'utiliser son sabrolaser.

En vain.

Alors Skywalker avait sombré dans un puits plus profond que tous les trous noirs de l'espace. Combien de temps était-il resté ainsi ? Il l'ignorait, se souvenant seulement du vide et du froid...

Puis quelque chose l'avait libéré.

Submergé par les sensations, le Jedi eut besoin d'un peu de temps pour reprendre ses esprits et analyser ce que voyaient ses yeux. Il était dans la grande salle d'audience, où l'Alliance, des années plus tôt, avait fêté la destruction de la première Etoile Noire.

Sa tête bourdonnait et il avait la nausée. Un moment, il se demanda pourquoi il se sentait si peu substantiel. Puis il regarda en bas et vit son corps étendu sur le marbre, les yeux fermés, le visage de cire.

L'étonnement et l'incrédulité brouillèrent la vision de Luke, mais il se força à fixer ses propres traits. Il reconnut les cicatrices laissées par la créature de glace, un wampa, qui l'avait attaqué sur Hoth.

Les mains croisés sur la poitrine, vêtu de sa bure de Jedi, son corps semblait une statue. A sa hanche, il reconnut le sabrolaser qui ne le quittait jamais.

— Que se passe-t-il ? Il y a quelqu'un ?

Les mots retentirent dans sa « tête », mais n'eurent pas le moindre écho dans la salle.

Luke se regarda *lui-même* — la part de sa personne qui était consciente — et vit une image irréelle, comme un reflet fantomatique de son corps, ou un hologramme reconstitué d'après une description incomplète.

Ses jambes et ses bras spectraux étaient enveloppés d'une robe de Jedi vaporeuse à la couleur curieusement terne. Son corps était entouré d'une aura bleutée d'où jaillissaient des étincelles à chacun de ses mouvements.

Stupéfait et terrorisé, Luke comprit ce qui était arrivé. Autrefois, il avait souvent rencontré les esprits errants d'Obi-Wan Kenobi, de Yoda et, plus tard, de son père, Anakin Skywalker.

Etait-il comme eux ? L'idée paraissait absurde, parce qu'il ne se sentait pas mort — mais de quels points de comparaison disposait-il ?

Au moins un ! Après leur décès, les corps d'Obi-Wan, de Yoda et de son père avaient disparu, laissant des bures vides de Jedi pour les deux premiers et l'armure déserte de Dark Vador pour le troisième.

Alors pourquoi son corps était-il intact ? Parce qu'il n'était pas un Maître Jedi au sens exact du terme ?

Ou parce qu'il n'était pas mort ?

Luke entendit le bruit de l'ascenseur. Ce son lui semblait irréel, comme s'il l'avait perçu avec autre chose que ses oreilles.

Les portes de la cabine s'ouvrirent. D2-R2 roula à l'extérieur, avança lentement sur la promenade et, presque solennel, se dirigea vers la stèle de Luke.

Le cœur du Jedi s'emplit de joie à la vue du petit droïd.

— D2, quel plaisir de te revoir !

Normalement, un « bip » enthousiaste eût dû lui répondre. Mais D2 semblait n'avoir rien entendu ni vu.

— D2, c'est moi !

Quand il fut près de son maître, le droïd poussa un long « twizbip » de désespoir — en admettant qu'il puisse éprouver pareil sentiment. Voir son petit compagnon mécanique si désorienté fendit le cœur de Luke. Le capteur optique du robot passait sans cesse du rouge au bleu.

Skywalker comprit que le droïd était en train d'analyser le corps étendu devant lui. Obtiendrait-il des relevés différents maintenant que l'esprit du Jedi était réveillé ?

D2 ne trahissait aucun signe d'excitation...

Luke tenta de s'approcher du droïd en forme de tonneau. Découvrir comment déplacer ses jambes spectrales lui prit un bon moment. Quand ce fut fait, il avança sur le sol de marbre avec une fluidité à donner le tournis. Quand il tapota le « ventre » rebondi de D2, sa main le traversa...

Luke ne sentait pas le contact du sol sous ses pieds, et ses doigts ne reconnurent pas la consistance métallique de la coque du droïd.

Il marcha à travers D2, espérant que quelque chose apparaîtrait sur ses senseurs.

Le robot ne broncha pas.

Quand il eut fini de travailler, il bipa une dernière fois — un adieu plein de tristesse — et s'en retourna vers l'ascenseur.

— D2, attends ! cria Skywalker.

Mais il ne se faisait pas d'illusion sur le résultat.

Une idée lui traversa l'esprit. Plutôt que de recourir à ses mains fantômes, il pouvait essayer avec la Force. Dans les ruines flottantes de Tibannopolis, sur Bespin, Gantoris et lui avaient utilisé ce moyen pour déplacer des antennes métalliques.

Une émanation invisible du Jedi vint frapper la coque du droïd. Bien que Luke ait mobilisé toute son intangible puissance, l'impact produisit un bruit ridicule.

D2 s'immobilisa un instant. Pendant que Luke rassemblait ses forces pour une deuxième tentative, le droïd, décidant que l'incident n'avait aucune importance, se précipita dans l'ascenseur, dont les portes se refermèrent aussitôt.

La cabine s'ébranla.

Luke se retrouva seul dans la grande salle d'audience. Conscient, certes, mais sans substance et totalement impuissant.

Pour s'en sortir, il allait devoir faire preuve d'imagination !

....

CHAPITRE IV

D'un grognement peu amène, Chewbacca indiqua
aux derniers membres de l'équipe de la Force Spéciale qu'il leur restait peu de temps pour embarquer
dans le transporteur. Toute la journée, des navettes
avaient sillonné le ciel de Coruscant, livrant des
armes, de l'équipement et du personnel à l'unité qui
se préparait à passer à l'assaut.

Le corps d'armée était constitué de quatre corvettes
corelliennes et d'une frégate, une puissance de feu
suffisante pour venir à bout des défenses de l'installation secrète de l'Empire.

Trois retardataires en armure de combat s'engagèrent sur la rampe d'embarquement. Chewie les
regarda progresser avec ce qu'il tenait pour une
lenteur exaspérante. Quand ils furent entrés, le grand
Wookie pianota sur une console pour activer la
fermeture du sas et l'escamotage de la rampe.

— L'impatience ne sert à rien, Chewbacca, pontifia
Z-6PO. Tout le monde est déjà tendu et tu en rajou-
tes... J'ai toujours eu un mauvais pressentiment au
sujet de cette mission.

Chewbacca ignora le commentaire du droïd. Toujours aussi pressé, il souleva le robot de terre et le
porta jusqu'au seul siège libre — hélas, à côté du
sien — où il le laissa tomber comme un sac de pommes de terre.

41

— En voilà des manières ! s'indigna 6PO en bouclant sa ceinture. Je fais de mon mieux ! Mais ces choses-là ne sont pas ma spécialité.

Chewie prit place dans un fauteuil qui n'avait jamais été prévu pour accueillir une créature de sa taille et de son poids, de sorte qu'il dut plier les genoux jusqu'à ce qu'ils touchent presque sa poitrine.

Pourquoi diantre n'était-il pas avec Yan sur leur bon vieux *Faucon Millenium* ?

Le Corellien était parti avec Leia voir Luke Skywalker. Chewie, lui, s'était senti obligé d'aller libérer les Wookies prisonniers dans le Complexe impérial de la Gueule.

Les soldats du groupe d'attaque s'agitaient sur leur siège, chacun vérifiant mentalement sa liste d'équipement avant de se répéter ses ordres. Les commandos de Page, une troupe d'élite, allaient devoir combattre en première ligne, le gros de la force de frappe se contentant dans un premier temps de les appuyer. Le chef des opérations spéciales, le général Crix Madine, avait tenu un briefing quelques heures plus tôt. Tous les hommes étaient fin prêts...

Chewbacca pria pour que le pilote se décide enfin à décoller. Songeant à Yan, il soupira. Avoir laissé son ami seul n'était pas pour lui plaire, mais il attendait depuis trop longtemps une occasion de secourir ses compatriotes.

Quand le jeune Kyp Durron, Yan et lui avaient été capturés par l'amirale Daala, Chewie avait été contraint de travailler avec des prisonniers wookies, d'abord sur un vaisseau puis dans le Complexe de la Gueule. Maltraités depuis plus de dix ans, travaillant à des cadences infernales, ses compagnons avaient perdu toute capacité de résistance. Penser à leur vie ravagée éveillait en Chewie des envies de meurtre.

Quelques jours plus tôt, Z-6PO se chargeant de la traduction, l'ancien copilote de Yan s'était adressé au Conseil de la Nouvelle République. Il demandait l'autorisation d'attaquer le Complexe impérial afin de libérer les prisonniers et d'empêcher que les plans de la nouvelle arme ne tombent entre de mauvaises mains. Voyant que le Wookie avait le soutien de Mon Mothma, les sénateurs n'avaient pas fait de difficultés.

Avec un bruit de métal frottant contre le métal, les plots d'atterrissage du transporteur rentrèrent dans leurs logements. Les réacteurs rugirent, propulsant le navire dans le ciel de Coruscant.

Z-6PO commença à marmonner tout seul. Chewie s'émerveilla de la sophistication du cerveau électronique du droïd. Pour pouvoir se plaindre sans arrêt, il fallait des synapses de premier ordre !

— Je me demande pourquoi maîtresse Leia m'a ordonné de t'accompagner. Je suis toujours disposé à me rendre utile, bien sûr, mais j'y aurais mieux réussi en m'occupant des enfants pendant qu'elle allait sur Yavin 4. Je me suis toujours bien débrouillé avec les jumeaux, pas vrai ?

Chewie émit un grognement sans équivoque.

— Je sais, il y a eu quelques problèmes au Zoo Holographique, mais ça a fini par s'arranger. Tout le monde peut commettre une erreur, après tout...

Quand le transporteur commença à accélérer, Chewbacca ferma les yeux et, d'un grognement, encouragea le droïd protocole à se taire.

Autant jouer une sérénade à un Hutt dans l'espoir qu'il vous jette des pièces.

— J'aurais aimé découvrir l'Académie de messire Luke et revoir D2-R2. Il y a une éternité que je n'ai plus parlé à un droïd sympathique... (Il changea de sujet sans ralentir son débit.) Je ne vois pas à quoi je servirai dans cette mission. Au combat, personne n'est plus incompétent que moi. D'ailleurs, je déteste ça ! J'abomine le chahut sous toutes ses formes. Et il me poursuit, pauvre de moi...

L'accélération plaqua Chewie contre le dossier de son siège. Le transporteur venait de mettre le cap sur les vaisseaux de guerre en orbite autour de Coruscant.

6PO continua, imperturbable :

— Bien entendu, je pourrai aider à récupérer les informations stockées dans les ordinateurs du Complexe. Techniquement, ce sera un jeu d'enfant pour moi. *Idem* pour le langage des scientifiques étrangers, que je traduirai en un tournemain. Mais ne suffit-il pas de droïds moins raffinés que moi pour ce genre de travail ? Je sais que le général Antilles dispose de toute une équipe de droïds décodeurs. Et les commandos de Page sont des as dans ce domaine. Pourquoi faut-il que je sois là et que je fasse tout le travail difficile ? Ce n'est pas juste.

Chewbacca aboya un ordre facile à comprendre.

— Pas question que je me taise, Chewie. Au nom de quoi t'obéirais-je après ce que tu as fait à ma tête dans la Cité des Nuages ? La remonter à l'envers, quel outrage !

« Avec un peu de bonne volonté, tu aurais pu convaincre nos chefs de me laisser avec maîtresse Leia. Mais tu me pensais utile pour cette mission, pas vrai ? Alors maintenant, il va falloir m'écouter...

L'air ennuyé, Chewbacca tendit une main vers la nuque de 6PO, trouva le commutateur et désactiva le droïd, qui se tut instantanément et inclina sa tête dorée sur la poitrine.

Les commandos de Page — connus pour leur professionnalisme, leur efficacité et leur stoïcisme — ne purent s'empêcher d'applaudir.

Sur la passerelle de la frégate *Yavaris*, le général Wedge Antilles regardait l'espace. Il avait demandé à commander cette mission pour retourner à l'endroit où Qwi Xux avait passé une grande partie de sa vie — là où les secrets perdus de sa mémoire étaient peut-être cachés.

Le *Yavaris* était un puissant vaisseau, même s'il n'en avait pas l'air à cause du tube de faible section qui reliait ses deux composantes. A la proue de la frégate, une structure massive contenait les moteurs auxiliaires et d'hyperdrive plus les générateurs qui les alimentaient et fournissaient aussi de la puissance aux canons-blasters et aux lasers. A la poupe — l'autre extrémité du tube — se trouvaient la section de commandement, les quartiers de l'équipage, la salle des senseurs et le hangar géant où étaient embarqués deux escadrons d'ailes X prêts à passer à l'attaque.

La frégate transportait neuf cents soldats parfaitement entraînés et armés. Les corvettes corelliennes en abritaient cent chacune.

Yan Solo avait informé la Nouvelle République que le Complexe de la Gueule n'était plus défendu par les destroyers de l'amirale Daala, qui avaient quitté le secteur pour semer la terreur dans la galaxie. Apparemment, les informations n'attendaient plus que d'être cueillies et les scientifiques d'être capturés. Mais Wedge se méfiait. Quand on avait affaire à des savants impériaux spécialisés dans l'armement, mieux valait s'attendre à tout.

Le général activa l'intercom.

— Départ imminent, annonça-t-il.

Les quatre corvettes étaient disposées en étoiles autour de la frégate. Antilles vit des langues de flammes bleues sortir de leurs réacteurs.

Les moteurs des vaisseaux corelliens étaient deux fois plus grands que la zone d'habitation et la passerelle en forme de tête de marteau. Des années plus tôt, Leia pilotait un vaisseau de ce type quand le navire de Dark Vador l'avait arraisonnée pour la forcer à restituer les plans de l'Etoile Noire...

Wedge aurait aimé que Qwi soit à ses côtés pour regarder le départ, mais la jeune femme était recluse dans ses quartiers, où elle étudiait sans relâche. Consciente que la mémoire ne lui reviendrait pas comme par magie, elle avait entrepris de remédier à ses lacunes en emmagasinant autant d'informations que possible.

De plus, elle n'aimait pas contempler une planète depuis un vaisseau. A force de patience et de gentillesse, Wedge avait appris pourquoi. Très jeune, elle avait été prisonnière sur une sphère orbitale de formation commandée par l'immonde Moff Tarkin. Chaque fois qu'un étudiant échouait à un examen, la jeune fille avait été contrainte de voir les destroyers impériaux raser une partie des habitations en nid d'abeille de son peuple.

Penser au mal que l'Empire avait fait à l'adorable Qwi fit serrer les poings au général.

— Prêt à passer dans l'hyperespace, navigateur ? demanda-t-il.

— Cap calculé, monsieur.

Wedge entendait faire tout son possible pour rendre Qwi heureuse. Mais, d'abord, il fallait conquérir le Complexe de la Gueule.

— En avant ! ordonna-t-il.

Dans sa cabine sans hublot, sur le pont inférieur le mieux protégé du *Yavaris*, Qwi Xux fixait le moniteur de ses yeux indigo. Elle dévorait fichier après fichier, absorbant les données avec la même avidité qu'une éponge du désert de Tatooine engloutit chaque gouttelette d'eau qui passe à sa portée.

Sur son bureau, un holoportrait de Wedge était placé dans un cube de verre. La jeune femme le regardait chaque fois qu'elle avait besoin de se remémorer son apparence, sa façon d'être, et l'importance qu'il avait dans sa vie. Depuis l'agression mentale de Kyp Durron, aucun de ses souvenirs n'était vraiment stable.

Au début, elle avait oublié Wedge et les moments passés à ses côtés. Désespéré, son compagnon lui avait montré des photos, parlé des endroits qu'ils avaient découverts ensemble sur la planète Ithor. Il lui avait rappelé leur séjour sur le site de reconstruction de la Cathédrale des Vents de Vortex.

Quelques images avaient dansé devant les yeux de Qwi, lui confirmant que sa mémoire n'avait pas toujours été une *tabula rasa*. Mais il lui était impossible d'obtenir plus que ces fugaces éclairs de lucidité...

Parfois, ce que lui racontait Wedge s'imposait à son esprit avec une telle force que des larmes lui montaient aux yeux. Quand cela arrivait, jamais il ne manquait de la serrer dans ses bras pour la réconforter.

— Peu importe le temps qu'il faudra, lui disait-il, mais je t'aiderai à te rappeler. Et si nous ne retrouvons pas tout ton passé, nous te fabriquerons assez de nouveaux souvenirs pour remplir les cases vides de ta mémoire...

Qwi venait de visionner l'enregistrement de son discours devant le Conseil de la Nouvelle République. Ce jour-là, elle avait demandé qu'on cesse d'étudier le Broyeur de Soleil et qu'on s'en débarrasse d'une manière ou d'une autre. A contrecœur, les sénateurs avaient accepté d'immerger l'arme diabolique dans une planète gazeuse. Mais cela n'avait pas empêché Kyp Durron de la récupérer.

En regardant l'holofilm du discours, Qwi avait vu ses lèvres prononcer des mots dont elle ne gardait pas souvenir. A présent, l'épisode était inscrit dans sa mémoire, mais il lui restait tout à fait étranger, comme s'il s'était agi de quelqu'un d'autre.

Poussant un soupir, la jeune femme passa au fichier suivant. La méthode était lente et contraignante, mais il n'y en avait pas d'autre.

La plus grande partie de ses connaissances scientifiques était intacte. D'autres manquaient, effacées sans laisser de trace. Il ne restait rien des idées qu'elle avait développées ou des plans des nouvelles armes qu'on lui devait. Apparemment, quand Kyp avait fouillé dans sa tête pour s'approprier ce qui concernait le Broyeur de Soleil, il avait détruit les données qui lui semblaient moralement douteuses.

Qwi n'avait plus qu'à reconstruire son cerveau zone par zone. A vrai dire, avoir tout oublié du Broyeur de Soleil ne la dérangeait pas, car elle s'était juré de ne jamais révéler à personne comment il fonctionnait. Désormais, cela lui aurait été impossible, l'eût-elle voulu.

Certaines inventions gagnaient à tomber dans l'oubli.

La flotte d'assaut voyageait depuis plus de vingt-quatre heures en direction du système de Kessel. Qwi avait travaillé la plupart du temps, s'autorisant malgré tout une pause pour parler à Wedge quand il était venu la voir, après son service. Puis ils avaient mangé et passé un long moment à se regarder dans les yeux en silence.

Bientôt, Wedge reviendrait. La trouvant assise devant l'ordinateur, il lui poserait les mains sur les épaules et lui ferait un délicieux massage en répétant plusieurs fois :

— Tu travailles trop, Qwi. Beaucoup trop...

Qwi se souvint de sa jeunesse. Pour le seul bénéfice du Grand Moff Tarkin, elle avait stocké d'incroyables quantités de connaissances scientifiques dans son cerveau d'adolescente. De tous les étudiants, elle seule avait survécu à ces conditions épouvantables. Et le raid de Kyp Durron sur sa mémoire avait épargné ces souvenirs-là, qu'elle eût donné cher pour oublier.

Etudier des documents et visionner des films ne pouvaient pas lui rendre *toute* sa mémoire. Il fallait qu'elle retourne dans le Complexe de la Gueule, où elle avait vécu si longtemps. Là, elle saurait quelle partie de son passé était perdue à jamais.

L'intercom bipa. C'était Wedge.

— Qwi, veux-tu venir sur la passerelle ? J'aimerais te montrer quelque chose.

— J'arrive.

Elle sourit, ravie d'avoir entendu la voix de son compagnon.

Cinq minutes plus tard, la jeune femme sortit de l'ascenseur pour pénétrer sur la passerelle débordante d'activité. Wedge se retourna pour l'accueillir, mais elle ne le vit pas, ses yeux indigo étant attirés par la baie d'observation principale du *Yavaris*.

Elle avait déjà vu l'amas de la Gueule, pourtant elle en resta bouche bée. Dans un arc-en-ciel de couleurs, un conglomérat surréaliste de gaz ionisés et de débris surchauffés gravitait autour des bouches sans fond des trous noirs.

— Nous sommes sortis de l'hyperespace à proximité du système de Kessel, dit Wedge. Nous allons devoir slalomer entre les obstacles. J'ai pensé que tu aimerais jeter un coup d'œil.

Qwi déglutit avec peine et avança pour prendre la main que lui tendait son compagnon. La Gueule était un labyrinthe où alternaient les puits gravifiques et les culs-de-sac hyperspatiaux. Il existait fort peu de trajectoires sûres — en réalité, il n'y en avait pas, car le danger était partout.

— Nos ordinateurs ont en mémoire le cap suivi par le Broyeur de Soleil. J'espère que rien n'a changé, sinon nous risquons d'avoir une sacrée surprise !

— Ne t'en fais pas, ça devrait aller, dit Qwi. J'ai vérifié tous les calculs.

Antilles la regarda et sourit. Ce qu'elle venait de dire le rassurait plus que toutes les simulations informatiques de l'univers.

L'amas de la Gueule était une curiosité astronomique théoriquement impossible. Depuis des milliers d'années, les astrophysiciens essayaient de déterminer ses origines. Deux thèses prévalaient, l'une affirmant que le hasard avait présidé à la naissance des trous noirs, l'autre qu'une antique race extragalactique les avait rassemblés là pour une raison inconnue.

La Gueule émettait des radiations mortelles qui précipitaient le système de Kessel vers une fin inexorable. Dans cet enfer, l'Empire avait localisé une zone de stabilité où construire son laboratoire secret.

— Allons-y ! lança Qwi, fascinée par les mouvements lents et majestueux des colonnes de gaz ionisés. Je suis prête !

Il lui restait tant à découvrir — et une revanche à prendre.

La frégate et les quatre corvettes s'enfoncèrent bravement au cœur de l'amas de trous noirs.

CHAPITRE V

Une aile entière du Palais Impérial reconstruit était devenu le refuge des Calamariens, connus pour leur amour de l'eau. Ces quartiers liquides abritaient pour l'heure les astromécaniciens formés par l'amiral Ackbar.

Le « refuge » était constitué de plastacier travaillé pour lui donner l'allure d'un récif de corail. Les hublots du « toit » permettaient de voir le ciel de la Cité Impériale ; ceux des « murs » donnaient sur les profondeurs du réservoir d'eau où baignait le « corail ».

Un nuage de vapeur sortant du générateur d'humidité arracha Terpfen à sa contemplation — un peu trop fiévreuse pour être agréable. Ses yeux globuleux firent le tour de la cabine, mais il ne distingua rien dans l'ombre, sinon la lumière bleue qui filtrait par le hublot. Terpfen regarda le gros poisson vert-gris qui avançait dans l'eau, avalant au passage tous les microorganismes à son goût. A part le ronronnement des générateurs et le bruit de bulles qui éclatent des aérateurs, on n'entendait rien dans cet univers semiaquatique.

A l'intérieur de son crâne, Terpfen n'entendait rien non plus. Depuis plus d'un jour, ses maîtres impériaux de Carida ne lui avaient plus envoyé d'ordres. Devait-il s'inquiéter, ou se réjouir ? D'habitude,

Furgan le tracassait régulièrement pour qu'il n'oublie jamais sa présence. Du coup, Terpfen se sentait un peu seul.

Les rumeurs allaient bon train dans le palais. On avait capté des signaux de détresse provenant de Carida, puis tout contact avait été rompu. Des vaisseaux de la Nouvelle République étaient partis en reconnaissance.

Si le système de Carida n'existait plus, l'emprise mentale des Impériaux sur le pauvre Terpfen appartenait peut-être au passé. Se pouvait-il qu'il soit enfin libre ?

Le Calamarien avait été capturé par l'Empire durant l'ignominieuse occupation de son monde natal. Comme beaucoup des siens, il avait été envoyé dans un camp de travail et forcé à travailler à la construction de vaisseaux stellaires.

Ses malheurs ne s'étaient pas arrêtés là. Transféré sur Carida, il avait souffert pendant des semaines tandis que les xénochirurgiens lui retiraient des parties du cerveau pour les remplacer par des circuits espions organiques. Ainsi était-il devenu une marionnette pour Furgan.

Une fois relâché, les cicatrices visibles sur son crâne rasé lui avaient servi de sauf-conduit. Nombre de Calamariens ayant été torturés pendant l'occupation impériale, jamais on ne l'avait soupçonné de trahison.

Depuis des années, il essayait de résister à ses maîtres. Mais une moitié de son cerveau ne lui appartenait plus, le laissant impuissant contre ses bourreaux.

C'était lui qui avait saboté l'aile B d'Ackbar pour qu'elle s'écrase sur Vortex, où elle avait détruit la Cathédrale des Vents, l'affaire valant à l'amiral de tomber en disgrâce. C'était encore lui qui avait caché un mouchard sur une autre aile B et obtenu ainsi les coordonnées d'Anoth, la planète secrète où le petit

Anakin Solo était gardé à l'abri des manigances d'une légion de malfaiteurs.

Terpfen avait communiqué l'information à l'ambassadeur Furgan, qui s'en était léché les babines. A l'heure présente, il devait être en train de préparer une attaque pour s'emparer du plus jeune des trois petits Jedi.

Terpfen se tenait devant le hublot de sa cabine, plongée dans l'obscurité. Fasciné, il ne pouvait détourner le regard du poisson vert qui se nourrissait toujours.

Un prédateur aquatique s'apprêtait à fondre sur son prochain repas. Avec ses nageoires hérissées de piques et sa mâchoire garnie de crocs acérés, il ne laisserait pas une chance à sa victime.

Ainsi agiraient les forces impériales quand elles s'abattraient sur le bébé Jedi et son unique protectrice, Winter, l'amie la plus proche et la confidente de la princesse Leia.

— Non ! cria Terpfen en frappant de ses deux mains palmées contre le hublot.

Les vibrations dérangèrent le chasseur, qui s'en fut à la recherche d'une nouvelle proie. Le poisson vert — aussi intelligent qu'un légume maritime — ne s'aperçut de rien et continua à se sustenter.

Les maîtres de Terpfen étaient peut-être distraits par une tâche urgente... Si le Calamarien voulait agir, c'était le moment ou jamais. Les dégâts que risquait de subir son cerveau ne comptaient pas.

Ackbar était en exil volontaire sur Calamari, où il aidait son peuple à reconstruire les cités flottantes détruites lors des récentes attaques de Daala. A l'entendre, l'amiral ne voulait plus avoir affaire avec la Nouvelle République.

Puisque la cible était le petit Anakin, l'idéal eût été de contacter sa mère, qui avait le pouvoir de mobiliser les forces de la République. Mais Yan Solo et elle venaient de partir pour Yavin 4.

Terpfen allait se procurer un vaisseau, gagner le système et rencontrer Leia. Il lui dirait tout, et remettrait son sort entre ses mains. Si elle décidait de l'exécuter sur-le-champ, tant pis pour lui ! Après tout le mal qu'il avait fait, ça ne serait qu'une juste punition.

Les idées claires — du moins tant qu'elles resteraient les siennes — Terpfen jeta un dernier regard circulaire à sa cabine. Se détournant du hublot qui donnait sur l'eau, un spectacle lui rappelant son monde d'origine, il leva les yeux au plafond et regarda le ciel de Coruscant, avec ses incroyables gratte-ciel et les navettes spatiales qui le sillonnaient comme autant d'abeilles affairées.

Terpfen doutait de revenir un jour sur ce monde...

Le Calamarien n'avait pas le temps de finasser.

Utilisant son propre code d'accès, il pénétra dans le hangar des chasseurs et avança d'un pas confiant. L'odeur que dégageait son corps trahissait sa tension, mais s'il marchait assez vite, personne ne s'en apercevrait avant qu'il soit trop tard.

Les portes donnant sur l'espace étaient fermées pour la nuit. Deux mécaniciens, des Calamariens, se tenaient près d'une aile B. Un groupe de Ugnaughts, bavards comme à leur habitude, travaillaient sur les moteurs d'hyperdrive de deux ailes X dont les ordinateurs de navigation étaient connectés.

Terpfen choisit l'aile B. Le plus grand des deux mécaniciens le salua. L'autre, une femme, s'extirpa du cockpit, un sac plein d'outils sur l'épaule.

Sur son terminal personnel, Terpfen avait déjà contrôlé l'état du chasseur, paré au décollage. Bien qu'il n'eût aucun besoin de poser la question, elle endormirait la méfiance de ses compatriotes.

— Les réparations sont terminées ?

— Affirmatif, monsieur. Que faites-vous ici à une heure aussi tardive ?

— Des affaires privées, marmonna Terpfen.

Il dégaina son blaster — réglé sur anesthésie — et tira en arc de cercle, touchant les deux Calamariens à la poitrine. L'homme s'écroula comme une masse, la femme battant un peu des bras avant de l'imiter.

Les Ugnaughts cessèrent de piailler et regardèrent la scène avec des yeux ronds comme des billes. Puis ils se mirent à hurler, les trois plus courageux sprintant vers le mur où se trouvaient l'intercom et l'alarme.

Terpfen tira de nouveau, assommant pour le compte les trois intrépides. Les autres levèrent leurs grosses mains en signe de reddition. N'étant pas en position de s'encombrer de prisonniers, Terpfen les endormit aussi.

Assuré qu'on ne le dérangerait pas, il se précipita vers le panneau de commande de la porte. Du badge accroché sur le côté gauche de sa poitrine, il retira la puce passe-partout que les Impériaux lui avaient fournie des mois plus tôt, au cas où il devrait quitter les lieux précipitamment. Aujourd'hui, la technologie de l'Empire servirait à la Nouvelle République !

Terpfen introduisit la puce dans un lecteur et appuya sur trois touches. Un sifflement lui apprit que le système vérifiait les informations. La puce parvint à le convaincre que le Calamarien disposait des codes prioritaires idoines — une autorisation spéciale de l'amiral Ackbar et une autre de Mon Mothma.

Avec un bruit sourd, les portes s'ouvrirent. L'air froid de la nuit emplit le hangar.

Terpfen retourna près de l'aile B et tira le corps du mécanicien hors de la zone dangereuse.

Quand il s'occupa de la femme, elle poussa un gémissement. A voir la manière dont pendait son bras, elle avait dû le fracturer dans sa chute. Un moment, le fuyard hésita, pétri de culpabilité. Mais comment aurait-il pu empêcher pareil accident ? Quelques heures dans une cuve à bacta et il n'y paraîtrait plus.

A ce moment-là, il serait déjà en route pour Yavin 4.

Il prit place dans le cockpit de l'aile B, activa le tableau de bord, vérifia que tous les voyants étaient au vert et referma le sas.

Avec la puissance des moteurs d'une aile B, il serait en vue de Yavin en un temps record.

Exactement ce qu'il lui fallait...

Terpfen orienta le chasseur en direction des portes.

Une alarme stridente retentit, traversant le plastacier du cockpit. Le Calamarien tourna la tête pour voir ce qui était allé de travers.

Un Ugnaught qu'il n'avait pas remarqué venait de donner l'alerte. Sans doute avait-il été en train de travailler à l'intérieur d'un appareil.

Terpfen lâcha un juron. Pour sortir, il allait devoir se dépêcher, et peut-être se battre.

Tout ce qu'il avait voulu éviter.

Il poussa à fond les moteurs auxiliaires et jaillit comme une flèche de la gueule du hangar. L'aile B dépassa en un éclair les gratte-ciel de Coruscant et bondit vers la haute atmosphère.

Terpfen n'avait plus le temps de tromper les moniteurs de surveillance de la République. Pour qui l'intercepterait, il serait un saboteur impérial venant de voler un chasseur. Lors de son interrogatoire, personne ne croirait un mot de son histoire de kidnapping d'Anakin Solo. Le temps qu'il convainque les policiers militaires d'informer le Conseil, il serait mille fois trop tard.

Le Calamarien avait commis bien des méfaits à son corps défendant. Enfin libéré de l'influence de l'Empire, il refusait jusqu'à l'éventualité d'un échec.

Car cette fois, il serait le seul à blâmer !

Il fut surpris et consterné par la vitesse de réaction de la sécurité de Coruscant. Quatre ailes X étaient déjà à ses trousses.

Sa radio bipa.

— Pilote de l'aile B, vous n'avez pas d'autorisation de départ. Rebroussez chemin ou nous ouvrirons le feu.

Terpfen augmenta la puissance des boucliers du chasseur. L'aile B, une prise de guerre d'Ackbar offerte à la Rébellion, était très supérieure aux antiques modèles X. Terpfen pouvait tenir ses poursuivants à distance, et sans doute résister à une partie de leurs tirs. Mais ses défenses étaient-elles assez solides pour supporter le feu croisé de *quatre* ailes X ?

— Aile B, c'est notre dernier avertissement...

Un des chasseurs tira une salve de semonce à demi puissance qui rebondit sans dommage contre le champ de force de l'appareil du Calamarien.

Terpfen mit toute la gomme, filant vers une zone orbitale basse que l'ordinateur de navigation du chasseur signalait comme très dangereuse.

Un an plus tôt, la bataille pour la reconquête de Coruscant avait été gagnée au prix de terribles destructions. Beaucoup d'épaves de vaisseaux de guerre orbitaient encore autour de la planète. Des équipes de techniciens s'occupaient de les démonter ou de les détruire mais, en temps de crise, ce genre de mission était loin d'avoir la priorité. De nombreux débris tournaient encore autour de Coruscant.

Terpfen n'était pas pris au dépourvu, car il avait étudié la question et calculé une trajectoire pour traverser le dangereux labyrinthe.

Le chemin était si étroit qu'il ne laissait aucune marge d'erreur. Mais c'était sa seule chance. S'il tergiversait, des essaims de chasseurs viendraient bientôt épauler ceux qui le pistaient.

Le Calamarien refusait de se battre, car il avait causé assez de malheurs comme ça. Il entendait s'enfuir en douceur, sans tuer ni blesser personne.

L'aile B s'arracha à l'atmosphère, les chasseurs de la Nouvelle République dans son sillage. Même si

Terpfen refusait de riposter, les pilotes n'économisaient pas leurs munitions.

Abordant le champ de débris, le Calamarien commença à slalomer entre les épaves.

Au prix d'un réflexe désespéré, il parvint à éviter la masse imposante d'un capteur solaire encore intact appartenant à un chasseur Tie sans doute désintégré depuis.

Devant lui, la coque déchiquetée d'un vaisseau de gros tonnage — un croiseur Loronar — flottait comme un immense oiseau mort.

Terpfen ne changea pas de cap, car la brèche qu'il avait repérée — conséquence de l'explosion des moteurs — laissait le passage à une aile B.

Ses adversaires n'ayant pas étudié le chemin, le risque pouvait leur paraître trop élevé. S'ils ralentissaient, cela lui laisserait le temps de plonger dans l'hyperespace.

Accélérant encore, le Calamarien traversa comme prévu la coque déchiquetée du croiseur. Deux ailes X refusèrent le défi.

La troisième réussit à passer.

La quatrième fit une infime erreur de trajectoire. Son aile gauche heurtant l'obstacle, elle partit en vrille, toucha une autre épave et explosa.

Terpfen sentit son cœur se serrer. Il aurait tant voulu que personne ne meure...

Le dernier chasseur de la République était toujours derrière lui, rendu fou de rage par la triste fin de son partenaire.

Le Calamarien vérifia ses boucliers et constata qu'ils commençaient à faiblir. Il comprenait la colère de son poursuivant, qui tirait salve sur salve, mais il ne tenait pas à mourir, et il était trop tard pour se rendre.

Il étudia les instruments de bord : l'ordinateur avait calculé le meilleur cap pour Yavin.

Evitant une dernière épave, le Calamarien sortit de l'orbite de Coruscant. L'aile X suivait toujours, tirant de toutes ses armes.

Terpfen activa les moteurs d'hyperdrive.

En un clin d'œil, l'aile B fut hors de portée de l'autre chasseur.

Un bouquet d'étoiles blanches éclata devant les yeux du Calamarien.

Il était dans l'hyperespace !

CHAPITRE VI

Debout devant le *Faucon Millenium*, Yan Solo
serrait sa femme entre ses bras, humant à pleins
poumons son parfum. L'humidité de la jungle leur
collait à la peau comme des vêtements trempés.

Yan sentait Leia trembler contre sa poitrine — mais
était-ce vraiment elle seule qui frissonnait ?

— Je dois vraiment y aller, tu sais ? dit le Corellien. Il me faut retrouver Kyp et l'empêcher de détruire d'autres étoiles... et de tuer davantage de gens.

— Je sais... J'aimerais seulement que nous soyons
plus souvent ensemble, même s'il faut affronter le
danger.

Sans le moindre succès, Yan tenta de la gratifier de
son célèbre sourire fataliste.

— Je me pencherai sur la question, promit-il. On
essayera de se débrouiller la prochaine fois.

Les deux époux s'embrassèrent longuement. Puis
Yan se pencha et enlaça les jumeaux, qui semblaient
pressés de retourner jouer dans le temple.

Les deux gamins avaient découvert un nid de woolamandres dans une aile déserte du bâtiment. Dans
son parler encore un peu haché, Jacen se prétendait
capable de dialoguer avec les animaux.

Yan se demandait ce qu'ils pouvaient bien lui
répondre, car ils n'étaient pas plus futés qu'un caillou.

Le Corellien s'approcha de la rampe d'embarquement.

— Leia, tu sais bien que je veux te savoir en sécurité avec les gosses... et avec Luke...

La jeune femme acquiesça. Ils avaient déjà débattu à fond du sujet.

— Je suis assez grande pour savoir ce que je dois faire. Dépêche-toi, maintenant ! Si tu peux arrêter Kyp, il faut partir au plus vite.

Yan lâcha les enfants, embrassa une dernière fois sa bien-aimée et s'engagea sur la rampe.

Dans une salle de bar rotative, au sommet d'un gratte-ciel de la Cité Impériale, Lando Calrissian porta à ses lèvres son verre de sangria et sourit à Mara Jade.

— Vous êtes sûre de ne pas vouloir un deuxième cocktail ? demanda-t-il.

Mara était belle à se damner avec ses cheveux exotiques, ses pommettes hautes, ses lèvres sensuelles et ses yeux aux reflets de diamant.

— Non, merci, Lando, répondit-elle, alors qu'elle n'avait pas encore touché au premier. Nous devons parler de choses sérieuses.

A travers les baies vitrées du bar panoramique, Calrissian apercevait les lumières du Palais Impérial et des gratte-ciel géants de Coruscant. Des barges à touristes couvertes d'annonces publicitaires slalomaient entre les bâtiments. Haut dans le ciel, deux lunes mal assorties faisaient grise mine comme à l'accoutumée.

De la musique arrivait aux oreilles de Mara et de Lando. Assise au centre d'une forêt de claviers, une créature noire hérissée de tentacules interprétait un morceau pour le moins étrange. Sur sa tête bosselée dépourvue d'yeux, des membranes de différentes tailles lui permettaient d'entendre une incroyable plage de sons, une bonne moitié des notes de sa mélodie étant trop aiguës ou trop graves pour des oreilles humaines.

Lando but une autre gorgée d'alcool et s'adossa à son siège avec un petit sourire. Comme toujours, il portait sur les épaules la cape rouge qui lui donnait des allures d'artiste. Habillée d'une combinaison moulante, Mara avait de quoi attirer le regard d'un homme : ses courbes ressemblaient à la carte d'un système planétaire complexe propice à de passionnantes explorations.

— Ainsi, commença Lando, vous pensez que l'Alliance des Contrebandiers voudrait passer un accord avec moi au sujet de l'exploitation du glitterstim de Kessel ?

— Je peux le garantir ! Moruth Doole a laissé les mines d'épices à l'abandon. Avec le marché noir qui se généralise, y compris dans le Centre Pénitentiaire Impérial, un honnête trafiquant n'a plus la possibilité de gagner sa vie. Il faut que des maîtres du crime comme Jabba le Hutt s'en mêlent pour que l'affaire soit à peu près rentable. Tout le monde n'a pas des moyens pareils.

— Je peux me lancer dans l'aventure... La duchesse de Dargul m'a donné une récompense d'un million de crédits. En investissant judicieusement cet argent, il doit être possible de rationaliser le système.

— Quel est votre plan ? demanda Mara en se penchant dans son fauteuil pour chuchoter à l'oreille de son compagnon.

Le cœur battant la chamade, Lando imita le mouvement, jubilant à l'idée de ce qui pouvait se passer...

La jeune femme recula comme si un serpent l'avait mordue.

Dépité, Calrissian revint au travail.

— Hum... Je n'aime pas que Doole se serve d'une prison comme plaque tournante, mais ça pourra me servir de point de départ. Au moins garderai-je le bâtiment comme quartier général.

« Et... euh... je n'ai pas l'intention d'utiliser des esclaves. Des droïds-ouvriers feront aussi bien l'affaire. Sur Nkllon, j'ai étudié des systèmes de forage très sophistiqués. Avec des outils super-réfrigérés, les signatures infrarouges ne risqueront plus d'attirer les araignées d'énergie qui nous ont causé tant de problèmes.

— Les droïds ne peuvent pas tout faire, objecta Mara. Vous aurez besoin de personnel vivant. Qui envisagez-vous de placer à la tête d'une opération aussi peu reluisante ?

— *Peu reluisante*, elle l'est à coup sûr pour les humains, mais moins pour d'autres espèces. Je pense engager un vieil ami à moi, Nien Nunb, qui était mon copilote, sur le *Faucon*, au moment de la bataille d'Endor. C'est un Sullustéen — des créatures qui vivent dans les tunnels d'un monde volcanique déplaisant au possible. Pour lui, les mines d'épices seront un hôtel de luxe ! (Lando remarqua l'air sceptique de la jeune femme.) Mara, j'ai bourlingué avec lui, et je sais qu'on peut lui faire confiance !

— On dirait que vous avez résolu tous les problèmes, Calrissian. Mais jusque-là, ce ne sont que des mots. Quand comptez-vous partir pour Kessel ?

— Eh bien... j'y ai perdu mon vaisseau... Hum, je veux commencer par récupérer le *Lady Luck*. Après, je me mettrai au travail. (Il plissa le front.) Au fait, ça vous dirait de venir me donner un coup de main ? On ferait une bonne équipe.

— Sûrement pas ! (Mara Jade se leva.) Je dois partir.

— Bon... Si vous voulez bien, nous nous reverrons sur Kessel dans une semaine. D'ici là, j'aurai une meilleure idée de ce qu'il faut faire. Mara, je sens que commence une longue et fructueuse relation...

— De *travail* ! termina la jeune femme, moins coupante qu'elle ne l'aurait voulu.

— Vous êtes sûre de ne pas vouloir dîner avec moi ? demanda Lando, saisissant la balle au vol.

— J'ai déjà mangé une ration standard. Une semaine, pas un jour de plus. Je vous attendrai sur Kessel.

Elle tourna les talons et s'en fut.

Lando lui souffla un petit baiser du bout des doigts. Elle ne s'en aperçut pas, ce qui était sans doute préférable.

Sur ses claviers, le musicien tentaculaire entonna une complainte débordant de résonances émotionnelles beaucoup trop subtiles pour l'assistance.

Dans la Salle du Conseil, Yan Solo s'éclaircit la gorge avant de s'adresser aux sénateurs et aux généraux réunis sous la présidence de Mon Mothma.

— Je n'ai pas souvent l'occasion de parler à... (*hum, quel langage fleuri utiliserait donc Leia ?*)... cette auguste assemblée, mais j'ai besoin de certaines informations.

Mon Mothma s'assit avec difficulté. Près d'elle, un droïd médical surveillait les dispositifs qui la maintenaient en vie. La peau de la présidente du Sénat était grisâtre, comme si elle allait bientôt se détacher de ses os. Son état empirant chaque jour, Mon Mothma avait renoncé à jouer la comédie.

Selon Leia, l'étrange maladie dégénérative de leur chef lui laissait à peine quelques semaines à vivre. A la voir, Yan doutait que les choses puissent durer aussi longtemps.

— Général Solo... (Une pause, puis une profonde inspiration.) Que... voulez-vous savoir ?

Yan déglutit péniblement. Il ne pouvait leur cacher la vérité, si détestable qu'il la trouvât.

— Kyp Durron était mon ami, mais il s'est engagé sur la mauvaise voie. Après avoir attaqué Luke Skywalker, il a volé le Broyeur de Soleil et détruit une nébuleuse pour anéantir la flotte de l'amirale Daala. D'après Leia et les élèves Jedi, une grande déchirure, dans la Force, laisse penser qu'il a commis d'autres crimes.

Le général Rieekan prit la parole, les yeux brillant de colère. L'homme avait commandé la Base Echo de Hoth. Il n'était pas du genre à s'émouvoir pour des peccadilles.

— Nos vaisseaux sont revenus de leur mission, général Solo. Votre ami a encore utilisé le Broyeur de Soleil. Cette fois, il a détruit le système de Carida, où se trouvait une académie militaire.

Yan en eut la gorge sèche. Pourtant, la nouvelle ne l'étonnait pas, sachant à quel point Kyp abominait l'Empire.

Le vieux général Jan Dodonna intervint :

— Cette boucherie doit cesser ! Même l'Empereur n'aurait pas perpétré des horreurs pareilles. La Nouvelle République ne recourt pas à des tactiques aussi barbares !

— Kyp Durron n'hésite pas à le faire, coupa Garm Bel Iblis, et il a détruit deux cibles cruciales. Si nous désapprouvons ses méthodes, il faut bien reconnaître qu'elles sont efficaces.

Mon Mothma trouva la force de parler :

— J'interdis qu'on décrive ce jeune homme... comme un héros de guerre. (Elle leva une main pour signifier qu'elle n'en avait pas terminé.) Sa croisade doit s'arrêter. Général Solo, pouvez-vous mettre fin à ses agissements ?

— Il faudra d'abord le trouver ! Avec les informations recueillies par vos éclaireurs, je pourrai reconstituer sa piste. Si je parviens à lui parler, il reviendra à la raison, j'en fais mon affaire. Vous savez, ça n'est qu'un gosse...

— Général Solo, vous aurez toutes les informations que vous désirez. (Mon Mothma dut agripper les accoudoirs de son siège pour ne pas piquer du nez.) Vous faut-il... une escorte ?

— Non. Ça risque de l'effrayer. Le *Faucon* et moi

nous chargerons de cette mission. Avec un peu de chance, je ramènerai aussi le Broyeur de Soleil. (Il balaya l'assemblée du regard.) Cette fois, je vous jure qu'on le détruira pour de bon !

Yan avait presque fini de préparer le *Faucon* au voyage quand une voix familière résonna dans son dos.

— Solo, vieux filou ! Besoin d'un coup de main ?

Le Corellien se retourna. C'était Lando Calrissian, hâbleur comme à son habitude.

— Je suis sur le départ, Lando. Et je ne sais pas quand je reviendrai.

— J'ai entendu parler de ta mission... Pourquoi tu ne m'emmènes pas, Yan ? Tu auras besoin d'un copilote et Chewie n'est pas disponible.

— C'est une affaire dangereuse. Je ne veux pas embarquer quelqu'un dans...

— Yan, piloter seul le *Faucon* est de la folie. Sais-tu seulement quels dangers tu vas courir ? Qui sera aux commandes si tu dois servir les canons ? Admet-le, je suis ton meilleur choix.

— Faux ! Ce serait Chewie, s'il était là ! Tu sais que cette boule de poils me manque ? Au moins, il n'essaye pas sans arrêt de me gagner le *Faucon* au jeu !

— Yan, c'est du passé, tout ça. Nous avons juré de ne plus recommencer. Tu t'en souviens ?

— Comment aurais-je pu oublier ?

Lors de leur dernière partie de sabacc, Lando l'avait battu à plate couture. Redevenu propriétaire du *Faucon*, il l'avait rendu à Solo pour impressionner Mara Jade.

— Dis-moi, pourquoi insistes-tu comme ça, vieux pirate ? s'étonna le Corellien. Ça ne sera pas une croisière d'agrément.

Lando dansa d'un pied sur l'autre.

— Pour tout te dire, je dois être sur Kessel dans une semaine.

— Mais je ne vais pas dans ce secteur !

— Qu'en sais-tu ? Tu cherches Kyp. Peut-être qu'il y est. Tu n'en as pas la moindre idée...

— Pas mal raisonné... Que veux-tu faire là-bas ? Après ce qui est arrivé la dernière fois, j'aurais juré que tu te tiendrais loin de cette planète.

— J'ai rendez-vous avec Mara Jade. Nous sommes associés dans une affaire d'épices.

D'un geste théâtral, il jeta sa cape sur son épaule droite.

— Mara sait-elle que vous êtes partenaires ? demanda Yan. Ou est-ce encore une de tes arnaques ?

Lando prit un air peiné.

— Evidemment qu'elle sait ! Enfin, en partie... Et puis, si tu me conduis sur Kessel, je retrouverai le *Lady Luck* et je pourrais arrêter de faire du stop interplanétaire. Ça commence à me lasser...

— Tu n'es pas le seul... Bon, si nous approchons de Kessel, je veux bien t'y déposer. Mais la priorité est de rechercher Kyp.

— C'est compris, Yan, dit Lando, avant de marmonner dans sa barbe : à condition que je sois sur Kessel avant huit jours.

CHAPITRE VII

Devenu un pur esprit, Luke Skywalker dut se contenter de regarder quand sa sœur Leia et ses élèves entrèrent dans la grande salle d'audience. D2-R2 fermait la marche à la manière d'une escorte. Sans un bip, il s'arrêta devant la stèle où gisait le corps de son maître.

Les aspirants Jedi se placèrent devant la silhouette immobile de leur mentor. Comme à des funérailles, ils gardaient un silence respectueux. Luke captait leurs émotions : le chagrin, la confusion, la consternation et une profonde angoisse.

— Leia, appela le Jedi de sa voix d'outre-tombe. Leia !

La jeune femme tressaillit, mais il comprit vite qu'elle n'avait rien entendu. Elle posa une main sur le bras de son frère et murmura :

— J'ignore si tu m'entends, Luke, mais je suis sûre que tu n'es pas mort. Nous trouverons un moyen de t'aider, car je sens toujours ta présence.

Une douce pression, et elle se détourna, des larmes plein les yeux.

— Leia, soupira Luke.

Il la regarda rejoindre l'ascenseur, les aspirants Jedi sur les talons. Quand tous furent partis, il se retrouva seul avec son propre corps, aussi inutile qu'un speeder sans moteur.

— D'accord... d'accord, maugréa-t-il.

Si D2, Leia et ses élèves restaient insensibles à sa présence, peut-être pourrait-il communiquer avec un habitant de son nouveau plan d'existence.

— Ben ! Obi-Wan Kenobi, est-ce que tu m'entends ?

Sa voix résonnait dans l'éther de l'improbable dimension. Mobilisant toutes ses forces mentales, Luke cria :

— Ben !

N'obtenant pas de réponse, il appela d'autres Jedi.

— Yoda ! Père ! Anakin Skywalker !

Toujours rien.

Soudain, Luke sentit comme un vent glacial souffler sur sa chair sans substance. Des mots jaillirent d'une cloison.

— Ils ne peuvent pas t'entendre, Skywalker. Mais *moi*, oui.

Luke se retourna et vit une fissure s'ouvrir lentement dans le mur de pierre. Une forme vaporeuse en sortit, qui se matérialisa pour devenir la silhouette d'un homme en robe sombre dont les traits ne lui étaient pas étrangers. L'apparition avait de longs cheveux noirs et une peau mate ; sur son front était tatoué un soleil noir. Pareils à des éclats d'obsidienne, ses yeux semblaient aussi coupants. Le pli amer de sa bouche laissait penser qu'il avait été trahi et disposait depuis de tout son temps pour ruminer d'amères pensées.

— Exar Kun, dit Luke.

Le spectre l'entendit parfaitement.

— Alors, Skywalker, tu aimes que ton esprit soit séparé de ton corps ? railla Kun. J'ai eu quatre mille ans pour m'habituer. Franchement, les deux ou trois premiers siècles sont les plus durs !

Luke le défia du regard.

— Tu as corrompu mes élèves, Exar Kun. Tu es

responsable de la mort de Gantoris. Et Kyp Durron s'est retourné contre moi par ta faute.

Kun éclata de rire.

— Peut-être est-ce plutôt toi, le grand professeur, qui as échoué ! Ou eux qui ont fantasmé ?

— Comment peux-tu savoir que je resterai sous cette forme pendant des millénaires ? demanda Luke.

— Quand j'aurai détruit ton corps, tu n'auras plus le choix. Enchâsser mon esprit dans ce temple fut le seul moyen de survivre quand se produisit l'holocauste. Les Chevaliers Jedi ont dévasté Yavin 4. Ils ont tué les quelques Massassis que je gardais en vie, et détruit mon corps... Mon esprit a été condamné à l'attente jusqu'à ce que tu arrives avec tes élèves, qui ont vite appris à entendre ma voix.

La colère bouillonnait en Luke, mais il se contraignit à parler d'un ton serein et assuré.

— Tu ne peux rien faire à mon corps, Kun. Le plan matériel ne nous est pas accessible.

— Certes, mais je connais d'autres façons de combattre, et j'ai eu des millénaires pour m'entraîner. Sois-en assuré, Skywalker, je te détruirai !

Sa déclaration de guerre terminée, Kun fut aspiré par la fissure tel un nuage de fumée, laissant Luke seul et plus déterminé que jamais à échapper à son immatérielle prison.

Il trouverait un moyen. Les Jedi avaient une solution à tous les problèmes.

Quand les jumeaux se mirent à crier en pleine nuit, Leia s'éveilla sur-le-champ, un frisson glacé lui courant dans le dos.

— C'est oncle Luke ! dit Jaina.

— Il va être blessé ! ajouta Jacen.

Leia se leva et une série de vibrations traversa son corps. Jamais elle n'avait rien éprouvé de pareil. Plutôt que de l'entendre, elle *sentit* la tempête qui se préparait dans le temple, où une formidable puissance

70

était prisonnière. Le point focal du phénomène était la salle où Luke reposait.

Leia enfila une robe blanche et se précipita vers la porte. Dans le couloir, plusieurs élèves, réveillés en sursaut, ne cachaient pas leur inquiétude.

Entendant les enfants sauter de leur lit, Leia se retourna et lança :

— Vous deux, pas question de quitter la chambre !

La princesse ne se faisait pas la moindre illusion sur ses chances d'être obéie. Avisant D2-R2 qui errait dans le corridor, bipant comme une âme en peine, elle l'interpella :

— Surveille les enfants ! (Elle se tourna vers les élèves :) Suivez-moi ! Direction la salle d'audience, et vite !

D2 entra dans la chambre, tous ses voyants clignotant pour exprimer sa détresse. Leia et ses compagnons s'engouffrèrent dans l'ascenseur, qui les conduisit au dernier étage.

La jeune femme bondit hors de la cabine comme une tigresse.

La température avait vertigineusement chuté. Des vents soufflant de toutes les directions se focalisaient sur l'estrade où reposait Luke.

Streen !

Le vieil ermite de Bespin se tenait au centre du mini cyclone, sa robe de Jedi flottant autour de lui. Ses cheveux gris se dressaient sur sa tête comme s'ils étaient chargés d'électricité. Les yeux fermés, il murmurait des mots sans suite — une invocation ?

Leia savait que les Jedi, si puissants fussent-ils, ne pouvaient pas manipuler des phénomènes tels que les conditions climatiques. Mais ils pouvaient déplacer des objets. C'était ce que faisait Streen. Sans altérer le temps, il forçait l'air à tourbillonner, créant une tornade miniature qui se dirigeait vers Luke.

— Non ! Streen, arrêtez !

Le cyclone atteignit Skywalker, enveloppa son corps

et le souleva dans les airs. Leia courut vers son frère, les pieds touchant à peine le sol tellement elle allait vite.

La tempête la repoussa, l'envoyant valdinguer contre une cloison comme un moustique.

Leia parvint à se calmer assez pour recourir à sa propre maîtrise de la Force. Au lieu de s'assommer contre la pierre, elle glissa doucement sur le sol.

Le corps de Luke continuait à s'élever, aspiré vers le haut par le cyclone. Sa robe de Jedi s'enroulant autour de lui, il ressemblait à un cadavre largué dans l'espace depuis un vaisseau.

Streen ne semblait pas conscient de ce qu'il était en train de faire.

Leia se remit debout et repartit à l'assaut. Cette fois, elle pénétra dans la tornade et fut aspirée à son tour, suivant son frère. Du bout des doigts, elle parvint à agripper le pan de sa robe de Jedi. Hélas, elle ne parvint pas à assurer sa prise et retomba sur le sol.

Luke était piégé, son corps montait vers les lucarnes du plafond.

— Luke ! cria-t-elle. Aide-moi !

Elle ignorait s'il pouvait l'entendre, et plus encore s'il était en mesure d'intervenir. Utilisant toute la force de ses jambes, elle sauta aussi haut que possible.

Allait-elle pouvoir utiliser ses dons de lévitation de Jedi ? Son frère y était parfois parvenu, mais pas elle. Cependant, avec l'énergie du désespoir...

Alors qu'elle sautait, la tornade l'aspira et elle monta assez haut pour atteindre Luke. Lui passant les bras autour de la poitrine, elle espéra que son poids l'entraînerait vers le bas.

Alors le vent augmenta de puissance avec des rugissements de bête fauve. Leia sentit ses membres s'engourdir, vaincus par le froid.

Son frère et elle filaient vers la voûte du temple, en

direction de la plus grande lucarne, d'où pendaient des stalactites plus pointus que des javelots.

Leia comprit ce que Streen avait l'intention de faire, que ce fût conscient ou non : ils allaient être éjectés du temple, s'élèveraient haut dans le ciel, puis retomberaient comme des pierres sur les branches assassines des arbres.

Les portes de l'ascenseur s'ouvrirent. Kirana Ti en sortit, suivie de Tionne et de Kam Solusar.

— Streen, arrêtez ! cria Leia.

Kirana Ti réagit instantanément. Comme souvent, elle portait une armure rouge légère faite d'écailles de reptile — une espèce rare même sur Dathomir. Sur sa planète natale, elle avait été une guerrière redoutable malgré sa maîtrise incomplète de la Force, et le corps à corps n'avait aucun secret pour elle.

Kirana Ti se propulsa sur ses longues jambes musclées et chargea le tourbillon de vents glacés qui entourait Streen. Le vieil ermite, toujours dans sa transe, se retourna lentement, les bras le long du corps, mains ouvertes comme s'il voulait saisir quelque chose.

Kirana Ti vacilla quand elle percuta la tornade, mais elle ne recula pas. Étonnamment puissante, elle parvint à vaincre la résistance du phénomène et se retrouva dans l'œil du cyclone.

Plaquant Streen au sol, elle lui retourna les bras dans le dos.

L'ermite de Bespin cria, puis rouvrit les yeux et regarda autour de lui, l'air ahuri. Les vents moururent aussitôt.

Presque parvenus au plafond, Leia et Luke retombèrent, le sol de pierre leur promettant une réception meurtrière. Leia tenta de recourir à son don de lévitation, mais elle n'était décidément pas douée.

Tionne et Kam Solusar se précipitèrent, les bras tendus. Ils mirent en application l'enseignement de Luke : à moins d'un mètre du sol, Leia et son frère s'immobilisèrent, miraculeusement suspendus dans les airs. Puis ils atterrirent en douceur.

Leia serra Luke contre elle, mais il ne réagit pas.

Streen s'assit sur le sol et Kam Solusar courut aider Kirana Ti à le tenir. Quand le vieil homme se mit à pleurer, Kam le regarda comme s'il préméditait de l'exécuter sans autre forme de procès. Kirana leva une main :

— Ne le frappe pas, dit-elle. Il ne savait pas ce qu'il faisait.

— Un cauchemar, murmura Streen. L'homme en noir me parlait sans cesse. Je luttais contre lui dans mon rêve, mais il revenait toujours à l'assaut. (Il regarda ses compagnons, cherchant un peu de sympathie.) J'étais sur le point de le tuer et de nous sauver tous quand vous m'avez réveillé...

Soudain, Streen s'aperçut qu'il n'était pas dans sa chambre. Tournant les yeux, il vit Leia, son frère entre les bras.

— L'homme en noir t'a tendu un piège, Streen, dit Kirana Ti. Tu ne le combattais pas, bien au contraire, car il te manipulait. Tu étais sa marionnette. Si nous ne t'avions pas arrêté, tu aurais détruit maître Luke. Enfin, son corps...

Streen éclata en sanglots.

Tionne approcha et aida Leia à réinstaller son frère sur la table de pierre.

— Je crois qu'il n'a rien, murmura Leia.

— Une chance incroyable, dit Tionne. Les anciens Chevaliers Jedi avaient-ils à affronter des choses pareilles ?

— Si oui, souffla Leia, j'espère que vous retrouverez les anciens manuscrits. Nous devons savoir ce que nos prédécesseurs faisaient pour vaincre leurs ennemis.

Streen se releva, se dégageant de l'étreinte de Kirana Ti et de Kam Solusar. Son visage était empourpré d'indignation.

— Il faut détruire l'homme en noir, déclara-t-il. Sinon il nous tuera tous.

Le sang de Leia se glaça dans ses veines. Le vieil ermite avait raison, elle l'aurait juré...

CHAPITRE VIII

Dans des circonstances normales, être l'administrateur en chef du Complexe de la Gueule aurait pesé d'un poids énorme sur les épaules de n'importe qui. Sans l'aide de l'Empire, c'était une épreuve que Tol Sivron n'aurait jamais cru devoir subir. Seul dans la grande salle de conférence, Sivron secoua ses deux appendices crâniens de Twi'lek et continua à contempler l'objet de sa fierté.

Il n'avait jamais aimé l'amirale Daala, trop autoritaire à son goût. Durant les années qu'ils avaient passées dans le Complexe, Sivron n'avait jamais eu le sentiment que cette femme comprenait l'importance de sa mission : créer de nouveaux moyens de destruction de masse pour le Grand Moff Tarkin, à qui ils devaient tous deux de sacrées faveurs.

La flotte de Daala était là pour protéger le Twi'lek et les scientifiques qui travaillaient sous ses ordres, mais l'amirale n'avait jamais accepté cette modeste position. Alors elle avait laissé des prisonniers rebelles voler le Broyeur de Soleil et enlever une des têtes pensantes de Sivron, la précieuse Qwi Xux. Tout ça pour avoir une raison d'abandonner son poste et de partir en chasse à travers la galaxie.

Sivron arpentait la salle de conférence, hésitant entre jubilation et déception. Quand il secoua de nouveau la tête, ses appendices glissèrent le long de sa tunique et furent traversés par une vague perception sensorielle. Il en saisit un et l'enroula avec difficulté autour de ses épaules.

La poignée de commandos que Daala lui avait laissée ne servait pas à grand-chose. Tol Sivron avait recensé ses effectifs : cent vingt-trois hommes. Le Twi'lek avait étudié leurs dossiers, amassant des informations qui pourraient lui être utiles un jour. A quoi, il eût été bien en peine de le dire, mais sa vie entière avait été consacrée à compiler des données à partir de fichiers. Un jour ou l'autre, quelqu'un en tirerait parti.

Les soldats lui obéissaient — c'était leur devoir, après tout — mais il n'avait rien d'un militaire. En cas d'attaque, il n'aurait pas su déployer ses troupes.

Ces derniers mois, Sivron avait accentué sa pression sur les chercheurs, les pressant de développer de meilleurs prototypes d'armes et de lui soumettre une gamme complète de scénarios prévoyant toutes les situations possibles.

Etre prêts est la meilleure arme de l'univers, avait-il l'habitude de dire. Ça n'était pas des propos en l'air.

Il demandait des rapports très fréquents à ses subordonnés, insistant pour être informé de tout dans des délais record. La salle d'archives attenante à son bureau était pleine à craquer de dossiers et de maquettes. Bien entendu, Tol n'avait pas le temps de consulter *toute* cette documentation, mais la savoir là le rassurait.

Entendant des bruits de pas, il devina que ses quatre principaux chefs de division approchaient, flanqués de leurs gardes du corps personnels.

Sivron ne se retourna pas pour les saluer. Légitimement satisfait, il ne pouvait s'empêcher d'admirer le prototype d'Etoile Noire — encore squelettique par bien des aspects — qui passait lentement derrière la baie d'observation.

L'Etoile était le plus grand succès du Complexe.

Après y avoir jeté un coup d'œil, le Grand Moff Tarkin avait décoré sur-le-champ Sivron, Bevel Lemelisk, le concepteur du projet, et Qwi Xux, son bras droit.

Les chefs de division prirent place autour de la table de briefing, chacun tenant une tasse de boisson fumante et mangeant du bout des lèvres un croissant synthétique. Tous étaient en possession d'une copie de l'ordre du jour.

Sivron décida que la réunion serait courte et dynamique. Deux heures, trois au plus... D'ailleurs, ils n'avaient presque rien à se dire. L'Etoile Noire en orbite sortant de son champ de vision, il fit enfin face à ses subordonnés.

Complètement dépourvu de pilosité à l'exception de ses sourcils, Doxin semblait beaucoup plus large que haut. Ses lèvres étaient si épaisses qu'il aurait pu poser un stylet dessus quand il souriait. Sa spécialité était la recherche et le développement dans le secteur de l'énergie.

A sa droite était assise Golanda. Dégingandée, le visage anguleux, les yeux globuleux, elle était à peu près aussi séduisante qu'un Gamorréen. Responsable de la section artillerie et innovations tactiques, elle se plaignait depuis dix ans d'être obligée d'effectuer des recherches balistiques au milieu d'un amas de trous noirs dont la gravité fluctuante faussait chaque fois ses calculs.

Le troisième chef de division, Yemm, était un Devaronien à l'air démoniaque qui avait le génie de dire la chose qu'il fallait au moment adéquat. Il supervisait la documentation et la section juridique.

Enfin, à l'autre bout de la table, était assis Wermyn, un colosse manchot à l'air cruel. Sa peau carmin verdâtre donnait peu d'indications sur ses origines. C'était le directeur exécutif du Complexe. En clair, il devait s'assurer que tout marchait.

— Bonjour à tout le monde, dit Sivron en s'asseyant. Je vois que vous avez vos ordres du jour. Excellent. (Il tourna la tête vers les quatre commandos debout près de la porte.) Capitaine, sortez avec vos hommes et verrouillez la porte. C'est une réunion top secret.

L'officier obéit sans commentaire.

— Au travail ! dit Sivron en tapotant la pile de documents posée devant lui. Je veux entendre vos rapports d'activité. Maintenant que nous avons étudié les implications possibles des éventuelles nouveautés, nous sommes en mesure de concevoir et de développer des stratégies. J'espère que le Plan d'Urgence révisé a été distribué à tout le personnel du centre.

Sivron dévisagea Yemm, le grand ordonnateur de la paperasse.

Le Devaronien sourit et fit oui de la tête, ses antennes se balançant en cadence.

— Tout est en ordre, monsieur le directeur. Nos collaborateurs ont reçu une copie des trois cent soixante-cinq pages du rapport avec ordre de les lire au plus vite.

— Parfait, dit Sivron avant de cocher la première rubrique de l'ordre du jour. J'ai prévu un peu de temps à la fin de la réunion pour parler des sujets hors planification, mais procédons par ordre. D'abord les rapports. Wermyn, vous commencez ?

Le manchot se lança dans un long exposé sur l'état de leurs réserves, leur consommation d'énergie et la durée de vie prévisible des cellules d'alimentation des générateurs. Le stock de pièces de rechanges fondait comme neige au soleil et de nouvelles livraisons étaient hautement improbables.

Tol Sivron nota la remarque.

Après avoir avalé son substitut de café, Doxin décrivit la nouvelle arme que ses chercheurs venaient de mettre au point.

— C'est un Polarisateur Luminique Optimalement Usant à Condensation, dit-il. Un PLOUC, en abrégé.

— Hum, fit Sivron, se tapotant le menton du bout d'une griffe. Il faudra trouver un nom plus accrocheur avant de le présenter à l'Empire.

— C'est juste une abréviation de travail, se justifia Doxin, le rose lui montant aux joues. Malgré la non reproductibilité des études, nous avons fabriqué un modèle fonctionnel. Les essais nous donnent de bons espoirs de réussite.

— Et que fait-il exactement, votre PLOUC ?

— Monsieur le directeur, je vous envoie des rapports sur le sujet depuis près de deux mois. Vous ne les avez pas lus ?

Les appendices crâniens de Sivron ondulèrent d'indignation.

— Je suis un homme occupé qui ne peut pas se souvenir de tout ce qu'il lit ! Surtout quand un projet a un nom aussi ridicule ! Rafraîchissez-moi la mémoire, Doxin.

— Le champ de force du PLOUC s'attaque à la structure même des métaux — en particulier ceux qui composent les coques des navires. Le PLOUC est capable de traverser les boucliers et de réduire en poussière les blindages les plus épais. Le principe physique est très compliqué, bien sûr, mais je vous épargne les détails...

— Tout ça sonne fort bien, admit Sivron. Mais vous avez des problèmes, non ?

— Eh bien... Pour le moment, le PLOUC est efficace sur environ un pour cent de la plaque de blindage d'essai.

— Une piètre utilité, si je comprends bien ?

Doxin s'autorisa une bref ricanement.

— C'est plus complexe que ça, monsieur le directeur. A partir de la zone affectée, la fissuration se communique à toute la surface irradiée. Pareille perte d'intégrité suffirait à détruire n'importe quel vaisseau.

— Excellent ! Continuez les recherches et n'omettez pas de remplir vos remarquables rapports.

Golanda, la responsable de l'artillerie, présenta un projet de grenades à résonance en partie basé sur les travaux théoriques du Broyeur de Soleil.

Yemm interrompit sa collègue en se levant et en poussant des cris d'orfraie. Sivron le rappela à l'ordre :

— Ça n'est pas encore l'heure des sujets hors planification ! grogna-t-il.

— Monsieur le di-directeur, bafouilla Yemm en désignant la baie d'observation. Re-regardez !

Les autres chefs de division tournèrent la tête et sursautèrent.

Quand Sivron consentit à regarder à son tour, ses appendices se dressèrent sur son crâne comme s'il avait reçu une décharge électrique.

Une flotte de navires de guerre rebelles venait d'entrer dans l'amas de trous noirs. La force d'invasion qu'il redoutait depuis si longtemps était à ses portes...

Deux corvettes corelliennes devant lui, une sur chaque flanc, le *Yavaris* du général Wedge Antilles approchait du groupe d'astéroïdes formant le Complexe de la Gueule.

A côté de l'officier se tenait Qwi Xux, magnifiquement belle sous la lumière bleue de la passerelle. La jeune femme regardait de tous ses yeux, Wedge la devinant impatiente de fouiller ses anciens quartiers pour exhumer les vestiges de sa mémoire.

— Complexe de la Gueule, dit Wedge quand une fréquence fut ouverte, ici le général Antilles, commandant en chef de la flotte d'occupation de la Nouvelle République. Nous devons discuter des termes de votre reddition. Répondez au plus vite, ou...

La déclaration semblait arrogante, mais Wedge savait que les Impériaux n'avaient aucun moyen de se défendre. Caché parmi les trous noirs, le Complexe, en l'absence de Daala, n'avait qu'un espoir d'échapper à la conquête : ne pas être détecté.

Pas de chance, c'était déjà fait !

En l'absence de réponse, Wedge ordonna à sa flotte de continuer d'avancer. Quand il vit la forme caractéristique d'une Etoile Noire orbiter autour du planétoïde où se trouvait le Complexe, le général crut que son cœur s'arrêtait de battre.

— Activez les boucliers ! cria-t-il.

Mais l'Etoile Noire ne tira pas et poursuivit paisiblement sa course.

En revanche, la défense du planétoïde tira quelques rafales dont les boucliers de la flotte rebelle se jouèrent sans mal.

— Compris, marmonna Wedge, ils veulent résister. *Yavaris* aux corvettes : nous attaquons, mais je veux des frappes chirurgicales. Nous devons anéantir les batteries de lasers sans endommager le Complexe lui-même. (Il lança un bref regard à Qwi.) Il contient des données trop importantes pour être perdues.

Les deux corvettes de tête ouvrirent le feu, touchant leur cible avec une redoutable précision.

— C'est trop facile, s'inquiéta Antilles.

Une des deux corvettes lança un signal de détresse. L'image de son capitaine s'afficha sur l'écran, tremblotante.

— La coque ! Nous avons un problème et les boucliers sont inefficaces. Une nouvelle arme, je crois ! Nos cloisons faiblissent. Impossible de trouver la raison de...

La transmission cessa.

La corvette n'était plus qu'une boule de feu.

— En arrière ! cria Wedge.

Au lieu d'obéir, la deuxième corvette de tête piqua sur l'objectif, ses canons-blasters jumelés faisant feu sans interruption. Le général vit deux torpilles à protons jaillir des tubes de lancement.

— Capitaine Ortola, battez en retraite !

La corvette pulvérisa le planétoïde le plus proche de sa position. Une seconde boule de feu, beaucoup plus grosse, illumina l'espace.

— Le problème est réglé, monsieur, dit Ortola. Vous pouvez déployer la flotte selon votre bon plaisir...

Il régnait un tel désordre dans le Complexe que Tol Sivron, dérangé par les cris qui sortaient de l'intercom, eut quelque peine à structurer son intervention.

— Votre attention, s'il vous plaît, dit-il, s'adressant à tout le personnel. N'oubliez pas de suivre à la lettre les procédures d'urgence normalisées.

Partout, des commandos couraient rejoindre leurs postes. Excellent tacticien, le capitaine affectait ses forces à la défense des intersections vitales des couloirs. Au cœur de l'action, personne ne songeait à se référer aux procédures soigneusement rédigées et homologuées dont Sivron et ses directeurs avaient mis des mois à accoucher.

Le Twi'lek continua son discours.

— S'il vous faut une nouvelle copie des procédures d'urgence, ou si vous avez du mal à en trouver une, contactez sur-le-champ vos chefs de division. Ils sont là pour vous fournir des outils de travail appropriés.

Dans le ciel du planétoïde, les vaisseaux de la Rébellion ressemblaient à des oiseaux de cauchemar. Ils avaient écrabouillé les défenses antiaériennes comme s'il s'était agi de moustiques.

Assis devant un écran de contrôle, Doxin sourit de toutes ses dents en voyant une corvette ennemie exploser.

— Ça marche ! exulta-t-il. Le PLOUC est fonctionnel. (Il se tut, car quelqu'un parlait dans son oreillette ; sa mine se décomposa.) Hélas, monsieur le directeur, nous ne pourrons pas tirer une deuxième fois. Le PLOUC est... hum... en panne. Mais ce succès sur une cible réelle démontre que le concept est viable et doit être développé.

— Tout à fait d'accord, approuva Sivron, les yeux rivés sur le nuage de débris qui avait jadis été un vaisseau. Il faudra avoir une réunion à ce sujet...

— Le système est hors service, mais..., commença Doxin.

La deuxième corvette rebelle passa à l'attaque et désintégra le planétoïde qui abritait la division « énergie » du Complexe.

— Le voilà complètement détruit..., fit remarquer Sivron.

Doxin ne cacha pas sa déception.

— Comment analyser le premier tir ? gémit-il. Sans données effectives, j'aurai du mal à rédiger mon rapport...

Un énorme bruit les fit tous sursauter. Sivron et ses collaborateurs se précipitèrent vers la baie vitrée donnant sur le centre. Il y avait de la fumée dans tous les couloirs.

Dans la salle de conférence, les écrans des ordinateurs devinrent noirs. Alors que Sivron s'apprêtait à demander des explications, toutes les lumières s'éteignirent, remplacées par la pâle lueur verte des systèmes de secours.

Le chef des commandos entra en trombe dans la salle.

— Capitaine, que se passe-t-il ? demanda Sivron. J'attends votre rapport !

— Nous venons de détruire l'ordinateur principal, monsieur.

— Vous venez de faire *quoi* ?

L'officier ignora l'intervention.

— Il me faut votre code personnel pour accéder aux fichiers de sauvegarde. Nous les irradierons pour effacer les données secrètes.

— Ce sont les procédures d'urgence ? s'enquit Sivron avec un regard à ses adjoints. (Il prit sur la table une copie du document.) Capitaine, à quelle page avez-vous trouvé ce protocole de destruction ?

— Monsieur, les résultats des recherches ne doivent pas tomber entre les mains de l'ennemi. Les sauvegardes doivent être détruites avant que les Rebelles prennent possession du Complexe.

— Je ne suis pas certain que nous ayons prévu cette éventualité, dit Golanda en feuilletant sa propre copie du manuel.

— Peut-être devrions nous réfléchir à un addenda ? suggéra Yemm.

Wermyn cessa de tourner les pages de son manuel et prit la parole :

— J'ai trouvé, monsieur le directeur. Section 5.4, « Invasion des Rebelles », paragraphe C. Si les forces ennemies menacent de s'emparer du Complexe, je dois me rendre avec mes hommes sur l'astéroïde des générateurs et détruire le système de refroidissement afin de provoquer une explosion qui a) détruira la base et, b) fera exploser les agresseurs.

— Excellent, excellent ! dit Tol Sivron, qui venait de trouver la page et de vérifier par lui-même. Exécution, messieurs !

Wermyn leva une main, sa peau déjà bizarre prenant une teinte plus sombre.

— Monsieur le directeur, je sais que toutes ces procédures ont été homologuées, mais où mon équipe est-elle censée aller pour se mettre en sécurité ? A ce propos, comment feront toutes les autres quand la réaction en chaîne sera déclenchée ?

La voix d'un soldat retentit dans l'intercom.

— Les Rebelles sont entrés dans la base ! Je répète, les...

Un flot de parasites brouilla la communication.

— Engagez la procédure d'évacuation, dit Sivron, quelque peu bousculé par les événements. Wermyn, occupez-vous des générateurs, comme prévu. Nous nous réfugierons dans le prototype d'Etoile Noire.

Quand vous aurez terminé, nous viendrons vous prendre, puis nous fuirons. Les Rebelles mourront, et nous ramènerons nos précieuses connaissances à l'Empire.

Trois transporteurs des équipes d'assaut de la Nouvelle République se posèrent sur le planétoïde central du Complexe, pulvérisant les portes du spatioport à coups de canon-blaster. Dès que les sas des appareils furent ouverts, les hommes descendirent à terre, adoptant immédiatement leur position de défense. Accroupis, se protégeant derrière des boucliers résistants aux tirs de lasers, ils pointèrent sur l'objectif leurs fusils-blasters.

Chewbacca dévala la rampe de débarquement, un grognement sortant de sa gorge. Arbalète-blaster au poing, il étudia le terrain et fit signe aux commandos de Page d'attendre encore un peu avant de reprendre leur progression.

La mesure était judicieuse, car quatre Impériaux embusqués ouvrirent le feu sur les assaillants, en fauchant un. Quarante armes arrosèrent la position ennemie.

Chewie se souvint de l'époque où il était prisonnier dans le Complexe. Alors, on l'avait contraint à effectuer des réparations sur le vaisseau de l'amirale Daala. Tenté de saboter une des vedettes d'assaut de classe gamma, il y avait renoncé, sachant que cela lui coûterait la vie sans causer de torts aux forces de l'Empire.

A présent, le Wookie songeait à ses compatriotes réduits en esclavage. Après des années de travail épuisant et sans espoir, toute flamme avait déserté leurs yeux.

Avec un grognement, il se remémora le sadique qui leur tenait lieu de gardien. Celui-là devrait payer pour les monstrueux traitements infligés aux prisonniers.

Des alarmes retentirent, provoquant une montée

d'adrénaline chez le Wookie. Il lança son équipe à l'assaut...

En avançant, il songea à Z-6PO, resté sur le *Yavaris*. Savoir que le droïd n'essuierait pas les premiers feux rassurait Chewie. Car enfin, il n'allait pas passer sa vie à remonter ce tas de ferraille !

Le commando d'élite arriva devant une grande salle où Chewbacca se rappela avoir passé des heures interminables à travailler. Les portes étaient protégées par de lourdes plaques de blindage.

Le Wookie tapa du plat de la main sur la surface métallique. Derrière lui, les commandos de Page fouillaient dans leurs paquetages. Deux hommes avancèrent, des détonateurs thermiques à la main. Ils les placèrent aux endroits adéquats et enclenchèrent le compte à rebours.

— Reculez ! cria l'un d'eux.

Chewbacca et les deux hommes étaient à peine à l'abri qu'une explosion retentissait. Dix secondes plus tard, un bruit plus fort leur indiqua que la porte blindée venait de tomber sur le sol.

— En avant ! lança le chef du commando.

Chewie passa le premier. Quand il fut dans la salle, il entendit d'étranges sons, mélange de grognements d'indignation et de gémissements de douleur. Les Wookies prisonniers étaient si bouleversés qu'ils en avaient oublié leur langue.

La fumée se dissipant, Chewie fut déçu de constater que la bataille était terminée avant d'avoir commencé. Quant à la vengeance, elle était déjà en cours, ses compatriotes ayant compris, en entendant les alarmes, que l'heure de leur libération avait sonné.

Neuf d'entre eux entouraient le gardien, acculé contre la coque d'une navette à moitié démontée.

Le tortionnaire, un vrai tonneau de graisse, avait la peau luisante de sueur, tant il redoutait son avenir immédiat. Malgré tout, il défiait ses adversaires du regard et continuait à fendre l'air avec son étrange fouet électronique.

Les prisonniers tentaient de l'approcher pour le déchiqueter de leurs griffes.

Chewie poussa un grognement de triomphe. Quelques Wookies se retournèrent pour regarder leurs sauveteurs. Les autres, trop occupés par le gardien, semblaient ignorer les nouveaux venus.

— Lâchez votre arme ! ordonna le chef du commando au gros homme.

Tous les blasters étaient pointés sur lui. Chewie s'amusa de voir le bourreau pousser un soupir de soulagement en découvrant les soldats de la Nouvelle République, desquels il attendait plus de clémence.

Les Wookies continuaient à le menacer. Ils avaient l'air en plus mauvais état que jamais. Depuis le départ de l'amirale Daala, le gardien avait dû les forcer à travailler à outrance pour renforcer les défenses du Complexe.

— Jetez votre arme ! répéta l'officier.

Le gardien abattit une nouvelle fois son fouet, contraignant les Wookies à reculer. Chewie aperçut les trois grands mâles qui se tenaient au premier rang. Leur fourrure était ravagée, des cicatrices courant sur leur peau.

Chewbacca repéra également le vieux Wookie à la fourrure grise nommé Nawruun. Le corps usé par les années et le travail forcé, le vieillard gardait dans les yeux la flamme de la révolte... et de la colère.

Le gardien leva son fouet, regarda les Wookies, puis les commandos de Page. L'officier tira un coup de semonce contre la cloison de la salle.

L'obèse leva son autre main et lâcha son fouet, qui tomba sur le sol avec un bruit métallique.

— A présent, que les Wookies reculent ! dit le chef des commandos.

Chewie traduisit. Les prisonniers hésitèrent un moment, se demandant ce qui allait suivre.

Alors que la terreur se lisait sur le visage du gardien, le vieux Nawruun, étonnamment vif, plongea sur le fouet, qu'il ramassa du bout d'une patte griffue.

Il activa les lanières.

Le gardien gémit et recula comme s'il voulait s'enfoncer dans un mur. Chewie cria à ses compatriotes d'arrêter, mais ils ne l'entendirent pas. Toutes griffes dehors, ils se ruèrent sur l'être qui les avait si longtemps persécutés.

Nawruun bondit sur sa proie. Malgré son âge et ses infirmités, il utilisa le fouet comme une massue et fit tomber le gardien à la renverse.

Ses compagnons fondirent sur le tortionnaire. Nawruun régla le fouet sur la puissance maximale et l'abattit sur le visage du gros homme.

Les lanières d'énergie traversèrent le crâne du gardien, carbonisant sa matière cérébrale. Des étincelles jaillirent de ses yeux, puis sa tête éclata, aspergeant les Wookies d'immondices.

Le silence retomba sur la salle.

Chewie avança prudemment vers ses semblables, qui s'écartèrent du cadavre. Le vieux Nawruun ne bougea pas, les yeux rivés sur le fouet, que ses doigts lâchèrent lentement.

Alors les jambes du vieillard ne le portèrent plus. Il se laissa glisser sur le sol, les épaules secouées de sanglots.

Tol Sivron essayait de s'installer confortablement dans le fauteuil de commandement de l'Etoile Noire, mais le prototype n'était pas prévu pour des fesses délicates.

Sivron avait vu les Rebelles investir les points vitaux du Complexe. Mais une surprise les attendait...

La voix de Wermyn sortit des haut-parleurs de la radio.

— Directeur Sivron, le système de refroidissement est détruit. Les générateurs vont bientôt dépasser la température critique. Les Rebelles ne pourront pas inverser le processus. Le Complexe de la Gueule est promis à la destruction.

— Très bien, Wermyn, dit Sivron, qui regrettait le gaspillage d'autant de bon matériel.

Qu'aurait-il pu faire d'autre ? En abandonnant son poste, Daala avait ouvert la voie à ce genre de catastrophe. Et puis, ses hommes et lui avaient suivi des procédures écrites et homologuées. On ne pouvait rien leur reprocher.

Sivron regarda le capitaine des commandos et les trois chefs de division présents. Le reste du personnel, les soldats et les chercheurs avaient trouvé refuge dans les entrepôts et les salles techniques de l'Etoile.

— Je n'ai pas eu le temps de consulter le manuel du prototype, dit Sivron. Quelqu'un sait-il le piloter ?

Golanda regarda Doxin, qui se tourna vers Yemm.

— J'ai une certaine habitude des vedettes d'assaut, monsieur, dit le capitaine. Peut-être pourrais-je m'y retrouver...

— Excellent ! Hum... (Il se leva.) Avez-vous besoin de ce siège ?

— Non, monsieur. Je peux utiliser la console de pilotage.

L'homme alla prendre place.

— Les Rebelles ont dû détecter les activités de sabotage de Wermyn, annonça Doxin. Leurs vaisseaux se regroupent autour du planétoïde des générateurs. Deux navettes vont sans doute s'y poser.

— Comment allons-nous récupérer Wermyn ? s'inquiéta Sivron.

Yemm feuilleta les procédures d'urgence.

— Nous n'avons rien prévu pour un cas de ce genre, dit-il.

Les appendices crâniens de Sivron retombèrent tristement dans son dos.

— C'est ennuyeux, non ?

Il réfléchit, cherchant à s'adapter à la situation. Les

Twi'lek étaient les rois de l'adaptation. Sivron avait dû le faire quand il avait quitté sa planète natale, puis lorsque le Grand Moff Tarkin l'avait nommé directeur du centre de recherches. Aujourd'hui, il allait encore devoir tirer le meilleur parti d'une situation qui se détériorait de minute en minute.

— Bon, il est impossible de secourir Wermyn. Alors changeons de plan, car l'Empire passe avant tout. Nous devons lui ramener le prototype.

Ayant vu les Rebelles converger vers son planétoïde, Wermyn rappela son chef, une grande inquiétude dans la voix :

— Monsieur le directeur, que pouvons-nous faire pour vous faciliter les choses ? Et quand venez-vous ?

Tol Sivron répondit de son ton le plus solennel.

— Wermyn, je veux que vous sachiez combien je vous admire d'avoir servi l'Empire si longtemps avec une inébranlable fidélité. Et je déplore, croyez-le, que votre retraite ne puisse pas être aussi longue et heureuse que vous l'auriez mérité. Une fois encore, croyez à mon admiration. Et merci pour tout.

Il coupa la communication et se tourna vers le capitaine :

— Il vaudrait mieux partir sans tarder, savez-vous ?

Quand les combats furent terminés, Qwi Xux et Wedge Antilles prirent une navette pour rejoindre le Complexe. La jeune femme regardait le planétoïde sans éprouver la moindre émotion. De sa vie sur ce caillou géant, elle ne se rappelait presque plus rien.

A part la perte de la première corvette, les forces de la Nouvelle République s'en tiraient sans trop de casse. Les scientifiques du Complexe avaient opposé une résistance vraiment timide...

Qwi était impatiente de retrouver son vieux laboratoire et de fouiller dans ses fichiers. Elle ne doutait pas de trouver des réponses à ses questions. Mais seraient-elles à son goût ?

Wedge lui prit la main.

— Tout ira bien. Tu nous as beaucoup aidés. Relaxe-toi. Laisse venir les choses...

— Je vais essayer... (Elle sursauta.) Wedge, regarde !

Le prototype d'Etoile Noire était en train de s'arracher à l'attraction du planétoïde.

— Si mes rares souvenirs sont bons, dit Qwi, cette machine de destruction est pleinement fonctionnelle. S'ils la conduisent dans l'espace de la Nouvelle République...

Avant qu'elle ait fini sa phrase, l'Etoile Noire accéléra et se dirigea vers la frontière de l'amas de trous noirs.

CHAPITRE IX

Terpfen dansait d'un pied sur l'autre à l'ombre du Grand Temple. Dehors, le soleil levant de Yavin faisait monter dans les airs des volutes de vapeur.

Pétrifié par la peur face à l'antique ziggourat, le Calamarien fit pivoter ses yeux globuleux pour véri-fier la présence de son aile B, derrière lui. L'appareil refroidissait sur un lit de végétation carbonisée. Sur la coque, des traces sombres signalaient les coups au but des ailes X de Coruscant.

Levant les yeux, Terpfen aperçut au sommet du temple plusieurs aspirants Jedi.

Yavin 4 orbitait autour d'une planète gazeuse. De la configuration particulière de ce système résultait un phénomène hors du commun qui avait émerveillé les Rebelles lors de l'aménagement de leur base secrète.

Les rayons de soleil qui frappaient les couches supérieures de l'atmosphère de Yavin explosaient en une multitude de couleurs. Rencontrant les brumes éternelles de la forêt tropicale, ils donnaient naissance, chaque matin, à un bouquet d'arc-en-ciel visible pen-dant quelques minutes seulement.

Les élèves Jedi, réunis pour admirer le spectacle, avaient vu atterrir le vaisseau de Terpfen.

A présent, ils venaient à lui...

Vêtu d'une combinaison de combat vierge d'insigne, le Calamarien sentait son cœur battre la chamade.

Confesser ses mauvaises actions le terrorisait, mais il devait le faire. Un moment tenté de préparer un petit discours, il décida que ça ne servirait à rien. Il n'existait pas de bonne façon d'annoncer les mauvaises nouvelles.

Il se sentait nauséeux, à deux doigts de s'évanouir. D'une main palmée, il prit appui contre la pierre couverte de mousse du temple. Une idée le terrorisa : et si Furgan était en train de récupérer le contrôle des parties étrangères de son cerveau ?

Non ! C'était *son* esprit, à présent ! Depuis plus d'un jour, personne n'avait essayé de le lui disputer. Ayant perdu l'habitude de penser librement, il s'enivrait de tester l'étendue de cette nouvelle aptitude. Ses deux fantaisies favorites consistaient à imaginer la chute de l'Empire et la mort de l'ambassadeur Furgan — de ses mains !

Quand il pensait ces choses impies, aucune présence étrangère ne venait torturer son cerveau.

Libre ! Il était enfin libre !

Ses symptômes actuels n'avaient d'autre cause que la peur, comprit-il. Quand il eut inspiré bien à fond, il se sentit mieux et se redressa fièrement lorsqu'il entendit des bruits de pas.

La première personne à sortir du temple fut Leia Organa Solo — un ministre d'Etat en chair et en os. Elle devait s'être précipitée dans l'ascenseur, croyant que l'aile B lui apportait un message urgent de Coruscant. Les cheveux en bataille, les yeux éteints, la jeune femme semblait contrariée et soucieuse.

Terpfen frissonna, au désespoir. Elle serait encore plus abattue quand il lui aurait dit que l'Empire connaissait la cachette du petit Anakin.

Leia s'arrêta et examina le visiteur.

— Je vous ai déjà vu, je crois ? Terpfen est bien votre nom ? Que venez-vous faire ici ?

Derrière Leia vinrent se placer plusieurs aspirants Jedi que le Calamarien ne reconnut pas. Puis il aperçut l'ambassadeur Cilghal, dont les grands yeux semblaient sonder son âme.

— Ministre Organa Solo... (Il tomba à genoux, moitié pour implorer la clémence de la jeune femme, moitié parce que ses jambes refusaient de le porter davantage.) Votre fils Anakin court un grave danger !

Il inclina sa tête couverte de cicatrices. Avant que Leia puisse le bombarder de questions, il avoua tout ce qu'on voulait, et plus encore...

Leia regardait le crâne du Calamarien, son sang se figeant dans ses veines. L'Empire savait où se trouvait son bébé !

La jeune femme ignorait tout des défenses de la planète, sinon que son amie Winter était seule à veiller sur Anakin.

— Ministre Organa Solo, gémit Terpfen, nous devons nous rendre sur Anoth ! Il faut envoyer un message, évacuer l'enfant avant que les forces de l'Empire n'arrivent. Alors que j'étais sous l'influence de Furgan, j'ai transmis les coordonnées de la planète à Carida, mais je n'en ai pas gardé de copie. Il faut que vous nous conduisiez là-bas ! Je ferai mon possible pour vous aider. Nous devons agir vite !

Leia était prête à passer à l'action, aucun obstacle ne pouvant l'empêcher de voler au secours de son fils.

Aucun, vraiment ?

— Mon Dieu ! Je ne peux pas contacter Anoth, ni y aller. J'ignore moi aussi où se trouve ce monde !

Terpfen leva les yeux sur elle, mais elle ne put déchiffrer l'expression de son visage.

— Oui, je ne suis pas dans le secret ! Les seuls qui savent sont Winter — actuellement sur la planète —, l'amiral Ackbar — en exil sur Calamari — et Luke, qui est dans le coma !

Elle se ressaisit, tentant de se rappeler sa jeunesse, où elle réagissait en une fraction de seconde. Sur la première Etoile Noire, elle n'était pas restée inactive pendant que Yan et Luke essayaient assez maladroitement de la secourir. A l'époque, elle avait su quoi faire sans hésitation.

Aujourd'hui, elle était responsable de trois enfants, et cela pesait lourd sur ses épaules. Yan était parti à la poursuite de Kyp Durron et du Broyeur de Soleil, la chargeant de veiller sur les jumeaux. Elle ne pouvait abandonner son poste...

L'ambassadeur Cilghal sembla lire dans ses pensées.

— Leia, vous devez aller secourir Anakin. Les jumeaux ne risqueront rien sur Yavin 4. Nous les protégerons.

Les digues qui contenaient l'imagination de Leia se brisèrent. Des plans se formèrent dans son esprit et elle se sentit de nouveau calme et efficace.

— Très bien. Terpfen, vous m'accompagnez. Direction Calamari, aussi vite que possible ! Nous trouverons Ackbar, qui nous confiera les coordonnées.

Elle regarda le traître involontaire avec un mélange complexe de colère, d'espoir, de pitié et de tristesse.

— Je ne peux pas venir, dit le Calamarien. Si les Impériaux reprennent le contrôle de mon cerveau, ils me forceront à commettre de nouveaux sabotages.

— Je garderai un œil sur vous, Terpfen. Mais je veux que vous veniez voir Ackbar. (Elle songea au calvaire de l'amiral, parti cacher sa honte dans les contrées les plus sauvages de sa planète.) *Vous* lui direz qu'il n'était pour rien dans la catastrophe de Vortex.

Terpfen se releva. Titubant un peu, il parvint à recouvrer son équilibre.

— Ministre Organa Solo, je... (sa voix tremblait)... suis désolé.

La princesse daigna le regarder, mais l'adrénaline affluait dans son corps, lui donnant l'irrésistible envie d'agir.

Hésiter pouvait être mortel.

— Vous vous excuserez quand ça sera fini, dit-elle. Pour le moment, j'ai besoin de vous.

CHAPITRE X

Le *Faucon Millenium* sortit de l'hyperespace non loin de l'emplacement du défunt système de Carida.

Yan Solo polarisa la baie d'observation pour observer tristement le conglomérat de poussière, de débris et de radiations qui avait été un soleil et ses planètes. En terme d'échelle, la catastrophe était pire que celle d'Alderaan, quand Yan était également sorti de l'hyperespace pour constater les dégâts. A l'époque, il n'avait pas encore rencontré Leia, ni rejoint la Rébellion, et encore moins fait allégeance à la Force.

Le soleil de Carida, en explosant, avait projeté une étroite bande de matière stellaire dans la zone du plan de l'écliptique. L'onde de choc de la supernova se propageait dans l'espace, où il faudrait des milliers d'années pour qu'elle se dissipe.

Lando Calrissian était assis près du Corellien, les yeux écarquillés.

— Fichtre ! Ce gosse n'y va pas par quatre chemins ! Quel massacre !

Yan acquiesça, la gorge sèche. Il n'aimait pas beaucoup avoir quelqu'un d'autre que Chewie dans le siège du copilote. Il espéra que le Wookie avait hérité d'une mission moins pénible que la sienne.

Pour le moment, les senseurs n'avaient pas repéré la trace de Kyp Durron.

— Yan, qu'espères-tu trouver dans cette bouillie ?

Avec beaucoup de chance, on pourra détecter la signature ionique du Broyeur de Soleil, mais après une supernova, n'espère pas découvrir une piste. Les chances sont de...

Solo leva une main pour faire taire Lando.

— Ne me casse pas les pieds avec les probabilités ! Tu vaux mieux que ça...

Calrissian sourit.

— D'accord ! D'accord ! Alors, que fait-on ? Pourquoi sommes-nous venus dans ce système ?

Yan serra les dents, cherchant une réponse. Son instinct lui avait dit de venir ici. C'était tout.

— Je voulais voir ce que Kyp a vu, penser comme il a dû penser. Qu'est-ce qui a pu lui passer par la tête ?

— Tu le connais mieux que moi, vieux frère ! S'il a mis à feu et à sang la Nébuleuse du Chaudron pour tuer Daala, puis détruit un système solaire, c'est qu'il est décidé à tout. Réfléchis, Yan ! A sa place, quelle serait ta prochaine cible ?

— Si je voulais frapper l'Empire, et lui faire le plus mal possible ? J'irais... hum...

Il sursauta et se tourna vers Lando, qui comprit aussitôt.

— C'est trop dangereux... Il n'oserait pas...

— Je crains que le danger ne l'arrête pas, mon vieux.

— Une minute ! Ne me dis pas que nous allons nous balader dans le Système du Noyau ?

— Gagné !

Yan programma le cap sur l'ordinateur de navigation.

— Maintenant, plus question d'arriver sur Kessel à temps..., maugréa Lando.

L'espace se distordit, déchirant les volutes de gaz qui flottaient dans le ciel irradié de Carida. Le *Faucon* plongea dans l'hyperespace.

Sa destination ? Le cœur de l'Empire, loin derrière

les lignes ennemies, là où se terraient les dernières troupes d'un tyran mort.

Près du noyau de la galaxie, où les étoiles se combinaient en d'inédites configurations, l'Empereur, ressuscité, avait rassemblé ses forces pour constituer un ultime bastion. Depuis la deuxième mort de Palpatine, les seigneurs de la guerre se disputaient les miettes de l'Empire. Sans génie militaire comme le Grand Amiral Thrawn pour la diriger, la machine de guerre impériale avait battu en retraite vers les Mondes du Noyau. Les seigneurs de la guerre, en piteux état, avaient laissé la Nouvelle République soigner ses plaies pendant qu'eux-mêmes luttaient pour la suprématie à l'autre bout de la galaxie.

Si un nouveau chef émergeait de la meute, les attaques contre la Nouvelle République recommenceraient.

Sauf si Kyp Durron détruisait l'Empire avant !

A la frontière du Noyau, Yan et Lando découvrirent les restes d'une naine rouge. Ce petit soleil n'avait aucune importance stratégique. Selon l'atlas du *Faucon*, il n'éclairait aucun monde habitable. Mais des sondes de la Rébellion avaient repéré, sur des planétoïdes rocailleux, une usine de construction de vaisseaux et des dépôts d'armes et d'archives.

Regardant à travers la baie d'observation, Yan constata que l'astre avait explosé de façon moins spectaculaire que celui de Carida. C'était une petite nova, pas assez puissante pour entraîner une réaction en chaîne significative, mais l'onde de choc avait pulvérisé les planètes environnantes.

— Il a recommencé, dit Yan. Difficile de ne pas voir le genre de piste qu'il laisse !

Lando se pencha sur l'écran des senseurs.

— Onze destroyers impériaux à midi, annonça-t-il, laconique.

— Génial ! railla Yan.

Il avait assez de problèmes avec Kyp et le Broyeur de Soleil pour ne pas avoir envie de se colleter avec une flotte ennemie.

— Ils nous ont repérés ?

— Ça m'étonnerait. Il y a encore beaucoup de radiations et d'interférences dans le coin. A mon avis, ces navires sont en train de foutre le camp...

— Veux-tu dire que l'explosion est récente ? Kyp viendrait-il juste de la déclencher ?

— Ce n'est pas impossible...

— Compris ! Dans ce cas, tu devrais régler les senseurs pour...

— C'est déjà fait, Yan. Le Broyeur de Soleil est immobile au-dessus du plan de l'écliptique. Il se contente de... regarder.

— Calcule le cap. On va le rejoindre. Moteurs au maximum.

Il pianota sur sa console et les moteurs auxiliaires du *Faucon* entrèrent en action. L'accélération plaqua Yan et Lando au fond de leurs sièges.

Quand ils se furent approchés du Broyeur, celui-ci redémarra.

— Il nous a repérés ! Il ne faut pas le lâcher ! S'il passe en hyperdrive, nous le perdrons.

Le *Faucon Millenium* colla aux basques de l'autre navire.

— Tu veux que j'arme les canons-blasters, Yan ? Non... On ne va pas lui tirer dessus, hein ? Mais que faire s'il ne s'arrête pas ?

— Tirer ne servira à rien ! Pas avec son super-blindage. (Yan ouvrit une fréquence :) Kyp, c'est moi, le général Solo. Gamin, nous avons à parler !

En réponse, le Broyeur changea de cap et accéléra.

— Puissance maximale ! cria Yan.

— On est déjà dans le rouge ! s'inquiéta Lando.

— Le *Faucon* en a vu d'autres ! Kyp, ici Yan, réponds-moi !

Le Broyeur amorça un arc de cercle. Bientôt, il sembla plus grand derrière le cockpit de Yan.

— Yan ! Il fonce sur nous !

Solo était ravi que Kyp se soit enfin décidé à lui parler.

— Je crois qu'il veut nous éperonner, gémit Lando.

Yan n'en crut pas ses yeux.

— Kyp, ne fais pas l'imbécile ! C'est moi, Yan !

Le Broyeur de Soleil les frôla, lâchant une courte salve de lasers qui ne fit aucun mal au *Faucon*.

— Juste un coup de semonce..., marmonna Lando.

— C'est ça, ouais... Kyp, pourquoi ne réponds-tu pas ?

La voix du jeune homme sortit enfin des haut-parleurs.

— Yan, fous-moi la paix ! Retourne d'où tu viens. J'ai une guerre à faire, et je la ferai...

Le Broyeur de Soleil fit de nouveau demi-tour, comme s'il voulait répéter sa manœuvre. Yan réagit en un éclair, braquant le rayon tracteur du *Faucon* sur l'arme démoniaque.

— Bon sang, je l'ai eu ! s'étonna le Corellien.

L'inertie du Broyeur de Soleil était suffisante pour secouer le *Faucon* comme un prunier, mais le rayon tracteur résista. Yan augmenta la puissance, affermissant sa prise sur le Broyeur.

Les deux vaisseaux finirent par s'immobiliser.

— D'accord, Yan, dit Kyp. Si c'est ce que tu veux... Désolé, mais je ne peux pas te laisser me mettre des bâtons dans les roues.

La radio se tut.

— Je déteste ça, grogna Lando.

La voix de Kyp retentit de nouveau.

— Une torpille à résonance suffit à détruire une étoile. J'aime mieux ne pas penser à ce que ça ferait à un tas de ferraille comme le *Faucon*.

Yan regarda la forme cristalline du Broyeur de Soleil. Le générateur toroïdal de l'engin cracha des flammes bleues et blanches. Il se préparait à lâcher un projectile...

A bout portant !

— J'ai un mauvais pressentiment, souffla le Corellien.

CHAPITRE XI

À travers les lucarnes, la lumière du matin pénétrait à flots dans la grande salle d'audience du temple. Frappant les dalles, les rayons du soleil se reflétaient à l'infini le long des murs.

Sur la plate-forme, debout derrière son corps immobile, la forme spectrale de Luke Skywalker regarda l'ambassadeur Cilghal sortir de l'ascenseur, les jumeaux à ses côtés. Aujourd'hui, la Calamarienne portait sa robe bleue de diplomate, non sa bure de Jedi. Derrière elle marchaient Streen, les épaules voûtées par la culpabilité, et Kirana Ti, féline comme à l'accoutumée.

D2-R2 se tenait déjà au chevet du corps de son maître. Après l'épisode de la tempête, le droïd avait pris l'initiative de monter nuit et jour la garde à côté de la stèle. Bien qu'elle ne le surprît pas, cette preuve de loyauté touchait profondément le Jedi.

Les jumeaux regardèrent un moment leur oncle, les yeux écarquillés, puis reculèrent un peu. Incapable de communiquer, Luke se sentait pris au piège. Qu'aurait donc fait Obi-Wan dans une telle situation ?

Skywalker était persuadé que la Force lui donnerait la réponse. Il suffisait de savoir où chercher.

— Vous voyez, les enfants, dit Cilghal, votre oncle est en sécurité. La nuit dernière, nous l'avons sauvé.

Votre mère était là aussi. Et nous faisons tous de notre mieux pour le réveiller.

— Je suis réveillé ! cria Luke. Et je vais devoir trouver un moyen de vous le faire savoir.

Les jumeaux baissèrent les yeux sur le gisant.

— Il est réveillé, dit Jacen. Dans cette salle...

Le petit garçon tourna les yeux vers la silhouette spectrale du Jedi.

Luke chercha le regard de son neveu.

— Tu me vois ? Et tu me comprends ?

Jacen hocha la tête. Jaina fit de même.

Cilghal posa les mains sur les épaules des enfants et les tira en arrière.

— Bien sûr qu'il est là, mes pauvres petits, murmura-t-elle. Bien sûr...

Le cœur débordant d'espoir, Luke voulut approcher des gamins, mais Streen se précipita sur la plate-forme et se jeta à genoux. Il était si bouleversé que le flot désordonné de ses émotions fit à Luke l'effet d'une gifle.

— Maître Skywalker, je suis tellement désolé ! gémit-il. J'ai écouté les mauvaises voix, dans ma tête. L'homme en noir m'a trompé. Mais je ne le laisserai pas recommencer.

Streen releva la tête, les yeux errant dans la salle. Il sembla à Luke que le vieil homme pouvait le voir.

— Streen, demanda-t-il, tu m'entends ? Tu me reconnais ?

— L'homme en noir est venu à moi, dit l'ancien ermite. Mais je sens aussi votre présence, maître Skywalker. Oui, je la sens...

Kirana Ti posa une main compatissante sur l'épaule du pauvre Streen. Luke réfléchissait à la vitesse de l'éclair. Exar Kun — l'homme en noir — pouvait communiquer avec l'autre plan, même s'il devait employer des moyens détournés. Désormais, Luke savait que c'était également possible pour lui. D'ailleurs, n'avait-il pas déjà parlé avec les jumeaux ?

Tandis que les autres aspirants Jedi entraient dans la salle, Skywalker commença à réfléchir à son plan. D'une manière ou d'une autre, il parviendrait à se tirer de ce mauvais pas. Peut-être avec l'aide de ses élèves, la nouvelle génération de Chevaliers Jedi.

De la cloison, derrière lui, une voix d'outre-monde susurra :

— Que c'est touchant ! Tes abrutis d'élèves espèrent encore pouvoir te sauver... Mais j'en sais bien plus long qu'eux sur la question. Ma formation n'a pas été gâchée par la lâcheté, contrairement à la tienne !

Exar Kun n'était qu'une forme noire fluctuante.

— Gantoris m'appartenait, continua-t-il, et il a été détruit. Kyp Durron reste sous ma domination. Streen vient d'y tomber. Bientôt, les autres entendront aussi ma voix. (Il écarta ses bras sans substance.) Tout se met en place ! La Confrérie de la Sith renaîtra. Tes aspirants Jedi deviendront l'ossature d'un armée invincible protégée par la Force.

Luke tournait autour de son intangible adversaire, ignorant toujours comment le combattre.

— Je suis d'abord venu à toi en rêve, sous l'apparence de ton défunt père... Si je prenais la tienne pour contacter tes élèves ? Les mots sortant de ta bouche, ils suivraient sans se poser de questions les enseignements de la Sith.

— Non ! cria Luke.

Son corps astral bondit sur celui du Seigneur Noir. Même si ses mains traversèrent la silhouette floue, Exar Kun sembla marquer le coup.

Skywalker sentit un froid mortel l'envahir quand ses doigts rencontrèrent la « chair » de Kun. Mais il continua à avancer, contraignant son adversaire à chercher le salut dans la fuite — quelque fissure dans la cloison, comme toujours.

— J'ai été en contact avec le Côté Obscur de la Force ! dit Luke. J'en suis sorti plus fort. Tu es faible parce que tu ne connais que le Mal. Tu ne sais rien de plus que mes élèves...

Avant de disparaître, Exar Kun cria :

— Nous verrons bien qui est le plus fort, vermine !

La jungle de Yavin 4 était baignée par une pâle lumière orange — le reflet de la planète gazeuse derrière laquelle le soleil venait de disparaître.

Des centaines de woolamandres avaient regagné les hautes branches qui leur assureraient une nuit sans mauvaise surprise. Dans la forêt, les prédateurs et leurs proies s'apprêtaient à rejouer l'antique drame de la vie et de la mort. A la surface des marais, bleus comme le saphir, les piranhas s'étaient mis en quête de victimes. Au ras de l'eau, de gros insectes bourdonnaient, appelant leurs congénères à l'amour.

Au cœur de la jungle, trois créatures nocturnes sortirent de leurs cavernes et déployèrent leurs ailes dentelées. Dépourvues de volonté, elles obéissaient à la compulsion qui les poussait à s'approcher du Grand Temple.

Tandis qu'elles volaient contre le vent frais du soir, leurs ailes faisaient un bruit de tissu mouillé qu'on frappe contre un lavoir de pierre. Sur leurs corps oblongs, de grosses veines battaient au rythme de leurs efforts.

Au bout de leur torse musclé, sur de longs cous sinueux, deux têtes s'agitaient en cadence. Leurs queues fourchues étaient hérissées de piquants, et des écailles iridescentes luisaient sur leurs dos et leurs flancs.

De leurs yeux jaunes, elles semblaient chercher sans cesse une nouvelle proie.

Ces horreurs d'origine alchimique dataient de la lointaine époque où Exar Kun régnait sur Yavin 4. Depuis des générations, elles n'avaient plus quitté leur refuge. Aujourd'hui, elles fendaient l'air, un seul objectif en tête : détruire le corps de Luke Skywalker.

Les tueuses volantes s'introduisirent dans le temple par les lucarnes, inaccessibles pour tout autre envahisseur. Quand elles aperçurent leur cible, d'horribles cris jaillirent des gorges de leurs têtes jumelles.

Toutes griffes dehors, un trio d'assassins fondait sur le gisant...

La silhouette de Luke fluctuait faiblement dans la chambre obscure où dormaient les jumeaux. Un peu plus loin dans le couloir, Cilghal étudiait dans ses quartiers. Mais elle n'entendait pas encore la voix de son maître. Jacen, lui, en était capable, et Skywalker n'avait pas de temps à perdre.

— Jacen, souffla-t-il.

Le gamin remua dans son sommeil. A ses côtés, Jaina gémit et se retourna.

— Jacen ! insista Luke. Jacen et Jaina, vous seuls pouvez m'aider.

Le petit garçon se réveilla, ses yeux sombres embués de fatigue. Tournant la tête, il repéra l'image scintillante de son oncle.

— Tu veux de l'aide ? D'accord.

— Réveille ta sœur et dis-lui d'aller chercher les autres Jedi. Toi, il faut que tu viennes avec moi. Peut-être pourras-tu retenir assez longtemps mes agresseurs.

Jacen secoua sa sœur, qui vit Luke et eut besoin de quelques mots seulement pour comprendre la situation.

Tandis qu'elle se chargeait de donner l'alerte, Luke et son neveu coururent vers l'ascenseur aussi vite qu'ils le pouvaient...

L'alarme générale retentit peu après. D'abord surpris, Skywalker comprit que ce devait être le fidèle D2 qui l'avait déclenchée. Mais que pourrait le droïd contre les créatures de cauchemar invoquées par Exar Kun ?

Encore maladroit, Jacen eut du mal à appuyer sur les boutons de l'ascenseur que Luke lui indiquait.

— Dépêche-toi, je t'en prie !

La cabine s'ébranla. Bientôt, les portes s'ouvrirent sur la grande salle d'audience.

Sur la plate-forme, D2 bipait et clignotait de tous ses voyants. Attendri, Luke songea à une chatte en train de défendre ses petits. Mais la tactique du droïd n'impressionnait pas le moins du monde les créatures ailées.

Entendant l'ascenseur, deux horreurs volantes se précipitèrent vers l'intrus — un petit garçon haut comme trois pommes.

D2 poussa un bip si long et si déchirant qu'on eût pu croire qu'il appelait au secours.

La troisième tueuse à gages d'Exar Kun s'était perchée au bout de la table de marbre où reposait Luke. Ses deux gueules s'ouvrirent, dévoilant des dents acérées.

— Elles sont furieuses, dit Jacen d'une toute petite voix. Et elles sont... méchantes.

— Eloigne-les de mon corps ! dit Luke, Va aider D2-R2. Les autres Jedi seront là dans quelques instants.

Sans peur, Jacen se précipita vers les deux monstres qui voulaient lui barrer le chemin. Un cri de guerre plutôt convaincant jaillit de ses lèvres.

Les deux créatures piquèrent sur lui. D2 émit un long « bweetzeep » d'avertissement.

Jacen se jeta de côté au dernier moment, les griffes des créatures raclant la pierre à l'endroit où il se trouvait quelques secondes auparavant. Des étincelles jaillirent, mais le petit Jedi ne ralentit pas, courant vers le troisième prédateur, qui regardait avec appétit les paupières closes du dormeur.

Quand Jacen fut sur la plate-forme, le monstre s'envola, sa queue de scorpion fouettant l'air pendant que ses deux immondes gueules s'ouvraient démesurément.

Incapable d'intervenir, Luke regarda l'enfant faire face avec courage et intelligence. D2 vint se placer à ses côtés, sortant son arc à souder intégré pour effrayer les monstres en produisant un joli bouquet d'étincelles.

A cet instant, Skywalker sut ce qu'il devait faire, du moins s'il pouvait utiliser ses pouvoirs de cette façon.

A la ceinture du gisant était accroché un objet cylindrique, la partie inférieure étant couverte de touches.

— Jacen ! cria Luke, prends mon sabrolaser !

Les trois tueuses tournaient à présent au plafond de la salle, caquetant entre elles comme si elles venaient de recevoir des instructions d'Exar Kun.

Sans hésiter, Jacen empoigna le sabrolaser, aussi long que son avant-bras.

— Je ne sais pas m'en servir, dit-il à son oncle.

— Je vais te montrer. Laisse-moi te guider, puis me battre avec toi...

Griffes sorties, les trois créatures repartirent à l'attaque.

Jacen tint l'arme devant lui et activa la lame, qui apparut avec un sifflement. Bien campé sur ses jambes, celui que Yan Solo appelait encore *microbe* se prépara à défendre le dernier Maître Jedi de la galaxie.

Cilghal prit Jaina dans ses bras et sortit de sa chambre. Alors qu'elle courait vers l'ascenseur, Dorsk 81 et Tionne se joignirent à elle.

Ils gagnèrent le dernier étage, prêts à se battre pour leur professeur, comme ils l'avaient déjà fait contre la tornade.

Même ses pires cauchemars n'avaient pas préparé Cilghal au spectacle qui l'accueillit.

Le petit Jacen tenait un sabrolaser avec l'élégance et la confiance d'un bretteur confirmé. Trois hideuses créatures le harcelaient, menaçant à chaque seconde de le tuer, mais il esquivait avec l'adresse d'un toréador, maniant la lame électronique comme si elle était une extension de son bras.

D2-R2 ne restait pas inactif. Utilisant son arc à souder comme une arme, il maintenait les monstres à distance.

Un des reptiles volants voulut attaquer au mépris du danger. Avec une précision extraordinaire, Jacen coupa en plein vol une des têtes de l'étrange animal. L'autre gueule s'ouvrit sur un cri d'agonie qui mourut lorsque le monstre s'écrasa sur le sol.

Folles de rage, les deux créatures survivantes tentèrent de frapper avec leurs queues. Le petit Jedi en trancha une, esquivant avec adresse le liquide noirâtre empoisonné qui coulait du moignon.

A ce contact, les pierres du sol de l'antique temple fumèrent comme si on les avait aspergées d'acide.

Perdant la raison, le monstre tourbillonna dans les airs, puis s'attaqua à son compagnon, tentant de lui déchiqueter les flancs. Sans se démonter, le reptile agressé darda sa queue, les piquants s'enfonçant entre les écailles de son adversaire. Plusieurs trous fumants dans le ventre, la bête sans queue succomba en quelques secondes.

Restait le champion du trio, bien décidé à accomplir sa mission.

A peine sortis de l'ascenseur, Cilghal, Tionne et Dorsk 81, pétrifiés, regardaient le spectacle.

— Il faut l'aider ! s'écria Dorsk.

— Comment ? demanda Tionne. Nous n'avons pas d'armes.

Cilghal intervint d'une voix sereine :

— Je me demande si Jacen a vraiment besoin de secours...

A cet instant, Jaina dégagea sa main de celle de la Calamarienne et se précipita vers la plate-forme.

Cilghal partit sur ses talons.

Les deux gueules du reptile survivant poussaient d'atroces cris, peut-être dans l'espoir d'intimider ou de paralyser l'adversaire. Mais autant vouloir faire reculer un ouragan en soufflant dessus !

Jacen combattait comme un lion. Lorsque la créature dessina un arc de cercle au-dessus de sa tête — pour prendre de l'élan et porter ce qu'elle espérait être l'attaque finale —, il se mit en position, le sabre à la hanche, impressionnant de calme et de détermination.

Quand la bête piqua sur lui, il ne s'affola pas, mais frappa d'un coup sec et précis du poignet.

Un estoc de maître ! D'un seul mouvement, le petit Jedi venait de sectionner les deux têtes de son assaillant. Pendant qu'elles volaient dans les airs, le corps du prédateur mort tomba sur l'enfant, le renversant.

D2-R2 se précipita à sa rescousse.

— Il n'a rien ! cria Jaina, qui venait d'atteindre la plate-forme. Je le sens !

Cilghal arriva à côté de la fillette. Toutes deux regardèrent la lame du sabrolaser découper les ailes parcheminés du monstre. S'étant dégagé par ce moyen original, Jacen tendit une main à la Calamarienne, pour qu'elle l'aide à se relever.

— Jacen ! cria sa sœur, les yeux exorbités.

La première créature, celle qui avait perdu une tête, venait de se relever, toujours aussi avide de détruire Luke. D'un bond, elle se percha sur la table de marbre, sa gueule visant la gorge du Jedi.

Son frère n'étant pas en position d'intervenir, la fillette se jeta sur le dos du monstre, lui saisit les ailes et tira de toutes ses forces pour la contraindre à reculer.

Cela seul n'eût pas suffi à sauver Luke ; tirant parti de ce répit, Cilghal avança et noua ses énormes mains de Calamarienne autour du cou de l'horreur volante. Bientôt, un craquement signala que ses vertèbres n'avaient pas résisté à la pression.

La bête tomba sur la poitrine de Luke, enfin morte.

Jacen finit de se relever et regarda autour de lui, l'air abasourdi. Battant des cils, il désactiva la lame électronique.

Les portes de l'ascenseur s'ouvrirent, laissant le passage aux autres élèves, qui s'immobilisèrent en découvrant le massacre.

Puis Tionne se précipita, sauta sur la plate-forme et s'empara de la carcasse du monstre, qu'elle jeta aussi loin que possible du corps de son maître.

Cilghal arriva à côté de Jacen au moment où il remettait le sabrolaser à la hanche de Skywalker. Laissant libre cours à ses sentiments, elle prit le garçonnet dans ses bras et le couvrit de baisers.

A moins de trois ans, il venait de se battre comme un Jedi de légende !

Les autres aspirants approchèrent.

— Un chevalier n'aurait pas fait mieux ! déclara Dorsk. Ça m'a fait penser au duel entre maître Skywalker et Gantoris.

— Oncle Luke était avec moi, dit Jacen. Il m'a montré comment faire. Vous savez, il est ici.

Cilghal en hoqueta de surprise.

— Que veux-tu dire ? demanda Tionne.

— Le vois-tu en ce moment ? s'enquit Dorsk 81.

— Oui, il est juste là, répondit Jaina, un doigt tendu. Il dit qu'il est fier de nous.

Elle rit, et Jacen l'imita, mais il était épuisé et se laissa aller dans les bras de Cilghal.

Les élèves Jedi se regardèrent, puis sondèrent l'endroit que l'enfant avait désigné. D2-R2 émit une série de bips énigmatiques.

— Qu'a-t-il dit d'autre ? demanda la Calamarienne.

Jaina regarda Jacen, qui avait déjà repris des forces.

— Exar Kun. C'est lui qui embête notre oncle, dit le garçonnet.

— Arrêtez Exar Kun, termina Jaina, et oncle Luke reviendra...

CHAPITRE XII

Durant le voyage entre Yavin 4 et Mon Calamari, Leia et Terpfen restèrent assis côte à côte, chacun se murant dans ses pensées. A voir sa mine sombre, le Calamarien avait toujours autant de mal à supporter le poids de la culpabilité.

Le petit vaisseau entra dans l'atmosphère et se dirigea vers une des cités flottantes dont l'amiral Ackbar supervisait l'héroïque tentative de sauvetage.

— Equipe de secours de Corail City, ici le vaisseau de... (Terpfen hésita un instant)... du ministre d'Etat Organa Solo. Nous devons contacter l'amiral Ackbar. Pouvons-nous amerrir ?

Un court instant plus tard, la réponse leur fut donnée par la voix de l'amiral en personne.

— Leia me rend visite ? Elle est la bienvenue, c'est évident. (Après une brève pause :) Terpfen, c'est vous ?

— Oui, amiral.

— J'avais bien cru reconnaître votre voix. Je serai ravi de vous voir tous les deux.

— Rien n'est moins sûr, monsieur, souffla Terpfen.

— Que signifie cette remarque ? Quelque chose ne va pas ?

Terpfen inclina sa tête couverte de cicatrices. A l'évidence, les mots avaient du mal à sortir de sa gorge.

Leia se pencha sur le micro :

— Ackbar, il vaut mieux parler de tout ça face à face, dit-elle.

Il ne lui semblait toujours pas naturel de s'adresser au Calamarien sans mentionner son grade.

Terpfen remercia le ministre d'un signe de tête. Puis il s'occupa de l'amerrissage.

Sur la planète, des barges équipées de grues tentaient de renflouer la magnifique cité, coulée par la récente attaque de l'amirale Daala.

Leia se trouvait sur Mon Calamari lors du raid. Venue essayer de convaincre l'amiral de revendiquer son grade au sein de la République, elle avait assisté à des scènes terrifiantes. Choqué, Ackbar était sorti de sa première retraite pour participer à la victoire finale des forces calamariennes.

— Attention, dit son compagnon, nous allons nous poser sur une barge.

La manœuvre était délicate, mais Leia avait toute confiance en Terpfen.

Du moins en ce qui concernait ses qualités de pilote...

Quand le sas fut ouvert et la rampe dépliée, le ministre Organa Solo quitta le navire et prit pied sur le pont de la barge.

Ackbar était déjà là pour l'accueillir.

— Leia, quel plaisir de vous voir ! Le renflouage de la ville est en bonne voie. Encore quelques mois, et la plupart des zones seront de nouveau habitables. (Il regarda par-dessus l'épaule de son interlocutrice.) Terpfen ! Comment allez-vous, mon vieux ?

Pour le traître involontaire, cette cordialité était un crève-cœur.

Leia jugeait l'heure trop grave pour perdre du temps en civilités.

— Ackbar, dit-elle, les Impériaux connaissent les coordonnées d'Anoth. Winter et le petit Anakin sont en grand danger. Nous devons voler à leur secours, et vous seul savez *où* aller.

Ackbar en resta bouche bée. Terpfen choisit ce moment pour s'avancer et dire :

— Je vous ai trahi. J'ai trahi tout le monde...

A bord du *Vendetta*, l'ambassadeur Furgan s'affairait du matin au soir, histoire de prouver qu'il était utile et... important.

Quand le navire sortit de l'hyperespace, non loin d'Anoth, il ordonna :

— Activez les boucliers !

— C'est déjà fait, monsieur, répondit le colonel Ardax.

Occupant le fauteuil de commandement, l'officier était sanglé dans un superbe uniforme de la flotte spatiale impériale. Il bomba le torse, heureux d'en remontrer au diplomate.

Depuis le début du voyage, le colonel tapait sur les nerfs de Furgan en prenant des décisions sans lui demander son avis. Décidément, le gaillard était trop indépendant au goût de son supérieur.

Car enfin, Furgan était le directeur du centre d'entraînement. Le directeur ! D'accord, l'académie militaire n'existait plus — peste soit de ce Kyp Durron — mais ça n'était pas une raison pour se ficher comme d'une guigne de son opinion.

Furgan ne cessait de penser à l'explosion de Carida. Ce jour-là, son rêve le plus cher — restaurer l'Empire — en avait pris un sacré coup ! La perte était lourde, vraiment. Mais s'il parvenait à mettre la main sur le bébé Jedi, l'espoir changerait de camp.

Le *Vendetta* passa par la brèche d'une ceinture d'astéroïdes incomplète orbitant autour d'Anoth. La planète était en fait composée de trois éléments. Deux énormes fragments entre lesquels jaillissaient de titanesques éclairs entouraient une petite sphère rocheuse qui, au niveau de la mer, possédait une atmosphère respirable. D'ici un siècle ou deux, les trois masses entreraient en collision et se désintégreraient. Pour l'instant, Anoth était bien cachée, se jouant des télescopes les plus puissants.

Mais il y avait eu un impondérable.

— C'est un endroit un peu... austère... pour élever un enfant, dit Ardax.

— Ça l'aura endurci, déclara Furgan. Une bonne préparation à l'entraînement qu'il devra subir pour devenir le Nouvel Empereur.

— Ambassadeur, demanda Ardax, avez-vous idée de l'endroit où se trouve la forteresse qui abrite l'enfant et sa suite ?

Furgan se mordit la lèvre inférieure. L'espion Terpfen ne lui avait rien fourni d'autre que les coordonnées de la planète.

— Vous ne voudriez pas que je fasse *tout* votre travail, colonel ? Utilisez donc les senseurs du navire !

— Compris, monsieur. Techniciens, sondez la planète.

— Sondage engagé, monsieur, dit un caporal occupé à examiner un diagramme du système d'Anoth. Ne vous inquiétez pas, nous trouverons. Il y a si peu de choses sur cette planète que ça ne devrait pas être bien long.

Furgan se leva et se dirigea vers l'ascenseur.

— Colonel, je descends inspecter les véhicules d'assaut. Vous pourrez vous en sortir sans moi un moment ?

— Bien entendu, monsieur, répondit Ardax avec une conviction qui irrita Furgan.

Quand les portes de la cabine se refermèrent, il sembla à l'ambassadeur que le capitaine du *Vendetta*, réduit à un rôle subalterne, ajoutait un commentaire rien moins qu'élogieux. Mais il ne put en saisir la teneur.

Dans le hangar principal régnait une agitation de fourmilière. Manœuvrant avec le bel ensemble qui faisait leur réputation dans l'Empire, les commandos en armure blanche s'occupaient à charger armes et munitions dans les octopodes TA-TM.

Sur Carida, Furgan avait supervisé la conception et le développement de ces nouveaux modèles, nommés « Transporteurs d'Assaut pour Terrains Montagneux », et il avait hâte de voir comment ils se comportaient au combat. Prudent, il avait prévu de marcher à l'arrière tandis que les troupes d'élite ouvriraient le chemin. La précaution semblait superflue quand on connaissait l'opposition en présence — une femme et un enfant — mais savait-on jamais ?

Furgan passa le bout des doigts sur le « genou » d'un octopode. Destinés aux terrains accidentés, ces véhicules étaient munis d'articulations hyper-perfectionnées. Les « griffes » de leurs pieds permettaient l'escalade des parois les plus abruptes.

L'armement n'était pas mal non plus : des lasers capables de pénétrer cinquante centimètres de blindage et deux mini canons-blasters, de chaque côté du cockpit, assez performants pour faire réfléchir les chasseurs ennemis, et les réduire en poussière s'ils insistaient.

Furgan resta un instant à rêver devant les monstres de métal.

— Superbes machines, murmura-t-il.

Autour de lui, les commandos continuaient à travailler sans lui prêter attention.

La voix du colonel sortit de l'intercom :

— Ardax à tout l'équipage. Après quelques difficultés dues aux décharges d'énergie caractéristiques du système, nous avons localisé la base secrète. La force d'assaut doit se préparer sur-le-champ. Je veux une frappe propre et nette. Ardax, terminé.

— Vous avez entendu le colonel ? dit Furgan tandis

119

que les troupes d'élite embarquaient dans les octopodes.

Bientôt, les engins seraient largués sur la planète,
chacun étant enfermé dans un cocon thermorésistant
qui s'ouvrait aussitôt l'objectif atteint.

Un soldat était en train d'entrer dans son cockpit, où
il essayait de caser des armes supplémentaires et
quelques appareils de détection très utiles.

— Toi ! cria Furgan. Range tout ça dans la soute !
Je viens avec toi.

L'homme le regarda un moment sans rien dire, les
yeux dissimulés derrière la visière de son casque.

— Cet ordre te pose un problème, sergent ? demanda Furgan.

— Pas du tout, monsieur, dit le commando, la voix
déformée par le haut-parleur du casque.

Il obéit sans discussion.

L'ambassadeur s'assit dans le siège du copilote et
boucla sa ceinture, l'enroulant deux fois autour de sa
poitrine pour s'assurer de n'être pas blessé durant
l'atterrissage. Il n'avait aucune envie de boiter en
prenant possession de la base ennemie.

Alors que les commandos finissaient d'embarquer,
Furgan manqua perdre patience. Quand allaient-ils
enfin partir ?

Lorsque la trappe de largage s'ouvrit sous l'octopode qu'il occupait, l'ambassadeur agrippa les accoudoirs de son fauteuil et poussa un long cri. Les véhicules d'assaut tombaient aussi vite que des bombes.
Malgré le cocon protecteur, ils étaient secoués comme
si on leur tirait dessus.

Furgan essaya sans succès de maîtriser sa panique.

A côté de lui, le pilote n'avait pas ouvert la bouche.

Dans la forteresse, sur Anoth, Winter jeta un coup
d'œil à l'heure, puis au nourrisson aux cheveux noirs
occupé à rire aux éclats.

Il était temps de le mettre au lit.

La planète ayant un rythme nycthéméral très spécial, Winter avait décidé de vivre à l'heure de Coruscant. Cela valait mieux, car le jour, sur ce monde, n'était rien de plus qu'une vague lueur rougeâtre.

Anoth était prodigue en tempêtes. Géologiquement, elle avait toutes les caractéristiques d'un caillou géant semé de pics rocheux où s'ouvraient des cavernes. Difficiles d'accès, ces dernières étaient parfaites pour dissimuler une base.

Winter prit le bébé dans ses bras, le cala contre sa hanche, et s'engagea dans un couloir.

La chambre d'Anakin, protégée par des boucliers, était violemment éclairée, des couleurs pastel adoucissant l'atmosphère. Une mélodie pastorale — mélange d'un gazouillis d'eau de source et du souffle léger d'une brise — sortait des haut-parleurs intégrés aux murs.

Un électro-droïd GNK, massif et rectangulaire, s'occupait de recharger les batteries des jouets interactifs autoconscients de l'enfant.

— Merci bien, lui dit Winter, cédant à l'habitude.

Le GNK lui-même était aussi peu interactif que possible, mais elle ne parvenait pas à s'y faire.

L'électro-droïd s'éclipsa, trottinant sur ses jambes en accordéon.

— Bonsoir, maître Anakin, dit le droïd-berceur TDL affecté à la chambre du nourrisson.

C'était une évolution du droïd-protocole classique. Programmés pour effectuer sans faillir toutes les opérations de puériculture, ces modèles faisaient fureur dans la galaxie, servant de nounous aux enfants des politiciens, des militaires et même des contrebandiers, qui n'avaient guère le temps non plus de pouponner.

Argenté comme son cousin, le droïd-berceur était bien entendu dépourvu d'angles vifs et d'aspérités. Les mamans ayant souvent besoin de plus de deux mains, ces nurses artificielles étaient pourvues de quatre bras couverts d'une peau synthétique très douce — la même que sur leur torse.

Ainsi, les bébés confiés à leurs soins expérimentaient-ils aussi la chaleur maternelle.

Anakin gazouilla de plaisir en voyant le robot et balbutia un mot qui ressemblait à son nom.

Winter coucha le bébé et lui souhaita bonne nuit.

— Voulez-vous que je diffuse une berceuse en particulier, maîtresse ? demanda le droïd TDL.

— Une sélection au hasard fera l'affaire, répondit Winter. Je retourne dans la salle de contrôle. Quelque chose ne tourne pas rond, ce soir...

Winter sortit de la chambre quelques secondes avant que ne sonne l'alarme.

Elle se mit à courir.

Sur les écrans géants, elle vit une grappe d'objets très étranges tomber du ciel. A l'évidence, ils avaient pour objectif les environs de la base.

Winter activa les systèmes automatiques de défense et ferma la porte blindée qui défendait l'entrée de la grotte.

Elle aperçut bientôt le premier octopode, qui se jouait de l'escalade avec la facilité d'un mouflon. Ce devait être un modèle spécialement conçu pour la montagne.

Ordonnant un balayage des environs, elle vit que gisaient sur le sol d'énormes cocons de métal éventrés. De là étaient sorties les machines arachnéennes qui grimpaient vers la forteresse.

Un frisson courut le long de la colonne vertébrale de Winter. Vu son équanimité habituelle, c'était un événement.

L'amie de Leia n'avait pas une passion particulière pour les araignées, mais le problème n'était pas là.

Huit monstres de métal se pressaient autour de la base, avides d'y pénétrer.

Huit monstres, et elle était l'unique défenseur !

CHAPITRE XIII

Les élèves Jedi étaient réunis dans la salle de guerre
du Grand Temple, depuis longtemps abandonnée. Ils
estimaient que c'était le meilleur endroit pour mettre
au point leur plan de bataille contre Exar Kun.

Située au troisième étage de l'antique ziggourat, la
pièce avait été un temps le centre de contrôle de la
base secrète rebelle. Entre ses murs, Jan Dodonna, un
tacticien de génie, avait imaginé l'assaut contre la
première Etoile Noire.

Cilghal et ses camarades avaient déblayé la majeure
partie des débris qui s'amoncelaient depuis que l'Alliance n'utilisait plus les lieux. Quelques appareils
avaient été réparés — les senseurs, par exemple —,
mais leur efficacité restait minimale.

Enchâssée dans la roche, la pièce ignorait les fenêtres et les lucarnes. L'illumination artificielle, à demi
fonctionnelle, laissait de vastes zones d'ombre dans
les coins.

Cilghal regarda ses camarades. Une douzaine de
personnes parmi les plus douées de la galaxie. Mais
l'angoisse les étreignait, semant le doute dans leur
cœur et les préparant au plus mal à l'épreuve qui les
attendait.

Certains, comme Kirana Ti, Kam Solusar et Streen,
brûlaient de défier le fantomatique Seigneur de la
Sith. D'autres, Dorsk 81 en particulier, éprouvaient

une peur panique à l'idée d'affronter l'entité qui s'était emparée de Gantoris et de Kyp et qui avait vaincu maître Skywalker.

La Calamarienne n'était pas pressée de combattre l'homme en noir, mais elle entendait faire tout son possible pour le terrasser.

— Que se passera-t-il si Exar Kun nous entend ? demanda Dorsk 81, les yeux luisant de peur. Il est capable de nous espionner même ici !

— Il peut être partout, dit Streen, se penchant à travers la table pour ne pas avoir à parler trop fort.

Ses cheveux gris toujours en bataille, il regardait sans cesse autour de lui comme s'il craignait que quelqu'un ne les espionne.

— Nous ne serons pas mieux ailleurs, dit Cilghal. Si Exar Kun peut nous trouver ici, il le pourra n'importe où. Nous devons postuler qu'il nous est encore possible de le combattre. Sinon, autant rendre les armes...

Elle regarda ses camarades. Acquérir les talents oratoires indispensables à un ambassadeur lui avait coûté beaucoup d'efforts. Par le passé, sa voix et sa force de conviction lui avaient valu de grands succès. Une fois de plus, elle les mobilisa pour une juste cause :

— Nous avons assez de *vrais* problèmes à résoudre pour ne pas nous en inventer.

Des murmures approbateurs saluèrent cette entrée en matière.

— Tionne, une grande partie de notre plan repose sur ta connaissance des archives Jedi. Dis-nous ce que tu sais d'Exar Kun.

Tionne était assise sur un siège branlant, près de la console tactique à demi éventrée. Sur ses genoux reposait l'étrange instrument de musique à deux caisses de résonance dont elle jouait avec talent dès qu'il y avait quelqu'un pour l'écouter.

Son potentiel de Jedi était faible, maître Luke ne le

lui avait pas caché, mais il ne lui avait pas dénié non plus le droit d'essayer de devenir un Chevalier de l'Ordre. Fascinée par les légendes concernant leurs prédécesseurs, Tionne avait sillonné la galaxie, étudiant des documents qui l'avaient ramenée des milliers d'années avant leur disparition.

L'Holocron des Jedi avait été pour elle une mine d'or. Tionne avait visionné inlassablement les mythes du passé et découvert une foule de détails. Hélas, l'Holocron avait été détruit le jour où maître Luke avait demandé à son gardien virtuel, l'ancien Jedi Vodo-Siosk Baas, de lui raconter l'histoire d'Exar Kun, qui avait jadis ressuscité la Confrérie de la Sith.

Tionne regarda à son tour ses camarades. A force de tension, ses lèvres paraissaient exsangues.

— Il est très difficile de trouver des données fiables sur la Grande Guerre de la Sith. Elle date de quatre mille ans et fut incroyablement dévastatrice. Il semble que les anciens Jedi aient été honteux de ne pas avoir su protéger la galaxie. Beaucoup de documents sont incomplets, certains manquent carrément. Mais j'ai réussi à reconstituer une partie du puzzle.

« Kun a construit sa forteresse principale sur Yavin 4. Il a réduit les Massassis en esclavage pour qu'ils construisent des temples — les points focaux de son pouvoir.

« Cela m'a fait repenser au Grand Conseil de Deneba, où la majorité des Chevaliers Jedi s'est réunie pour débattre de la « Marée Obscure » qui déferlait sur la galaxie. Vodo-Siosk Baas est devenu un martyr quand il a essayé de ramener Exar Kun vers le Côté Lumineux de la Force. Après son échec, les autres Jedi se sont groupés pour former l'armée la plus puissante qui ait jamais existé.

« Bien que Kun ait eu de très grands pouvoirs, il semble que la clé du conflit fut... (Elle marqua une pause, tapotant du bout de l'ongle une des caisses de résonance de son instrument.) La clé, disais-je, était que les autres Jedi *combinaient* leur puissance. Ils combattaient comme une unité où chacun avait sa place, devenant un simple rouage d'une énorme machine alimentée par la Force.

« J'ai peu d'informations, mais il paraît probable que les Jedi, au cours de l'ultime bataille, aient dévasté Yavin 4, car ils tenaient à détruire Exar Kun. Jouant sa dernière carte, le Seigneur Noir a *aspiré* la vie de ses esclaves massassis. Alors que les anciens Jedi étaient parvenus à détruire l'essentiel des temples et à réduire son corps à néant, Kun a projeté son esprit dans ces murs, où il est resté pendant des milliers d'années...

— En un mot, à nous de finir le travail ! conclut Kirana Ti en se levant.

Susceptible de se battre à n'importe quel moment, la sorcière de Dathomir ne portait plus que son armure. Pour mettre sa bure de Jedi, elle attendrait des temps meilleurs.

— Je souscris à cette analyse, dit Kam Solusar.

Son visage était celui d'un homme qui a depuis longtemps désappris à sourire.

— Comment faire ? demanda Streen. Des milliers de Jedi n'ont pas pu vaincre l'homme en noir. Et nous ne sommes que douze !

— Peut-être, admit Kirana Ti, mais Exar Kun ne dispose plus d'un peuple d'esclaves comme source d'énergie. Il devra lutter seul. De plus, il a déjà connu la défaite une fois, et il le sait.

Cilghal se leva à son tour.

— Plus important que tout, dit-elle, nous nous entraînons ensemble depuis le début. Grâce à maître Skywalker, nous sommes une équipe. Hier, Leia nous conjurait d'être les Champions de la Force. Mes amis, c'est exactement ce que nous sommes !

Assis au sommet du Grand Temple, Luke se désolait que sa forme astrale soit incapable de sentir le souffle de la brise du soir.

La nuit tombait sur la jungle. Dans le ciel aux lueurs orange, des créatures vaguement semblables à des chauves-souris volaient à tire-d'aile, sans doute en quête d'une colonie d'insectes nocturnes.

Le Jedi se souvint du cauchemar où Exar Kun, se faisant passer pour Anakin Skywalker, était venu le supplier de rallier le Côté Obscur. Retournant dans le passé, Luke avait vu les infortunés Massassis travailler à construire les temples, la plupart mourant à la tâche.

Il avait chassé le cauchemar de son esprit, mais il n'avait pas compris à temps l'avertissement qu'il contenait.

Tournant la tête, le jeune homme distingua la silhouette encapuchonnée d'Exar Kun, debout face à la jungle, une vision qui n'avait déjà plus rien pour l'effrayer.

— Tu ne manques pas d'audace de continuer à te montrer à moi, Exar Kun ! D'autant que tous tes efforts pour détruire mon enveloppe charnelle ont échoué.

Après l'attaque des trois reptiles, Luke avait vu Cilghal s'occuper des égratignures que portait son corps vide d'âme. Comme Luke l'avait pas senti dès ses premiers jours à l'Académie, sa douceur et sa compassion en faisaient le prototype du guérisseur Jedi.

Avant de sortir, elle avait parlé tout haut à l'esprit de son maître :

— Nous ferons l'impossible. Luke, je vous en prie, gardez confiance en nous.

Le Jedi avait accédé à sa prière. Alors qu'il se tenait face à Exar Kun, à l'endroit même où Kyp Durron et le Seigneur Noir l'avaient vaincu, il sentait cette confiance grandir.

— Je m'amuse un peu avec toi, Skywalker, dit Kun en haussant ses épaules spectrales. Rien ne peut contrarier mes plans. Certains de tes élèves sont déjà en mon pouvoir. Les autres suivront.

— Je suis sûr que non ! le défia Luke. Je les ai bien formés. Tu peux leur montrer un chemin facile vers la gloire, mais ils ne seront pas dupes, et devineront quel prix il faut payer au bout de la route. Je leur ai appris à se fier à leurs capacités et à croire en leur valeur. Tes illusions ne valent rien à leurs yeux. A travers moi, ils connaissent la puissance et le sens véritables de la Force.

— Crois-tu que j'ignore les plans ridicules qu'ils ourdissent ? gronda Exar Kun.

Luke trouva qu'il s'échauffait beaucoup. Sa confiance vacillait-elle ?

— Que tu le saches ou pas est sans intérêt. Ils te vaincront de toute manière. Ta suffisance n'est pas une force, mais la pire des faiblesses...

— La tienne, c'est de croire en ces pleutres !

Luke se contenta de rire.

— On m'a déjà parlé ainsi il y a longtemps. C'étaient des foutaises à l'époque, et ça l'est encore aujourd'hui.

Exar Kun disparut peu à peu.

— Nous verrons bien, souffla-t-il avant de réintégrer sa prison de pierre.

CHAPITRE XIV

C'était le statu quo.

Tandis qu'il regardait à travers le cockpit du *Faucon*, Yan Solo sentait la sueur ruisseler sur son front. En face, le Broyeur de Soleil était en train d'activer son lanceur de torpilles à résonance.

Solo tapa du poing sur le tableau de bord.

— Arrête, gamin ! Faisons une trêve. Je croyais que tu étais mon ami.

— Si nous étions amis, répondit Durron, tu n'essayerais pas de m'arrêter. Tu sais ce que l'Empire a fait à ma famille. Yan, ces salauds m'ont encore menti, et maintenant, mon frère est mort !

Dans le siège du copilote, Lando s'agitait avec frénésie. Se tournant vers Yan, il lui fit comprendre de couper l'émetteur de la radio, afin que Kyp n'entende pas ce qu'il avait à dire.

— Yan, tu te rappelles quand Kyp et toi avez volé le Broyeur de Soleil, dans le Complexe de la Gueule ? Luke et moi étions dans le coin, à attendre de vous intercepter.

— Bien sûr que je me le rappelle, dit le Corellien sans comprendre où son ami voulait en venir.

— A l'époque, nous avions connecté les deux vaisseaux parce que l'ordinateur de navigation du *Faucon* était en rade... (Il plissa le front et murmura :) Ecoute bien... Nous avons toujours en mémoire les codes de commande du Broyeur !

Yan n'avait pas besoin d'un dessin pour comprendre.

— Tu peux en faire quelque chose ? Lando, tu ne connais presque rien aux systèmes du Broyeur !

— Tu vois une autre solution, vieux frère ?

— D'accord, dit Yan à voix basse, précaution inutile puisque la radio était coupée. Je le fais parler, pendant ce temps, tu désactives le Broyeur !

Calrissian se mit au travail.

Solo rétablit le contact.

— Kyp, tu te souviens de l'époque où on faisait du turbo-ski sur Coruscant ? Tu as emprunté une piste très dangereuse, mais je t'ai suivi parce que je craignais que tu ne te casses la figure. Tu n'as pas oublié, hein ?

Durron ne répondit pas ; Yan savait qu'il venait de marquer un point.

— D'ailleurs, fiston, qui t'a sorti des mines de Kessel ? Puis des cellules du *Gorgone* ? Et qui s'est évadé avec toi du système de la Gueule ? Tu te le rappelles, j'ai juré de faire mon possible pour que tu reprennes goût à la vie après tes années de malheur ?

— Ça n'a pas marché, répondit Durron, laconique.

— Que s'est-il passé ? Pourquoi cela a-t-il mal tourné ? C'est sur Yavin 4, hein ? Je sais que Luke et toi aviez eu du mal à vous entendre, mais...

— Je n'avais rien à faire avec Luke Skywalker, coupa Kyp sur un ton si défensif que Yan comprit qu'il mentait. Dans le temple, j'ai appris des choses que Luke ne m'aurait jamais enseignées. J'ai su comment devenir assez fort pour combattre l'Empire. Et comment transformer en arme ma colère.

— Kyp, je ne prétends pas tout comprendre de la Force. Pour être franc, j'ai dit un jour que tout ça me paraissait farfelu. Mais ce que tu racontes évoque dangereusement le Côté Obscur.

130

Après un long silence, Kyp s'éclaircit la gorge.

— Yan, je...

— C'est gagné ! souffla alors Lando.

Yan hocha la tête et le copilote tapa la séquence de contrôle sur sa console.

Des voyants clignotèrent. L'ordre de transférer les commandes au *Faucon* arriva dans l'ordinateur de bord du Broyeur.

Soudain, celui-ci ne fut plus qu'un morceau de métal mort. Ses lumières s'éteignirent, ses ordinateurs de visée se déconnectèrent et son réacteur toroïdal tomba en panne.

— Bingo ! cria Lando.

Les deux hommes poussèrent un cri de triomphe et se tapèrent dans la main.

— Il faut que je lui parle, dit Yan. Sa radio fonctionne encore ?

— J'ouvre une fréquence. Mais je crains qu'il ne soit en pétard...

— Tu m'as trompé ! s'écria la voix de Kyp dans les haut$-parleurs. Tu prétendais être mon copain, et tu m'as trahi. Exar Kun disait vrai : les amis sont les premiers à vous poignarder dans le dos. Un Jedi n'a pas de temps à perdre avec les sentiments. Vous pouvez tous mourir !

Contre toute attente, le Broyeur de Soleil redevint fonctionnel. Malgré les efforts de Lando, tous les systèmes furent sous tension.

— Je n'y suis pour rien ! s'écria Calrissian. Comment a-t-il pu récupérer si vite le contrôle de son vaisseau ?

— Grâce à la Force, il peut faire des choses qui nous dépassent, expliqua Yan.

Le lance-torpilles fut bientôt en état de cracher la mort sur le *Faucon*.

Cette fois, Kyp n'hésiterait pas.

CHAPITRE XV

A côté de la stèle où reposait Luke Skywalker, le vieux Streen montait fièrement la garde. Assis en tailleur sur le sol glacé, il se sentait merveilleusement bien dans sa combinaison multipoches, un souvenir de son passé de prospecteur de gaz sur Bespin.

Le costume était bien la seule chose qu'il regrettait parfois.

A présent, une formidable mission lui incombait : veiller sur le corps du maître !

Autour du gisant, douze bougies symbolisaient chacun de ses élèves et leur volonté de le défendre.

Streen sonda l'obscurité environnante. Quoi qu'il arrive, plus jamais il n'écouterait la voix de l'homme en noir. Exar Kun aurait beau essayé, il ne parviendrait pas à l'abuser de nouveau.

Dans la main droite, le vieil homme serrait la poignée du sabrolaser de Luke : un honneur extraordinaire.

Viens donc, Exar Kun ! Cette fois, je saurai te combattre !

Parmi ses camarades, certains voyaient d'un mauvais œil qu'on ait confié la garde du maître au vieil ermite, surtout en lui remettant un sabrolaser. Mais Streen avait supplié qu'on lui donne cette chance de se racheter.

Kirana Ti avait plaidé en sa faveur. Il fallait prendre

132

le risque, sinon l'équipe n'en aurait plus été une. Streen devait redevenir un maillon de la chaîne aussi résistant que les autres.

Le vieil homme laissa le sommeil l'envahir. Inclinant la tête, il s'assoupit.

Alors des mots dansèrent dans son crâne pour former des phrases douces et insistantes. On lui demandait de se réveiller. Oui, on voulait le tirer du sommeil...

Streen résista, car il ignorait si c'étaient ses camarades qui lui parlaient, ou quelque émissaire du Mal.

Quand il estima avoir attendu assez longtemps, le vieil aspirant Jedi rouvrit les yeux.

Ses voix intérieures se turent. Un autre organe, bien réel, prit le relais :

— Réveille-toi, mon élève. Le vent se lève.

Exar Kun se tenait debout au milieu de la salle, le visage beaucoup moins flou que lors de ses apparitions précédentes. Sur ses traits, la haine se lisait aussi clairement que la bonté sur ceux de Luke Skywalker.

Streen se leva, se sentant plus calme et déterminé que jamais.

— Je ne t'obéirai pas, homme en noir, déclara-t-il.

Exar Kun éclata de rire.

— Et comment te proposes-tu de résister ? Tu m'appartiens déjà.

— Si tu le crois vraiment, c'est que tu viens de commettre ta première erreur.

Il activa la lame du sabrolaser. A sa grande surprise — et satisfaction — Kun recula.

— Parfait, fanfaronna-t-il. A présent, coupe ce bon vieux Luke en deux. J'ai hâte d'être débarrassé de cette affaire.

Streen avança, la lame verte brandie.

— C'est toi que je couperai en deux, homme en noir.

— Imbécile, crois-tu que ces armes puissent avoir

un effet sur moi ? Tu aurais dû demander à ton ami Gantoris, ou as-tu oublié ce qui lui est arrivé ?

Une vision s'imposa à l'esprit de Streen. Le cadavre de Gantoris consumé de l'intérieur par les flammes du Côté Obscur.

A coup sûr, Exar Kun pensait lui ruiner le moral en ravivant ce souvenir. Gantoris avait été son ami, et le premier Jedi, avec le vieil ermite, que Luke ait découvert lors de sa quête.

Une fois encore, l'homme en noir allait en être pour ses frais. Loin de miner son courage, penser à son défunt compagnon stimulait Streen.

— Personne ne veut de toi ici, Exar Kun.

A la grande surprise du vieil homme, le Seigneur de la Sith recula de nouveau.

— Si tu m'ennuies, je trouverai d'autres marionnettes, Streen. Et quand j'aurai vaincu, ma vengeance sera terrible. Tu verras, j'inventerai pour toi des façons de souffrir qui dépasseront toutes les horreurs de l'Histoire.

L'ombre maléfique s'éloigna davantage. Alors une grande silhouette apparut au sommet de l'escalier, débouchant à gauche de l'ascenseur, et entra dans la salle d'audience.

Kirana Ti, vêtue de son armure.

Kirana Ti, féminine jusque dans le combat, mais pas moins dangereuse pour autant.

— Ainsi je te vois fuir, Exar Kun ? Serais-tu si facile à effrayer ?

Streen tenait sa position, sabrolaser levé.

— Une autre élève stupide ! dit Kun. Quand l'heure aura sonné, je viendrai à toi, mon enfant. Les sorcières de Dathomir ont leur place dans la nouvelle Confrérie de la Sith.

— Tu n'auras jamais l'occasion de leur en proposer une, Kun, car tu es prisonnier ici. Jamais tu ne quitteras ce temple.

Elle avança pour l'intimider davantage.

134

L'ombre du Seigneur Noir vacilla mais il ne recula pas.

— Il t'est impossible de me menacer, gronda-t-il.

Streen sentit un frisson courir le long de sa colonne vertébrale ; par bonheur, Kirana Ti ne se démonta pas. Sans cesser d'avancer, elle prit un des outils qui pendaient à sa ceinture.

Un éclair déchira la pénombre. C'était la lame blanche et améthyste d'un autre sabrolaser.

La jeune femme fit des moulinets dans l'air.

— Où as-tu eu cette arme ? demanda Kun.

— Elle appartenait à Gantoris. Il t'a défié, et il a échoué. Moi, je suis sûre de réussir.

Elle amorça un mouvement tournant. Streen conservant sa position, le Seigneur Noir était pris en tenaille.

Un autre aspirant Jedi apparut au sommet d'un escalier, celui de droite, cette fois.

Kam Solusar.

— Si elle échoue, dit-il, je ramasserai le sabrolaser et je prendrai sa suite.

Il se rapprocha de Kirana.

Tionne surgit à son tour et lança le même défi à Kun.

— Et s'il échoue, je prendrai sa suite...

Cilghal se montra, tenant les jumeaux par la main.

— Nous te combattrons aussi, Exar Kun. Nous tous, un et indivisibles.

Les autres élèves entrèrent et vinrent se joindre au groupe qui encerclait déjà le Seigneur Noir.

Kun leva un de ses bras spectraux et, d'un revers de la main, plongea la pièce dans l'obscurité en soufflant les douze bougies qui brûlaient autour de la stèle.

— Nous n'avons pas peur de l'obscurité, dit Tionne. Et nous pouvons faire jaillir la lumière.

Streen vit ses amis continuer d'avancer, une aura bleue les enveloppant.

À mesure qu'ils approchaient de Kun, la lueur augmenta.

— Même unis, vous êtes trop faibles pour me combattre, cracha l'homme en noir.

Streen sentit sa gorge se serrer, l'air refusant d'arriver à ses poumons. Autour de lui, ses amis éprouvaient les mêmes symptômes. Ils étouffaient, livrés au pouvoir supérieur d'Exar Kun.

— Streen, si tu veux vivre, exécute ces imbéciles, puis détruis le corps de leur maître.

La forme fantomatique du Seigneur Noir avait grandi, écrasant le vieil ermite de son ombre.

Le sang battait aux tempes de l'ancien prospecteur de gaz. De l'air, il lui fallait de l'air.

Alors la Force coula en lui, forçant le passage de l'oxygène à travers sa trachée artère. Si puissante qu'elle fût, l'emprise magique de Kun ne put s'opposer au phénomène.

Streen sentit la vie circuler de nouveau en lui. Mobilisant ses pouvoirs de Jedi, il vint à la rescousse des autres élèves, qui recommencèrent à respirer les uns après les autres.

— Nous sommes plus puissants que toi ! dit Dorsk 81 dès qu'il put articuler un mot.

Il parlait sur le ton du défi, mais Streen comprit qu'il était surpris de ce résultat.

— Combien vous devez me haïr ! souffla Exar Kun. Je sens votre colère...

Cilghal intervint, utilisant la voix de diplomate qu'elle avait mis si longtemps à se forger.

— Nous n'avons pas de colère, Exar Kun, et nous ne te haïssons pas. Pour nous, tu es une leçon vivante — si j'ose dire ! — car grâce à toi, nous savons ce qu'est un vrai Jedi. A te regarder faire, il est évident que le Côté Obscur n'est pas très puissant. Quel pouvoir aurais-tu qui nous ferait défaut ? C'est surtout ta faiblesse que tu tentes d'utiliser contre nous !

— Mais nous t'avons assez observé, Exar Kun, dit froidement Kam Solusar, et il est temps que tu sois vaincu.

Les aspirants Jedi avancèrent, refermant le cercle autour de leur proie. Streen et Kirana Ti levèrent leurs sabrolasers, prêts à frapper.

L'aura bleue devint encore plus brillante. La Force unissait les élèves de Luke, les rendant plus puissants que jamais.

— Vous n'êtes pas invincibles, s'insurgea Kun. Je connais vos faiblesses. Toi, Dorsk 81, tu....

Le spectre voulut étendre son ombre sur l'aspirant Jedi. Les autres accoururent à son secours, lui communiquant leur détermination.

— ... Tu es une aberration, Dorsk 81 ! Siècle après siècle, votre structure génétique était parfaite. Mais tu es une anomalie. Une pièce bonne pour le rebut !

L'élève Jedi ne faiblit pas.

— Ce sont nos différences qui font nos forces, dit-il. J'ai appris cette vérité, Kun.

Le Seigneur Noir se tourna vers Tionne :

— Où sont tes pouvoirs de Jedi ? Tu es ridicule ! Pendant que tu chantes tes ritournelles à la gloire des héros, d'autres accomplissent les actes que tu loues !

Tionne sourit, ses yeux gris perle brillant dans l'obscurité.

— Un jour, nos chansons célébreront la défaite d'Exar Kun. Et c'est moi qui les chanterai.

L'aura se faisait de plus en plus forte, car la chaîne formée par les Jedi n'avait plus de maillon faible.

Streen n'aurait pas su dire quand cela se produisit, mais une autre image vint se joindre au cercle des aspirants Jedi. Ça n'était qu'une apparition spectrale, un petit homme voûté aux mains ratatinées tendues devant lui.

Des yeux minuscules, une allure insectoïde... Soudain, Streen reconnut l'ancien Maître Jedi Vodo-Siosk Baas, qui leur avait parlé par l'intermédiaire de l'Holocron.

Kun vit aussi l'image de son ancien professeur.

— Ensemble, les Jedi surmontent leurs faiblesses,

dit l'apparition. Exar Kun, toi qui m'as trahi, te voilà enfin vaincu.

— Non ! cria le Seigneur Noir, cherchant désespérément un moyen de briser le cercle.

— Si ! dit une voix puissante.

En face de maître Vodo venait d'apparaître la silhouette iridescente d'un jeune homme en robe de Jedi.

Luke Skywalker !

— Pour chasser l'ombre, dit Cilghal, il suffit d'augmenter la lumière. C'est aussi simple que ça.

Kirana Ti avança, pointant le sabrolaser que Gantoris avait fabriqué de ses mains. Streen l'imita.

Les deux élèves se regardèrent, puis hochèrent la tête.

C'était le signal. Ensemble, ils abattirent leurs lames sur l'homme en noir.

Les rayons se croisèrent dans le corps immatériel du Seigneur Noir — de la lumière pure épousant de la lumière pure avec une explosion de clarté.

On aurait cru assister à une nova.

L'obscurité s'échappa de la silhouette d'Exar Kun comme s'il avait perdu son sang. A l'évidence, la vapeur sulfureuse aurait aimé trouver un cœur impur où se réfugier.

Streen et Kirana Ti gardèrent leurs lames croisées, l'énergie explosant en gerbes scintillantes.

Streen utilisa de nouveau la Force, manipulant l'air pour qu'il tourbillonne à la manière du cyclone qui avait failli détruire Luke. La tornade enveloppa la fumée noire qui était Exar Kun et l'entraîna vers les lucarnes.

Avec un cri étranglé, le Seigneur Noir fut éjecté du temple. Dehors, l'attendait l'infini de l'espace...

Les Chevaliers Jedi restèrent encore unis un moment. Puis, épuisés et soulagés, ils se séparèrent, l'aura bleue mourant lentement.

L'image de Vodo-Siosk Baas vola jusqu'au plafond comme pour s'assurer de la disparition du Seigneur Noir. Quand ce fut fait, elle s'évanouit.

En toussant, car il venait d'expulser de ses poumons un air qu'ils gardaient depuis trop longtemps prisonnier, Luke Skywalker se dressa sur les coudes puis s'assit sur la table de pierre.

— Vous avez réussi ! dit-il, alors que chaque inspiration lui redonnait de la vitalité. Mes liens sont brisés !

Les nouveaux Chevaliers Jedi vinrent l'entourer.

Criant de bonheur, Jacen et Jaina se jetèrent dans les bras de leur oncle et le couvrirent de baisers.

Luke sourit à ses élèves, la fierté illuminant son regard.

— Quelle équipe vous faites ! Il est bien possible que nous n'ayons plus jamais à craindre l'obscurité.

CHAPITRE XVI

Dans le fauteuil de commandement du Broyeur de Soleil, Kyp Durron était penché sur le tableau de bord, regardant le *Faucon Millenium* comme s'il était un démon prêt à bondir. Ses ongles labouraient le plastacier du tableau de bord telles des griffes s'enfonçant dans la chair.

Dans son esprit dansaient les souvenirs des moments d'amitié partagés avec le Corellien. Ensemble, ils avaient traversé de rudes épreuves, pas toujours sans y laisser des plumes. A présent, une part de lui-même se réjouissait de pouvoir menacer Yan... et de détruire son cher *Faucon*.

Cela semblait la meilleure chose à faire, et la plus naturelle du monde. En réalité, une ombre noire, tapie dans sa tête, lui soufflait ces monstruosités.

Sur Yavin 4, il l'avait entendue presque en permanence.

Troublé, Durron avait volé un vaisseau et il s'était enfui sur Endor, pour méditer devant les cendres du bûcher funéraire de Dark Vador. Un moment, il avait cru pouvoir fuir assez loin pour échapper à l'influence de Kun. Aujourd'hui, il pensait que c'était impossible.

Ici, dans le Système du Noyau, il sentait encore les chaînes qui le liaient au Seigneur Noir et aux exactions qu'exigeait de lui la Confrérie de la Sith. Dès qu'il tentait de résister, ou simplement de penser par lui-même, la voix se manifestait, coléreuse, ironique et menaçante.

Les paroles de Yan contrebalançaient celles d'Exar Kun. En appelant à l'amitié et à la loyauté, elles lui faisaient chaud au cœur d'autant plus aisément que Kun semblait préoccupé par d'autres problèmes.

A bien réfléchir aux propos du Corellien, qui n'était pas un Jedi, le jeune homme comprit que celui-ci avait mis dans le mille. Lui, Kyp Durron, était devenu un adepte du Côté Obscur. Venger sa famille était une justification qui ne résistait pas à une analyse sérieuse.

— Yan, je...

Au moment où il allait ouvrir son cœur à son ami, tous les voyants s'éteignirent sur sa console de commande. Le *Faucon* venait de prendre le contrôle de l'ordinateur du Broyeur de Soleil.

Une ruse minable !

Comme une vague balaye la plage, la colère chassa de son esprit les bonnes intentions de Durron. Fou de rage, il recourut à la Force pour s'introduire mentalement dans les circuits de l'ordinateur, où il élimina le programme intrus aussi facilement qu'on écrase un insecte.

Tous les systèmes redevinrent fonctionnels.

Exar Kun aussi avait été trahi par un allié, le seigneur de la guerre Ulic Qel-Droma. Lui venait d'être victime de Solo, comme il l'avait été de Luke, qui refusait de lui apprendre comment se défendre contre des ennemis tels que Kun.

Sous son crâne, la voix du Seigneur de la Sith lui cria de tuer Yan Solo, de détruire le vaisseau.

La colère pouvait le rendre invincible.

Elle submergea Kyp. Il ferma très fort les yeux, refusant de voir ses mains saisir les manettes de commande du lance-torpilles. Il arma le système...

Il devait détruire quelque chose ! Tuer ceux qui l'avaient trahi. Il s'apprêta à appuyer sur le bouton de mise à feu.

Plus qu'un instant...

Dans sa tête, la voix obsédante d'Exar Kun poussa un long cri d'agonie. Kyp eut le sentiment que le Seigneur Noir venait d'être chassé de la galaxie, peut-être même de cet univers, pour être propulsé en exil quelque part où il ne pourrait plus jamais le tourmenter.

Le jeune homme se laissa aller contre le dossier de son siège. On eût dit une marionnette dont on venait de couper les fils. Dodelinant de la tête, il resta un moment ainsi, les yeux toujours fermés, à sentir le vent de la liberté souffler dans son corps et dans son esprit.

Quelle abomination avait-il failli commettre !

Le *Faucon Millenium* tenait toujours le Broyeur prisonnier de son rayon tracteur. Voyant le « cher vieux tas de ferraille » de Yan, sa possession la plus précieuse, Durron eut un pincement au cœur.

Il annula la séquence de mise à feu.

Débarrassé de son *marionnettiste*, Exar Kun, Kyp se sentait seul et désorienté, mais libre.

Il ouvrit une fréquence et attendit que des mots veuillent bien sortir de ses lèvres. Sa gorge était sèche, comme s'il n'avait plus rien eu à boire depuis quatre mille ans.

— Yan... Yan, c'est... Kyp... Je... (Que dire ? Et surtout, *comment* le dire ?) Yan, je me rends...

CHAPITRE XVII

Tol Sivron tremblait encore de son aventure dans l'amas de la Gueule, où il avait dû, pour échapper aux Rebelles, slalomer entre les trous noirs.

Ses tentacules crâniens lui communiquaient un flot d'impressions agréables. De fait, le Twi'lek était ravi que les informations volées à Daala — la carte des trajectoires sûres à travers l'amas — lui aient si bien servi. La moindre erreur, et lui et son équipage n'auraient plus été là pour s'en plaindre !

A présent, à pleine vitesse, l'Etoile Noire émergeait de l'amas de trous noirs comme un fier destrier ayant...

— Panne générale des propulseurs ! cria un technicien, douchant la béatitude de Sivron.

Des étincelles jaillirent de certaines consoles. Le capitaine des commandos coupa les moteurs et commuta les systèmes sur la puissance auxiliaire. Un extincteur à la main, Yemm essaya d'éteindre le début d'incendie. Pour tout résultat, il mit l'intercom en court-circuit.

Golanda et Doxin feuilletaient frénétiquement le manuel technique du prototype.

— Monsieur le directeur, dit le capitaine des commandos, nous sommes sortis de la Gueule, mais les dégâts sont considérables. L'Etoile a beaucoup souffert.

Doxin leva les yeux du manuel :

— Je vous rappelle que c'est un modèle expérimental qui n'a jamais été conçu pour une utilisation intensive.

— Exact, monsieur, admit le capitaine de sa voix monocorde. Ainsi que je m'apprêtais à le dire, les avaries devraient pouvoir être réparées en quelques jours. Il suffira de dériver certains systèmes et de réinitialiser l'ordinateur. Après ce grand nettoyage, le prototype sera bien mieux adapté au combat.

Sivron se frotta les mains et sourit.

— Parfait... parfait... (Il se cala confortablement dans son siège.) Ce répit nous donnera le temps de choisir à tête reposée notre nouvelle cible.

Golanda fit apparaître une carte de la galaxie sur l'écran principal.

— Monsieur le directeur, comme vous le savez, le système de Kessel est très proche. Nous devrions peut-être...

— Attendons que l'Etoile soit en état de marche. Notre stratégie dépendra de l'autonomie qu'elle récupérera.

Yemm retira le panneau de protection de la console des communications et inspecta un véritable entrelacs de fils carbonisés.

Golanda jeta un coup d'œil sur les données qu'affichaient les senseurs externes du prototype.

— Monsieur le directeur, quelque chose m'étonne... Si on en croit les turbulences gazeuses qui entourent l'amas de trous noirs, il semble qu'un autre vaisseau de grande taille soit récemment entré dans la Gueule. Et... hum... on dirait qu'il a suivi un des autres caps sûrs calculés par l'amirale Daala. (Elle regarda le Twi'lek qui haussa les épaules en signe d'impuissance.) Nous l'avons manqué de peu.

Sivron ne comprenait pas très bien de quoi elle voulait parler, et encore moins pourquoi ça aurait dû le concerner. Tous ces petits problèmes étaient comme des moustiques tournant autour de sa tête ; d'un revers de la main, il les chassa.

— Nous ne pouvons plus rien y faire, dit-il. C'était probablement un autre vaisseau rebelle venu participer à l'invasion. (Il soupira.) Nous nous en occuperons quand l'Etoile Noire sera réparée.

Il se laissa aller contre le dossier de son siège, les yeux fermés. Que n'aurait-il donné pour un moment de détente !

Sa première erreur avait été de quitter son monde maternel, Ryloth, où les Twi'leks vivaient au cœur des montagnes, dans l'étroite bande tempérée qui séparait la chaleur infernale du jour du froid mortel d'une nuit éternelle.

Tol Sivron s'abandonna à d'agréables souvenirs, respirant l'air surchauffé à travers les trous de ses grosses dents.

L'organisation sociale des Twi'leks reposait sur l'autorité d'un gouvernement à cinq « têtes » qui avait tout pouvoir jusqu'à ce que meure un de ses membres. Alors, on exilait les survivants au fin fond du désert — où ils avaient toutes les chances de mourir — et on sélectionnait un nouveau groupe de dirigeants.

Tol Sivron avait été membre du gouvernement, s'enivrant de pouvoir et de luxe jusqu'à en perdre le sens des réalités. Ses collègues étaient jeunes et vigoureux, comme lui. Avec de la chance, cette sinécure aurait pu durer des années.

Les avantages n'étaient pas minces : un palace pour habitation, des danseuses twi'leks à volonté, des viandes et des alcools comme on n'en trouvait nulle part ailleurs.

La grande vie avait duré à peine un an. Un de ses compagnons, l'imbécile, avait glissé d'un échafaudage durant l'inspection d'un projet top secret, dans une grotte. Après une chute vertigineuse, il s'était empalé sur une stalagmite vieille de dix mille ans.

Une piètre consolation !

Selon l'usage, Tol et ses trois collègues avaient été abandonnés dans le désert, sur la face diurne de la planète : un enfer où tourbillonnaient des vents assez chauds pour vous rôtir tout vif.

Ses compagnons d'infortune étaient résignés à mourir, mais Sivron les avait convaincus d'essayer de survivre, quitte à se terrer dans une grotte déserte, au cœur des montagnes.

L'espoir était revenu dans le cœur de ces crétins. La nuit même, Sivron les avait égorgés, s'emparant de leurs maigres possessions pour augmenter ses propres chances de survie. S'enveloppant de plusieurs couches de tissu — les frusques des morts —, Tol s'était lancé à l'aventure, traversant la zone sans avoir la moindre idée de ce qu'il cherchait.

En apercevant dans le lointain des vaisseaux étincelants, le Twi'lek avait d'abord cru à un mirage. Mais il s'agissait bien d'une base de l'Empire, un dépôt de combustible où on entraînait également les hommes au combat. Même si beaucoup de contrebandiers le fréquentaient, l'endroit restait un bastion officiel de l'Empire.

Très vite, Sivron avait rencontré un certain Tarkin, un jeune commander qui possédait déjà plusieurs vaisseaux, et qui ambitionnait de transformer le petit avant-poste en point de passage obligé de tous les convois spatiaux de la galaxie.

Au fil des ans, devenu son plus proche collaborateur, Sivron se révéla l'homme idéal pour administrer et développer les affaires compliquées que le Moff Tarkin, puis le *Grand* Moff Tarkin, avait en cours.

Le centre de recherches de la Gueule était l'apogée de sa carrière. Hélas, il avait dû en partir comme un voleur, chassé par ces damnés Rebelles. Si le Grand Moff Tarkin avait toujours été vivant, cette piteuse retraite aurait pesé lourd dans le dossier du Twi'lek.

Sauf s'il avait transformé le désastre en triomphe.

— Monsieur le directeur, dit Yemm, le tirant de ses pensées, les communications fonctionnent de nouveau. Vous pourrez les utiliser dès que j'aurai mémorisé les modifications pour que l'ordinateur soit en phase.

— Enfin quelque chose qui marche, persifla Sivron.

Yemm pianota sur un clavier et se tourna vers son supérieur :

— Communications parées, monsieur.

— Passez sur l'inter. Je veux parler à l'équipage.

Son dernier mot retentit dans les haut-parleurs. Sivron se pencha sur le micro intégré à l'accoudoir de son fauteuil.

— Votre attention, s'il vous plaît ! (On eût dit qu'un demi dieu allait s'adresser aux hommes.) Dépêchez-vous d'en finir avec les réparations. J'ai besoin de détruire quelque chose au plus vite !

Le capitaine des commandos se tourna vers lui :

— Nous ferons de notre mieux, monsieur. J'aurai un planning à vous soumettre dans quelques heures.

— Très bien...

Sondant l'espace, Tol recensa toutes les cibles possibles.

Il avait à sa disposition une des armes les plus meurtrières qui soient.

Mais personne ne l'avait essayée en situation de combat.

Jusqu'à présent !

CHAPITRE XVIII

La seconde explosion eut lieu à l'instant où Wedge Antilles et son commando pénétraient dans le centre des générateurs du Complexe de la Gueule.

Des charges à retardement, placées là par une équipe de sabotage, avaient endommagé les colonnes principales du système de refroidissement.

Wedge secoua la tête pour se déboucher les oreilles, agressées par le bruit.

— Je veux un rapport sur les dégâts ! cria-t-il. Et que ça saute !

Trois soldats se précipitèrent dans le couloir, où ils croisèrent un groupe d'Impériaux occupés à fuir dans l'autre sens. Les saboteurs avaient à leur tête un colosse manchot à la peau carmin verdâtre.

Antilles trouva au type un air atrocement patibulaire.

Les soldats de la Nouvelle République levèrent leurs armes et les braquèrent sur les fuyards, qui s'arrêtèrent net. Leur chef regarda autour de lui, l'air inquiet. Ses hommes ne quittaient pas des yeux leur « comité d'accueil ».

— Lâchez vos armes ! cria Wedge.

Le manchot leva la main, paume vers l'extérieur, pour montrer qu'il n'avait pas de blaster. A première vue, ses compagnons non plus. C'était plutôt surprenant, pour des gens dans leur situation.

— Il est trop tard pour inverser le processus. Je suis Wermyn, le directeur technique du Complexe. Si vous voulez bien accepter ma reddition, mes gars et moi serons ravis de ficher le camp de ce caillou avant que tout nous saute à la figure.

Wedge désigna du doigt quatre de ses soldats.

— Attachez-moi ces lascars, dit-il. Assurez-vous qu'ils soient hors d'état de nuire. Il faut réparer les générateurs. Sinon, nous devrons partir, et vite !

Les saboteurs se laissèrent attacher sans résistance ; Wedge remarqua que ses gars montraient quelque hésitation quand il leur fallut menotter le manchot.

Le général et son groupe entrèrent ensuite dans la salle des générateurs. La chaleur les frappa avec la violence d'une tempête de sable, sur Tatooine, pendant la saison chaude. Dans l'air flottait une odeur de lubrifiants brûlés et de métal fondu.

Des voyants rouges clignotaient partout dans la salle, où montaient des jets de vapeur qui prenaient ainsi une teinte rouge sang. Le vacarme était à la limite du supportable, comme le constata Antilles, dont le crâne résonnait comme un tambour.

Une des colonnes de refroidissement était à demi éventrée. A l'autre, il manquait une large plaque de métal.

Deux techniciens vinrent rejoindre le général et son groupe. L'un avança, les yeux baissés sur un petit compteur Geiger.

— Le système de refroidissement est mort, dit-il. Wermyn ne mentait pas. Impossible de réparer.

— Ne peut-on pas couper les générateurs pour empêcher la réaction en chaîne ?

— Ils ont aussi saboté le système de commande, répondit le technicien. Si on nous laisse une heure ou deux, il doit être possible de faire quelque chose. Mais si on coupe les générateurs, tout le Complexe sera comme mort.

Wedge regarda le désastre, un goût amer dans la

bouche. Histoire de se défouler, il flanqua un grand coup de pied dans un fragment de blindage en plastacier qui traversa la salle et s'écrasa contre une paroi.

— Je n'ai pas fait tout ça pour laisser les scientifiques ennemis filer dans une Étoile Noire pendant que le Complexe se désintègre sous mes pieds.

Prenant le communicateur accroché à sa ceinture, il appela le *Yavaris*.

— Capitaine, je veux parler à un ingénieur, vite ! Il faudrait un système de refroidissement de secours pour les générateurs principaux du Complexe.

« Je sais que nous n'avons pas beaucoup d'équipement en stock, mais l'unité de refroidissement de nos moteurs d'hyperdrive devrait faire l'affaire. Prenez celle d'une des corvettes. Il faut bricoler quelque chose qui tienne assez longtemps pour nous permettre de récupérer tout ce qui a de la valeur sur les planétoïdes.

Les deux techniciens se regardèrent et sourirent.

— Ça pourrait marcher, général.

— J'espère bien ! Laisser les Impériaux l'emporter aussi facilement me rendrait malade !

Qwi Xux se sentait partout comme une étrangère. Pour le moment, elle se tenait sur le seuil de son ancien laboratoire, espérant que sa mémoire se remettrait à fonctionner.

La jeune femme laissa errer son regard sur la console informatique, puis sur le bureau lui-même. Pendant plus de dix ans, cet endroit avait été le centre de sa vie. N'étaient quelques vagues souvenirs, elle aurait fort bien pu y entrer pour la première fois.

Z-6PO, debout près d'elle, ne put se retenir de parler.

— Je ne vois toujours pas ce que je fais là, docteur Xux. Je peux vous aider à assimiler les données qui subsistent dans la mémoire centrale, mais je suis un droïd-protocole, pas un extracteur de fichier. Peut-être

150

auriez-vous dû emmener D2-R2. Il est beaucoup plus doué que moi pour ce genre de travail. C'est un modèle très réussi, mais il est un peu trop têtu pour un droïd, si vous voyez ce que je veux dire.

Qwi l'ignora et avança, marchant sur la pointe des pieds. Sa peau était moite et glacée à la fois. Avisant un pilier de soutènement, elle frissonna, une image lui revenant à la mémoire.

Yan Solo, en haillons, attaché à ce même pilier, presque incapable de tenir la tête droite après l'interrogatoire qu'il venait de subir.

Une horreur signée Daala !

Qwi approcha de sa paillasse — c'était la sienne, ça ne faisait pas de doute — et regarda les appareils de précision posés sur une étagère, au-dessus du plan de travail.

— Eh bien, voilà un laboratoire équipé comme il faut, dit 6PO. De plus, il est spacieux, et d'une propreté parfaite. Croyez-moi, sur Coruscant, j'ai vu des centres de recherche beaucoup moins luxueux.

— 6PO, tu devrais dresser l'inventaire de tout ce que tu vois ici. (*Comme ça, tu me laisseras réfléchir en paix !*) Intéresse-toi de près aux maquettes, elles peuvent être précieuses pour la Nouvelle République.

Qwi découvrit un petit clavier musical caché au milieu d'une pile de documents. A côté se trouvait un terminal informatique — éteint.

Elle l'alluma, mais la machine lui demanda son mot de passe. Voilà qu'il lui était impossible d'accéder à ses propres fichiers !

Elle ouvrit le clavier et l'étudia. L'instrument lui semblait à la fois étranger et familier. Elle appuya sur quelques touches et écouta les notes claires qui s'envolèrent dans les airs.

Elle se souvint de la Cathédrale des Vents, sur Vortex. Au milieu des ruines, elle avait trouvé un petit tuyau d'orgue. L'utilisant comme une flûte, elle avait voulu jouer un morceau très triste appris dans sa jeunesse.

Un Vors lui avait arraché le tuyau des mains. Pour ce peuple, il ne devait plus y avoir de musique en ces lieux tant que la Cathédrale n'aurait pas été reconstruite.

Dans le clavier se cachait *sa* musique. Qwi se souvenait d'avoir souvent utilisé l'instrument, mais elle n'eût pu dire à quelle fin.

Une image creva sa conscience comme une bulle la surface de l'eau. Elle se vit cachant le clavier, au cas où elle ne reviendrait jamais...

Yan Solo ! Ce souvenir datait du jour où elle s'était enfuie avec le Corellien, dans le Broyeur de Soleil.

La jeune femme laissa ses doigts courir sur les touches. Si son esprit avait oublié la séquence clé, son corps devait s'en rappeler.

Une mélodie s'éleva, amenant un sourire sur ses lèvres. Tout cela était si familier...

Quand elle eut joué sa ritournelle, un message s'afficha sur l'écran :

MOT DE PASSE CORRECT.

Elle sursauta, étonnée d'avoir réussi aussi facilement.

ERREUR GÉNÉRALE EN LECTURE. BANQUE DE DONNÉES INDISPONIBLE. RECHERCHE DES SAUVEGARDES DES FICHIERS ENDOMMAGÉS.

Qwi comprit que Tol Sivron avait effacé la mémoire centrale avant de prendre la fuite. Mais ç'aurait bien été le diable qu'elle n'ait pas laissé quelques fichiers dans la mémoire tampon de son ordinateur personnel.

FICHIERS RETROUVÉS. TOUCHE ENTER POUR CONSULTER.

Qwi vit apparaître ses notes personnelles. Son cœur battit la chamade quand elle commença à lire les mots qu'elle avait saisis. Enfin, qu'une *autre* Qwi, le cerveau lavé par l'Empire, avait saisis à une époque qui lui semblait plus lointaine que celle de la naissance du monde.

Son « journal intime » la mit très vite mal à l'aise. Il n'y était question que des expériences qu'elle avait menées et des rapports qu'elle rédigeait à l'intention du directeur Sivron. Même si elle ne se rappelait rien de tout ça, une chose était évidente : le travail régnait sur sa vie d'alors, ses seules joies ayant sûrement été d'apprendre qu'un de ses projets recevait l'aval du Twi'lek.

— C'était donc cela, ma vie ? demanda-t-elle à haute voix. (Elle survola d'autres pages, identiques aux précédentes.) Quel atroce vide !...

— Vous disiez ? s'enquit 6PO. Avez-vous besoin d'aide ?

— 6PO, je...

Elle secoua la tête, des larmes perlant à ses paupières.

Des pas résonnèrent dans le couloir. Se retournant, elle vit que Wedge approchait, le visage couvert de suie, les vêtements poussiéreux. Il était trempé de sueur, et mort de fatigue.

Qwi se précipita dans ses bras.

— C'est si dur que ça ? demanda-t-il en lui caressant les cheveux. Désolé de n'avoir pas pu être ici, mais j'avais une urgence.

Qwi secoua la tête.

— C'était mieux comme ça. Il fallait que je sois seule...

Doucement, il s'écarta d'elle et redevint un officier de la Nouvelle République.

— Tu as trouvé quelque chose d'intéressant ? Nous devons savoir combien de chercheurs travaillaient dans le Complexe. Ils sont presque tous partis avec l'Etoile de la Mort, mais la plus petite information peut nous être utile.

— Je ne suis pas sûre de pouvoir t'aider... J'étais en train de consulter mon journal... Wedge, je crois que je ne connaissais pas les autres chercheurs. Je n'avais pas d'amis... (Elle le regarda, éperdue.) Plus de dix ans de ma vie, et je ne m'étais liée avec personne. Je cherchais, oui, et j'étais contente quand je trouvais, mais je n'aurais même pas su dire pourquoi ! Et j'ignorais tout de ce qu'on faisait de mes inventions. Comment ai-je pu être aussi naïve ?

Wedge l'attira contre lui. Elle se sentait si bien, si protégée, entre ses bras.

— Tout ça est fini, Qwi ! Ça ne recommencera plus jamais. Tu es sortie de ta cage, et je suis là pour te faire voir le reste de l'univers... si tu veux bien faire le voyage avec moi.

— Oui, Wedge. Bien sûr que je veux...

Le communicateur du général choisit cet instant pour biper.

— Oui ? répondit-il, agacé.

— Monsieur, nous avons exécuté vos ordres. Le système de refroidissement d'une corvette est suffisant pour faire baisser temporairement la température des générateurs. On devrait s'éloigner de la zone rouge dans quelques heures.

— Ce qui nous laisse combien de temps pour explorer le Complexe ?

— Eh bien... pour le moment, les générateurs sont stables... Rien ne presse...

— De l'excellent travail ! Félicitez vos gars de ma part.

— Je n'y manquerai pas.

Wedge coupa la communication et sourit à Qwi.

— Tu vois, tout finit par s'arranger.

Elle acquiesça, puis s'écarta de lui et leva la tête pour regarder par l'étroite fenêtre du labo. Des volutes de gaz surchauffé tournaient autour des trous noirs de la Gueule.

Ils étaient en sécurité ici, loin des conflits qui déchiraient la galaxie. Qwi avait déjà livré ses plus grandes batailles personnelles. Wedge et elle avaient gagné le droit de se détendre un peu.

Soudain, une forme brillante attira son regard. Triangulaire, elle ressemblait à la pointe d'une flèche.

Un cri de panique jaillit des lèvres de la jeune femme.

Wedge leva à son tour les yeux.

— Mon Dieu, mon Dieu ! gémit 6PO.

Un vaisseau impérial approchait, les armes prêtes à tirer. Sa coque était striée de traces noires — les souvenirs d'une récente bataille.

Le *Gorgone* de l'amirale Daala était de retour !

CHAPITRE XIX

Les octopodes impériaux approchaient de la grotte abritant la forteresse. Les premiers n'étaient plus qu'à quelques mètres de la porte blindée.

Dans la salle de contrôle, Winter suivait la progression verticale de l'ennemi. Les étranges véhicules d'assaut avaient atteint la première ligne de défense de son refuge.

En concevant le « plan Anoth », l'amiral Ackbar et Luke Skywalker avaient refusé de se fier exclusivement au secret. Ils s'étaient donc attachés à prévoir tous les scénarios possibles. Winter avait espéré ne jamais devoir tester l'efficacité des systèmes de défense ; à présent, elle allait se battre pour sa vie... et celle d'Anakin.

Elle baissa les yeux sur un écran de contrôle. Le dispositif anti intrus, le DAI, était prêt à attaquer en mode automatique. Selon toute probabilité, il la débarrasserait d'au moins deux octopodes.

Winter regarda de tous ses yeux, s'appuyant à la console de commande pour ne pas perdre l'équilibre.

Les octopodes venaient d'atteindre une zone semée de minuscules cavernes, dont les entrées, très étroites, constellaient le sol.

Les deux premiers octopodes, ignorant le danger, passèrent à toute vitesse. Sans doute pour éprouver sa

156

résistance, ils tirèrent quelques courtes rafales sur la plaque de blindage de la porte.

Soudain, des dizaines de tentacules, semblables à des lanières de fouet, jaillirent des trous, prenant l'ennemi par surprise.

Les longs « bras » du DAI s'enroulèrent autour du premier octopode et le décrochèrent de la paroi. Avant que l'engin ait pu utiliser ses griffes pneumatiques pour agripper de nouveau le roc, le dispositif le lâcha.

Il bascula dans le vide, entraînant au passage un autre assaillant.

Au pied de la falaise, les deux appareils explosèrent.

Le DAI, un droïd semi-organique, était décidément au point. Mais s'il avait réussi à vaincre deux adversaires, les six restants auraient à coup sûr raison de lui.

L'amiral Ackbar était à l'origine de ce concept défensif inspiré du krakana, un monstre de sa planète natale. Les scientifiques calamariens s'étaient chargés de la fabrication du DAI. Proche d'un être vivant sur bien des points, le droïd se concentrait exclusivement sur la défense de la base. Ses tentacules, en plastacier super-résistant étaient déjà à la recherche d'une nouvelle proie.

Cinq octopodes impériaux, comprenant où était le problème, avaient entrepris de tirer à l'aveuglette dans les trous. Le DAI s'empara du sixième — qui continuait à canarder la porte — et l'utilisa comme un bouclier.

Winter admira la manœuvre. Le DAI allait forcer les commandos à détruire un de leurs véhicules.

Les Impériaux ne cessèrent pas le feu. Au combat, ils considéraient leurs camarades comme des entités sacrifiables, pourvu qu'ils en retirent quelque avantage.

L'octopode prisonnier du DAI explosa. Ce fut le chant du cygne du dispositif de défense, car les cinq véhicules survivants, unissant leur feu, parvinrent à le toucher à mort.

L'onde de choc, quand il explosa, ébranla la montagne. Sur l'écran de contrôle, l'icône du DAI s'éteignit.

— Tu t'es bien battu, mon vieux, murmura Winter. Adieu.

Les octopodes s'attaquaient déjà à la porte. Tôt ou tard, le blindage céderait.

La protectrice du petit Anakin savait ce qu'il lui restait à faire. Après avoir activé le deuxième dispositif de défense, elle sortit de la salle et partit au pas de course.

Ce serait juste, mais elle y arriverait...

Le *Vendetta* était toujours en orbite autour d'Anoth. Le colonel Ardax écoutait attentivement le rapport du chef de l'équipe d'assaut.

— Nous avons pu défoncer les portes, colonel, dit une voix dans son oreillette. Les pertes sont lourdes. Les défenses des Rebelles sont supérieures à nos estimations. Ce sera plus long que prévu, mais le bébé Jedi tombera quand même entre nos mains.

— Tenez-moi informé, lieutenant. Dès que l'enfant sera votre prisonnier, nous viendrons vous récupérer. (Il se tut un instant.) L'ambassadeur Furgan est-il tombé au champ d'honneur ?

— Négatif, monsieur. Il était à l'arrière, où il n'a pas couru de véritable danger.

— Quel dommage ! murmura Ardax après avoir coupé la communication.

Il regardait le planétoïde triple quand une alarme clignota sur l'écran principal.

— Que se passe-t-il ?

Un lieutenant se tourna vers le fauteuil de commandement, la mine cendreuse.

— Monsieur, un navire ennemi vient de sortir de

l'hyperespace. Son armement est largement supérieur au nôtre.

— Préparez-vous à quitter les lieux, dit Ardax. Il semble que nous ayons été trahis...

Il serra les poings. Ce maudit Furgan avait dû vendre leurs plans à un espion rebelle.

Une image s'afficha sur l'écran des communications. Ardax reconnut un de ces foutus hommes-poissons... Oui, un Calamarien !

— Ici l'amiral Ackbar, commandant du *Voyageur*. Rendez-vous et préparez-vous à être abordés. Si vous détenez des otages, ils devront nous être rendus sans avoir subi de violences.

— Vous lui parlez, colonel ? demanda l'officier des communications.

— Le silence sera une réponse suffisante. Pour l'heure, notre seul objectif est la survie. L'unité d'assaut ne peut plus être sauvée. Dirigez le navire vers les trois fragments planétaires. Les perturbations électriques devraient empêcher leurs senseurs de nous repérer. En manœuvrant bien, nous pourrons plonger dans l'hyperespace. Boucliers au maximum.

— Compris, monsieur.

— Pilote, pleine vitesse !

Le *Vendetta* partit comme une flèche en direction de la planète triple. Les Rebelles ouvrirent le feu, secouant rudement le vieux navire.

— Leur puissance de feu est supérieure, monsieur, mais ils ne tirent pas pour nous détruire...

Ardax leva un sourcil.

— Ah, bien sûr... Ils pensent que nous avons l'enfant... Inutile de les détromper.

Le *Vendetta* continua sa course.

Leia serrait de toutes ses forces l'accoudoir du fauteuil d'Ackbar. Debout près du Calamarien, elle ne perdait pas une miette de l'action.

L'Impérial tentait de s'échapper.

— Ils pensent que vous bluffez...

— Il est vrai qu'ils ne répondent pas, admit Ackbar.

— Ils ne répondront jamais, dit Terpfen. S'ils ont déjà l'enfant, rien ne les retient plus ici. Ils n'affronteront pas un ennemi plus puissant.

Leia eut quelque peine à avaler sa salive. Elle savait que le Calamarien avait raison.

— Si c'est comme ça, il ne faut pas les laisser partir, dit Ackbar.

Tout au long du voyage, l'ancien amiral s'était ostensiblement tenu près de Terpfen. Pour former l'équipe de secours, on avait sélectionné l'élite des Calamariens occupés à renflouer Corail City. Depuis qu'ils avaient quitté Mon Calamari, Ackbar n'avait pas fait allusion à la trahison de Terpfen.

Les deux hommes-poissons s'affrontaient en silence, car leur conception de l'honneur divergeait quelque peu. Apprenant les malheurs de Terpfen, Ackbar l'avait immédiatement assuré de sa compréhension. Lui-même avait jadis été prisonnier de l'Empire. Au lieu d'être programmé pour devenir un espion et un saboteur, il s'était retrouvé, contre sa volonté, agent de liaison au service du Grand Moff Tarkin. Si pénible que cette époque ait été, l'amiral avait tiré parti de cette expérience lors de l'attaque de Daala sur sa planète natale.

Fort de cela, il encourageait Terpfen à retourner ses souffrances contre l'Empire.

Pour l'instant, le « repenti » était plutôt enclin à pleurer sur son sort.

Sur l'écran de contrôle, Leia vit le navire impérial allumer ses moteurs d'hyperdrive. Fermant les yeux, la jeune femme tenta de projeter son esprit le plus loin possible pour toucher celui de son fils et le réconforter.

Elle entra en contact avec le bébé, mais elle eût été

bien incapable de dire où il se trouvait. Sur le vaisseau ennemi, ou dans la base, elle n'en savait rien.

— Tirs à demi-puissance, dit Ackbar. Il faut juste les empêcher d'entrer dans l'hyperespace.

Les décharges de canons-blasters firent mouche, secouant l'Impérial, qui continua pourtant d'accélérer.

— Il cherche refuge entre les deux plus gros fragments ! cria Leia.

Terpfen se pencha en avant, ses yeux globuleux exorbités par la concentration.

— Ils essayent d'échapper à nos senseurs, dit-il. Avec tous ces orages ioniques, ils ont une bonne chance de réussir. Alors ils plongeront dans l'hyperespace.

Leia prit une grande inspiration pour lutter contre l'anxiété. S'ils n'avaient pas eu Anakin, les Impériaux n'auraient sûrement pas fui de cette manière.

Une nouvelle fois, elle essaya de déterminer où était le nourrisson. Si seulement ils avaient pu contacter Winter par radio ! Hélas, Ackbar ne connaissait que le tiers du code d'identification d'urgence, sans lequel la gardienne du petit refuserait de répondre.

Un luxe de précautions qui se révélait désastreux !

— Vitesse maximale ! dit Ackbar. Il faut les arrêter avant qu'ils n'entrent dans la zone de perturbation. (Il s'éclaircit la gorge.) Vaisseau impérial, rendez-vous !

Le capitaine ennemi garda le silence.

— Continuez à tirer, et augmentez la puissance !

Une salve plus dévastatrice parvint à percer les boucliers du vaisseau impérial.

— Je crois que nous avons porté un rude coup à leurs moteurs auxiliaires, annonça un lieutenant.

Même blessé, l'ennemi continuait à filer comme une flèche.

— Non ! cria Leia. Ne les laissez pas partir avec Anakin !

Mais il semblait impossible d'intervenir, sauf à détruire le navire...

Leia ferma les yeux et se concentra plus que jamais. Si elle parvenait à établir un lien mental avec son fils, peut-être aurait-elle une chance minuscule de suivre sa piste quand l'ennemi serait passé dans l'hyperespace.

Elle entra en contact avec plusieurs occupants du vaisseau impérial, mais ne sentit nulle part, si faible fût-elle, l'aura de son fils, ou de son amie de toujours, la fidèle Winter.

Sur l'écran, l'image du navire ennemi commença à scintiller.

— S'ils continuent comme ça, dit Terpfen, ils vont exploser. Leurs moteurs sont trop touchés pour...

Il n'eut pas le temps de finir sa phrase. Devenu une boule de feu, le navire ennemi illumina un bref instant l'espace.

Ackbar laissa échapper un petit cri. Pour qui connaissait les Calamariens, c'était une réaction hautement émotionnelle. Terpfen, lui, ne parvenait plus à tenir en place dans son siège.

Seule Leia semblait indifférente au drame. En réalité, son esprit sondait l'espace, cherchant désespérément le point lumineux qui était Anakin, son fils.

Terpfen se leva comme s'il était en partance pour le peloton d'exécution.

— Ministre Organa Solo, si le pire est arrivé, un seul châtiment sera à la hauteur de mon crime.

Décidément, le bougre adorait culpabiliser.

Leia secoua la tête.

— Il n'y aura pas de châtiment, Terpfen. Mon fils est toujours vivant, sur la planète. Mais il court un grave danger. Il faut intervenir sans tarder !

CHAPITRE XX

Courant comme une folle dans les couloirs, Winter était arrivée dans la grotte, reliée à la base, qui servait de hangar d'atterrissage aux vaisseaux de ses rares visiteurs.

Blaster au poing, elle était parfaitement consciente que ses cheveux blancs et sa robe aux vives couleurs en feraient une cible facile à repérer, même dans la pénombre.

Après être parvenus à détruire la porte principale de la base, les cinq octopodes étaient immobiles dans la grotte, cockpits ouverts. Les commandos allaient bientôt sortir et passer à l'attaque.

Balayant la scène du regard, Winter fit un rapide compte. Chaque engin transportait deux hommes. Cela lui faisait huit cibles à abattre.

Elle pointa son blaster sur le premier soldat en armure blanche qui venait de toucher le sol.

Winter tira trois fois, sans pouvoir dire si tous les rayons avaient fait mouche. Qu'importait, puisque le commando venait de s'écrouler, son armure percée d'un large trou noir.

D'autres Impériaux sortirent des octopodes et prirent Winter pour cible.

La protectrice d'Anakin dut se mettre à couvert derrière un rocher. Du coin de l'œil, elle vit s'ouvrir le cockpit du dernier véhicule. Il abritait un commando et un homme court sur pattes aux lèvres épaisses et aux sourcils broussailleux.

Les autres Impériaux continuant à la canarder, Winter se replia derrière un autre rocher.

Deux possibilités s'offraient à elle : rejoindre Anakin et le défendre jusqu'à son dernier souffle, ou attirer sur elle l'attention des sept derniers Impériaux pour les empêcher d'approcher du bébé.

Winter appuya sur la détente du blaster, tirant au jugé. Le petit homme se cacha derrière un octopode et cria :

— Délogez cette femme de là, vite !

Un commando encore assis dans son engin braqua ses lasers sur la cible et fit feu.

Juste au-dessus de la tête de Winter...

— Ne la tuez pas ! cria Furgan. Réglez vos armes sur anesthésie tant que nous n'aurons pas eu l'enfant. (Il fit signe au sergent qui était sorti de l'octopode avec lui.) Suivez-moi, nous partons... en reconnaissance. Les autres, capturez cette furie !

L'ennemi agissait exactement comme Winter l'avait espéré. Elle fit volte-face et se précipita dans un couloir, certaine que le gros de l'unité d'assaut allait la suivre.

A une intersection, elle emprunta un tunnel qui conduisait aux « sous-sols » de la base. En chemin, elle referma à la volée plusieurs portes blindées.

Les Impériaux la suivirent, utilisant des détonateurs thermiques pour faire sauter les obstacles qui se dressaient sur leur chemin.

Dans sa course, Winter les conduisait le plus loin possible du bébé. De plus, elle les entraînait au cœur d'un labyrinthe dont ils n'étaient pas près de pouvoir sortir...

Les Impériaux faisaient feu chaque fois qu'ils apercevaient leur proie, mais celle-ci connaissait trop bien le terrain pour se laisser tirer comme à l'exercice.

Quand elle eut enfin réussi à conduire ses poursuivants dans la salle du générateur et des ordinateurs, Winter poussa un bref soupir de soulagement — la seule excentricité émotionnelle qu'elle fût disposée à se permettre.

Au premier coup d'œil, la vaste pièce ressemblait à l'intérieur d'une antique machine envahie de tuyaux, de rouages, de conduits de refroidissement et autres pompes à l'utilité énigmatique. L'unité centrale de l'ordinateur émettait une lueur surréaliste. Les terminaux eux-mêmes, encastrés dans une multitude d'appareils mystérieux, composaient un tableau à donner le tournis à l'ingénieur le plus blasé.

Winter savait que tout cet équipement n'était qu'un leurre.

Les commandos hésitaient sur le seuil de la salle comme s'ils avaient flairé un piège. Sachant comment les appâter, Winter se retourna et tira. Vifs comme l'éclair, les cinq hommes plongèrent à couvert. Leur adversaire ayant cessé le feu, ils se ruèrent dans la salle.

Leur proie n'essaya pas de se cacher. Elle approcha de l'unité centrale, puis se dirigea vers le fond de la pièce, se faufilant entre des tuyaux et des panneaux de contrôle totalement dépourvus d'utilité.

Les commandos avancèrent, tirant au jugé.

Winter riposta, histoire de les provoquer et de s'assurer qu'ils ne sortent pas de la salle. Ricochant sur une tubulure factice, un de ses rayons toucha un commando au bras droit, faisant fondre son armure immaculée.

Pour ses adversaires, la protectrice d'Anakin semblait coincée au fond de la salle. Triomphant, ils avancèrent.

Ils étaient à mi-chemin quand les murs commencèrent à bouger.

Les tuyaux inutiles, les panneaux de contrôle et les terminaux insensés se déplacèrent et se combinèrent pour former des structures de plus en plus reconnaissables.

Une section entière de droïds assassins venait de se former sous les regards incrédules des commandos.

Les robots ouvrirent le feu, obéissant à leur unique programmation : détruire les soldats de l'Empire.

Winter n'avait pas eu besoin d'intervenir, car les droïds connaissaient bien leur travail. Sauf ordre contraire de l'amie de Leia, ils tiraient sur tout ce qui n'était pas les enfants Jedi ou leur protectrice.

En moins de deux secondes, leur feu croisé hacha menu les commandos, dont il ne resta bientôt plus que cinq tas de métal fondu strié de sang. Il n'avait même pas eu le temps de riposter.

Un agonisant poussa un dernier cri, puis se tut pour l'éternité.

La pénombre étendit son voile sur le carnage...

Winter avança lentement entre les corps. Baissant la tête, elle planta les yeux dans la visière noire d'un de ses ennemis défunts.

— Il ne faut jamais sous-estimer son adversaire, mon vieux.

Ce fut la seule oraison funèbre des cinq commandos.

Tandis que le sergent et lui couraient dans les couloirs de la grotte, l'ambassadeur Furgan s'efforçait de rentrer la tête dans les épaules.

Le petit homme n'avait aucun entraînement au combat, mais il faisait de son mieux pour imiter les mouvements fluides et précis de son compagnon. Un blaster au poing, il s'assurait toutes les trente secondes que l'arme était fonctionnelle.

Les tunnels étaient à peine éclairés. A chaque intersection, le sergent avançait prudemment, blaster pointé. Quand la voie se révélait libre, il faisait signe au diplomate de le suivre.

L'objectif des deux hommes était d'une extrême simplicité : localiser le bébé, s'en emparer, et retourner aussi vite que possible à leur octopode. Jusque-là, ils avaient trouvé de petits entrepôts, une salle à manger, et même une chambre d'adulte vide, mais pas trace d'un enfant.

Montant du sol, Furgan entendit le lointain écho de décharges de blasters.

— Je leur avais dit de ne pas la tuer ! Pourquoi ces crétins ne m'ont-ils pas écouté ? Maintenant, nous allons devoir chercher pendant des heures...

— Il semble bien, monsieur, répondit le sergent, aussi inexpressif que tous ses camarades.

La prochaine porte qu'ils rencontrèrent était blindée. Utilisant un laser, le sergent découpa le panneau de commande et déclencha l'ouverture.

— Bien joué ! apprécia Furgan.

La porte donnait sur une pièce aux couleurs pastel. Des jouets traînaient un peu partout.

Dans un coin, un droïd à quatre bras essayait de protéger un tout petit enfant.

— Ah ! Nous y voilà enfin ! s'exclama Furgan.

Il entra, suivi par le sergent, blaster brandi. A part le droïd TDL, il ne semblait pas y avoir de système de défense.

— S'il vous plaît, veuillez vous retirer, dit le robot d'une voix très douce. Vous dérangez le bébé...

Furgan éclata de rire.

— Voilà leur seule défense ? Une nounou artificielle ? Nous avons envoyé huit octopodes pour combattre ça ?

Le droïd était debout devant l'enfant, assis paisiblement sur le sol. Utilisant sa paire de bras inférieure, la machine déplia le bouclier antilaser fixé à son torse et le posa devant Anakin.

— Vous ne pourrez pas avoir cet enfant ! prévint le

droïd. Sachez que je suis programmé pour le défendre à n'importe quel prix.

— Que c'est touchant ! Eh bien, je vais faire ce qu'il faut pour enlever ce gosse, quel qu'en soit le prix. (Il se tourna vers le sergent, sourit, et dit :) Le bébé ! Et vite !

Le soldat avança d'un pas. Le robot tendit ses quatre mains pour l'arrêter.

— Je suis désolé, mais je ne peux pas vous laisser faire ça. (Il s'adressa à Anakin.) Mon petit, ferme les yeux.

— Qu'attends-tu donc ? lança Furgan au sergent. Ça n'est qu'un robot puériculteur !

Avec un petit bruit métallique, les quatre mains du droïd tombèrent sur le sol, dévoilant des canons de fusils-blasters.

— Je suis un droïd TDL très *amélioré* ! Et il n'est pas question que vous fassiez du mal à cet enfant !

Quatre rayons transpercèrent la poitrine du sergent avant qu'il n'ait pu appuyer sur la détente de son arme. Soulevé de terre, il alla s'écraser contre la porte.

Furgan poussa un cri de terreur. Pris de panique, il tira à l'aveuglette, faisant fondre la jolie peinture des murs.

Le droïd braqua sur l'ambassadeur ses quatre mains assassines.

Conscient que sa dernière heure risquait d'être arrivée, Furgan continua à tirer en hurlant comme un possédé. Coup de chance incroyable, il parvint à toucher le robot à la tête, sa seule zone sensible.

Une aura bleue parcourut le corps du droïd et des étincelles jaillirent de ses articulations. Ses bras s'immobilisèrent, comme grippés. Puis son torse implosa.

Derrière le bouclier, l'enfant se mit à pleurer.

Un sourire sur ses affreuses lèvres, Furgan se félicita de sa bonne fortune. Puis il enjamba le corps

168

du sergent et la carcasse du robot pour s'approcher de l'enfant.

Il tendit la main, saisit Anakin par le bras et le souleva comme un sac de pommes de terre. A dire vrai, le diplomate ignorait tout de l'art d'être grand-père, surtout quand le petit bougre braillait comme ça.

— Viens avec moi, mon enfant. Un destin galactique t'attend. Oui, tu as bien entendu : galactique !

CHAPITRE XXI

Dans la salle du Conseil, sur Coruscant, Yan Solo bouillait de ne pas pouvoir s'approcher de Kyp Durron pour le réconforter. Mais les gardes de la Nouvelle République, armés jusqu'aux dents, se montraient inflexibles. Entourant le prisonnier, ils interdisaient à quiconque d'approcher.

Kyp sautait d'une jambe sur l'autre, comme s'il avait marché pieds nus sur des éclats de verre. Ses yeux étaient éteints. Sur son visage, de nouvelles rides se distinguaient. A croire qu'Exar Kun s'était débarrassé sur lui des stigmates de quatre mille ans d'une morne existence.

Le Broyeur de Soleil était de nouveau entre les mains de la République. Mon Mothma en ayant rigoureusement interdit l'accès, il n'y aurait plus de recherche sur l'arme infernale. Les exactions de Kyp Durron auraient au moins servi à ça.

Dans la salle, l'air était lourd et humide — trop de tension, et pas assez de ventilation. Cet endroit rendait Yan claustrophobe.

Les Conseillers étaient en grand uniforme, car la séance n'avait rien de routinier. A voir l'allure de certains, Yan aurait juré qu'ils n'avaient pas dormi depuis beau temps.

Le Corellien détestait affronter cette épreuve en l'absence de Leia. D'après ce qu'il savait, elle avait quitté Yavin 4 en compagnie de Terpfen pour partir à la recherche de l'amiral Ackbar. Mais il ignorait ce qu'il lui était arrivé.

Cela dit, sa femme était assez forte pour prendre soin d'elle-même, et il n'était pas question qu'il abandonne Kyp entre les griffes de cette bande de prédateurs.

Flanquée de ses droïds médicaux, Mon Mothma semblait n'être qu'à demi consciente des événements. Bien qu'elle ne fût plus très active, aucun Conseiller n'avait suggéré qu'elle n'assistât plus aux cessions. Cette délicatesse étonnait l'ancien contrebandier, habitué à l'absence de sentiment des hommes politiques.

Ces derniers jours, l'état de Mon Mothma s'était encore détérioré. Bientôt...

Le Corellien frissonna. Encore une amie qui s'en allait... La vieille garde disparaissait, c'était la loi de la vie.

L'atroce loi de la vie !

Un gong retentit, arrachant Yan à sa sombre méditation. La partie allait commencer !

Solo n'était guère au fait du protocole gouvernemental, mais il n'avait aucune intention de rester les bras croisés pendant que des bureaucrates essayeraient d'assaisonner Kyp à leur manière.

Avant que quiconque ait pu prendre la parole, il avança d'un pas :

— Hé, vous tous ! Puis-je dire un mot en faveur de mon ami Kyp Durron ?

Le vieux général Dodonna se leva avec quelque difficulté. Perclus de rhumatismes, voûté comme un vieil arbre, il semblait toujours aussi débordant d'énergie. Ses yeux se rivèrent sur ceux de Yan.

— Le prisonnier est assez grand pour se défendre seul, général Solo. Quand il était question d'agir, il n'a pas eu besoin qu'on lui tienne la main. Qu'il réponde à nos questions !

Que répliquer à ces arguments ? Si Dodonna menait l'interrogatoire, il serait loyal, et c'était tout ce que désirait Solo, qui se rassit sans insister.

Kyp leva la tête et regarda le vieux général.

— Kyp Durron, tu as volé le Broyeur de Soleil et attaqué le Maître Jedi Luke Skywalker, qui est resté plusieurs jours dans une sorte de coma. Ensuite, tu as détruit une nébuleuse et deux systèmes solaires habités. Il n'est pas dans mes intentions d'évaluer la portée stratégique de tes actes. Mais nous ne pouvons tolérer que des fous de guerre agissent à leur guise et anéantissent sur un coup de tête la moitié de la galaxie !

Les autres Conseillers approuvèrent. La voix puissante du général Rieekan fit trembler les murs de la salle.

— Cette assemblée avait décidé que le Broyeur de Soleil ne serait jamais utilisé. Nous l'avions mis en sécurité, dans un endroit jugé inaccessible ! Mais vous avez *volontairement* ignoré notre volonté.

Quand Rieekan en eut terminé, l'assistance resta silencieuse. Tous auraient aimé prononcer un réquisitoire, mais que pouvait-on ajouter à celui-là ?

Alors Kyp osa parler. Sa voix fluette, à peine audible, rappela à Yan et aux politiciens qu'ils avaient affaire à un garçon à peine sorti de l'enfance.

— Mes actes sont impardonnables et j'en accepte toutes les conséquences.

— Même s'il nous faut prononcer la peine de mort ? demanda Hrekin Thorm, le sénateur obèse. Car c'est le châtiment logique, personne ne pourra prétendre le contraire...

— Un instant ! beugla Yan, se fichant comme d'une guigne des regards indignés qui saluèrent son éclat. Je sais, je sais, ça n'est pas protocolaire, mais vous devez m'écouter. Kyp n'était pas lui-même. Il était possédé par l'esprit d'un Seigneur de la Sith aujourd'hui vaincu. En plus, le gosse n'a pas fait que du mal. Bon sang, il a détruit la flotte de Daala. Ça n'est pas rien, non ? Qui sait combien de vies il a sauvées ? On est en guerre, ne l'oubliez pas !

Mon Mothma leva une main tremblante et prit la parole. Tous se turent pour l'écouter.

— Kyp... Durron..., commença-t-elle, chaque mot semblant lui coûter un effort surhumain, tu as sur les mains le sang d'innombrables innocents. Mais nous sommes un gouvernement, pas une cour de justice. Rien ne nous autorise à décider de ton sort. (Elle prit une inspiration douloureuse.) Tu dois comparaître devant les Jedi, tes frères. Eux seuls sont assez qualifiés pour te condamner... ou t'absoudre. Général Solo, conduisez Durron sur Yavin 4. Luke Skywalker prononcera la sentence.

CHAPITRE XXII

Leia, Ackbar et Terpfen accompagnèrent l'équipe de secours du *Voyageur* qui se posa sur Anoth. Pilotant son aile B, l'amiral prit la tête de la formation. Bien entendu, les canons-blasters de l'appareil étaient prêts à pulvériser tout détachement abandonné par le navire impérial.

Les chasseurs arrivèrent bientôt en vue de la base et Leia remarqua des signes de destruction qui lui glacèrent le sang.

— Nous arrivons trop tard, gémit-elle.

L'entrée de la grotte n'était plus qu'un trou béant. Au pied de la paroi gisaient les restes d'étranges véhicules d'assaut.

La voix d'Ackbar retentit dans les haut-parleurs de la radio.

— Winter se bat comme une lionne. Les systèmes de défense semblent avoir fonctionné à la perfection.

Leia s'éclaircit la gorge.

— Espérons que cela ait suffi, amiral.

Les chasseurs se posèrent dans le hangar, où cinq octopodes vides attendaient leurs équipages. Ackbar, Terpfen, Leia et des soldats calamariens descendirent de leurs appareils.

— Terpfen, dit Ackbar, prenez la moitié des hommes et accompagnez le ministre Organa Solo jusqu'à la nursery. Voyez si l'enfant est toujours là. Je pars à la recherche de Winter avec le reste de nos forces. J'ai une petite idée de la stratégie qu'elle a appliquée...

Leia sortit un blaster et prit la tête de son groupe. Il fallait qu'elle sache si son enfant allait bien.

L'épouse de Yan Solo s'immobilisa sur le seuil de la porte de la chambre d'Anakin. Le bébé était bien là, mais un Impérial le tenait serré contre sa poitrine.

— Oh non ! s'exclama la jeune femme.

Furgan et elle se toisèrent du regard, immobiles comme des statues. Quand les soldats calamariens braquèrent leurs armes sur l'ambassadeur, celui-ci leva le bébé comme un bouclier.

— Rendez-moi cet enfant, gronda Leia, plus menaçante qu'une flotte d'Etoiles Noires.

— Je crains de ne pas pouvoir, dit Furgan. Cessez de pointer vos armes sur moi, ou je brise la nuque de ce marmot. J'ai fait tout ça pour l'avoir, et il n'est pas question que je renonce. Il sera mon otage. Si vous voulez qu'il vive, il faut me laisser passer.

Les sauveteurs reculèrent, l'ambassadeur s'engageant dans le couloir, une main autour du cou d'Anakin.

— Même si vous m'assommez, j'aurai le temps d'écraser sa trachée-artère. Lâchez vos armes !

— Reculez encore ! ordonna Leia.

Les Calamariens s'écartèrent, à l'exception de Terpfen, qui se planta devant Furgan, les mains tendues comme si elles étaient des armes.

Furgan reconnut sa victime grâce aux cicatrices qui couraient sur son crâne.

— Ainsi, mon petit poisson, tu as fini par me trahir ! Je n'aurais pas cru que tu en aies la volonté... et la force.

— Je les ai trouvées, dit Terpfen.

Le mécanicien barrait la route à son bourreau. Anakin continuait à se débattre.

— Laisse-moi passer, imbécile ! N'as-tu pas assez de vilaines choses sur la conscience ? Tu voudrais y ajouter la mort d'un bébé ?

Terpfen produisit un son étrange qui devait être un ricanement calamarien. Furgan fit mine d'avancer, forçant le mécanicien à reculer d'un ou deux pas.

Le bébé ne s'agitait plus. Ses yeux bruns semblaient presque pensifs.

Soudain, Furgan poussa un cri aigu. Derrière lui, le droïd GNK, sorti d'on ne sait où, venait de le toucher du bout de sa sonde, le gratifiant d'une décharge électrique assez puissante pour secouer un homme deux fois plus grand que l'ambassadeur.

Celui-ci vacilla, l'électro-droïd détala avec un « bip » qui évoquait irrésistiblement un cri de terreur.

Terpfen bondit et arracha le bébé des bras de Furgan. Quand ce fut fait, les Calamariens ouvrirent le feu. Mais l'ambassadeur, plus adroit qu'on n'eût pu le croire, recouvra son équilibre et s'enfuit à toutes jambes. Très vite, il disparut à une intersection.

— Poursuivons-le ! cria Terpfen.

Il tendit le bébé à Leia et partit en courant.

Les joues baignées de larmes, le ministre Organa Solo serra contre son cœur le fils qu'elle venait de retrouver.

Les grands pieds d'Ackbar faisaient un bruit sourd sur le sol en pierre des catacombes. Essoufflé, il essayait pourtant d'aller encore plus vite. Jusque-là, Winter semblait avoir suivi le protocole standard de défense.

A voir les débris, dehors, il avait compris que le DAI s'était vaillamment battu. Comme ça n'avait pas suffi, Winter avait dû recourir aux droïds assassins camouflés.

Ses hommes le suivant à grand-peine, Ackbar atteignit une intersection. Une odeur de brûlé et de sang monta à ses narines.

— Plus un pas ! cria une voix féminine.

C'était Winter, campée sur ses jambes, blaster pointé. Quand elle reconnut Ackbar, son visage s'éclaira un bref instant.

— Je savais que vous viendriez !

Le Calamarien posa une main sur le bras de la gardienne d'Anakin.

— J'ai fait aussi vite que possible. Tout va bien ?

— Oui. Selon mes calculs, il ne reste plus que deux Impériaux.

— En êtes-vous certaine ?

— Je me trompe rarement, dit Winter.

Ackbar savait que ça n'était pas de la vantardise.

— Leia et le reste de l'équipe ont dû retrouver Anakin. (Il prit un ton moins militaire.) Nous nous sommes séparés parce que je voulais voir si vous n'aviez pas besoin d'aide.

Winter acquiesça, son expression s'adoucissant.

— Je ne me sentirai bien que lorsque j'aurai vu le bébé sain et sauf.

— Alors, allons-y ! lança Ackbar.

Terpfen courait à en perdre haleine, les pieds en sang. Tant pis si cette course le tuait. Il devait empêcher Furgan de s'échapper.

L'ambassadeur avait fait de lui un traître. Il devait payer le prix de cette ignominie, de même que Terpfen s'acquitterait un jour de sa propre dette.

Plus déterminé que jamais, le Calamarien prit plusieurs longueurs d'avance sur ses camarades. Loin devant, il entendait le bruit des pas de Furgan.

— Suivez-moi ! cria-t-il. Nous le tenons !

Hélas, ce n'était pas si simple. Quand il arriva dans le « hangar », ce fut pour voir l'ambassadeur en train de grimper le long de l'échelle d'un octopode.

— Tu ne t'enfuiras pas, Furgan ! cria le mécanicien.

Il s'arrêta pour reprendre son souffle.

L'ambassadeur prit place dans le cockpit de l'octo-pode. Une horrible grimace s'afficha sur son visage.

— Tout est fini pour toi ! Ton navire a été détruit en orbite !

Puisant de l'énergie au plus profond de lui-même, Terpfen avança vers l'octopode. Derrière lui, ses camarades arrivaient.

Furgan marqua un instant le coup, puis de l'incrédu-lité se lut sur son visage.

— Je ne suis pas assez idiot pour te croire, petit poisson. Ta vie entière n'est que mensonge !

L'ambassadeur ferma la verrière et alluma les moteurs. L'octopode démarra.

Terpfen ricana et se dirigea vers un autre véhicule d'assaut. Il était l'un des meilleurs chefs mécaniciens de la galaxie. Aucun engin ne lui posait de problème, si compliqué fût-il.

Ça n'était sûrement pas le cas de Furgan.

Paniqué, l'ambassadeur avait du mal à faire avancer en cadence les huit jambes du véhicule.

Il parvint pourtant à progresser et même à tirer une décharge de blaster sur l'un des chasseurs calamariens stationnés là.

Terpfen prit à son tour place dans un octopode et ferma la verrière. Le véhicule était des plus rudimen-taires, avec des commandes d'une simplicité enfantine et des réactions très prévisibles. Rien à voir avec la sophistication d'un croiseur calamarien.

L'octopode de Furgan se dirigea vers la porte du hangar. À l'évidence, il avait l'intention de descendre la falaise. Terpfen ne doutait pas un instant que l'engin réussirait, car il était visiblement conçu pour ça. Mais qu'espérait faire l'ambassadeur une fois en bas ?

Sans doute n'en savait-il rien lui-même.

Terpfen localisa l'ordinateur de tir et fit feu trois fois avec son laser, arrachant la moitié d'une jambe à son adversaire de métal.

Déséquilibré, l'octopode tituba comme un ivrogne. Terpfen aurait pu lui porter le coup de grâce — une décharge bien placée de canon-blaster — mais l'explosion aurait détruit les chasseurs et une partie de la grotte. Le jeu en valait-il la chandelle ?

D'autant qu'Ackbar et ses hommes venaient d'arriver dans le hangar, accompagnés d'une femme aux cheveux blancs — Winter, bien entendu.

Puisque tirer était impossible, il restait une seule solution : suivre l'octopode de Furgan.

Ackbar était arrivé à temps pour voir le début du duel opposant les véhicules. Terpfen avait tiré juste, endommageant sérieusement son adversaire.

Furgan semblait n'avoir pour toute intention que de fuir le plus vite et le plus loin possible. Quand il se dirigea vers la porte, le véhicule du Calamarien le suivit.

Terpfen tirait sans arrêt, utilisant ses lasers avec une redoutable précision. Furgan ripostait au hasard, ses coups ratant largement leur cible.

Quand il eut gagné assez de terrain, Terpfen lança les deux pattes avant de son octopode dans le train arrière du véhicule de l'ambassadeur, qui tituba, puis tomba, immense animal blessé perdant des flots de sang vert — du liquide de refroidissement, bien entendu.

Entêté, Furgan agrippa l'encadrement de la porte avec les griffes du TA-TM avant et essaya d'avancer encore en se tractant à la force du « poignet ».

Terpfen tira sur le cockpit, mais les lasers ne pouvaient transpercer le plastacier. Son octopode était étroitement enlacé avec celui de Furgan, quatre jambes métalliques fermement plantées dans le sol et quatre autres *poussant* avec toute la puissance de leurs servomoteurs.

Terpfen retournait contre lui la force de son adversaire. C'était une manœuvre classique, mais toujours efficace.

A l'intérieur de son cockpit, Furgan pianotait frénétiquement sur les commandes, mais il ne trouvait visiblement pas la bonne.

Sans cesser de faire feu, le Calamarien poussa l'autre véhicule dans le vide. S'accrochant du bout des griffes à l'encadrement de la porte, l'octopode de Furgan parut en mesure d'échapper à une chute vertigineuse. Mais Terpfen ne semblait pas disposé à lui laisser une seule chance de survie.

Il continua à pousser, scellant le destin de l'ambassadeur.

C'était une lutte à mort, comprit Ackbar, parce que son compatriote, devenu un traître à son corps défendant, poursuivait beaucoup plus qu'une vengeance personnelle. En éliminant Furgan, il rendrait un peu de paix aux parents des victimes de la catastrophe de Vortex, mortes à cause des machinations de l'ambassadeur, et il débarrasserait la galaxie d'un monstre capable d'étrangler un enfant si le besoin s'en faisait sentir.

Les griffes d'acier lâchèrent. Avec un vacarme infernal, l'octopode vaincu passa la porte et continua en chute libre.

Pour faire bonne mesure, Terpfen l'acheva d'une décharge de canon-blaster — sans risque, en plein air.

Alors qu'il aurait dû s'immobiliser, le véhicule du Calamarien continua d'avancer.

Ackbar comprit immédiatement ce que Terpfen voulait faire. Ne perdant pas de temps à pousser un cri qui ne serait pas entendu, il se précipita vers la console de commande de la porte.

Un des battants tenait encore à demi sur ses gonds. S'il acceptait de fonctionner, il restait une chance de coincer l'octopode avant le grand saut.

L'amiral appuya sur une série de touches.

Rien !

Ce n'était pas possible ! Terpfen n'avait pas mérité une mort pareille.

Au moment où tout semblait perdu, le battant blindé consentit à se déplacer suffisamment pour bloquer l'octopode contre la paroi latérale.

Ackbar cessa d'appuyer sur les touches.

Il ne s'agissait pas d'écraser Terpfen dans son cockpit.

En équilibre instable, le véhicule d'assaut menaçait de tomber à tout instant.

— Aidez-le ! cria l'amiral à ses hommes.

Une équipe de secours s'organisa. Utilisant des cordes, quelques courageux sauveteurs parvinrent à s'approcher assez du cockpit pour l'ouvrir et en tirer Terpfen.

Le chef mécanicien était évanoui. Dépliant une civière, ses compatriotes le ramenèrent à l'intérieur.

Ackbar se pencha sur lui, le teint grisâtre. Il refusait de voir mourir un Calamarien de plus, victime de l'Empire, même si c'était d'une façon moins directe qu'à l'accoutumée.

— Terpfen ! Terpfen ! Réveillez-vous !

Le chef mécanicien ouvrit les yeux.

— Vous auriez dû me laisser mourir, souffla-t-il. C'était la punition appropriée. A présent, qui sait si j'aurai de nouveau le courage ?

— Non, Terpfen, les choses ne sont pas si faciles. On ne choisit pas son propre châtiment ! Vous pouvez faire encore beaucoup pour la Nouvelle République, qui a besoin de vous. Ensuite, quand vous ne servirez plus à rien, vous aurez le droit de baisser les bras. Si vous en avez encore envie !

Ackbar se tut, soudain conscient que ce discours s'appliquait également à son cas.

N'avait-il pas fui sur Calamari pour *oublier*. N'avait-il pas lui aussi eu l'impudence de choisir sa propre punition ?

Etre juge et partie... Cela n'était pas possible, il le savait.

— Terpfen, ta punition sera de vivre, déclara-t-il d'une voix solennelle.

Et la mienne aussi, ajouta-t-il mentalement.

CHAPITRE XXIII

Après que le *Faucon Millenium* eut frôlé la cime des arbres de Yavin 4, Yan Solo le posa de main de maître devant le Grand Temple. La rampe à peine sortie, il se précipita dehors.

Leia et les jumeaux, dans leur enthousiasme, faillirent le renverser.

— Papa ! Papa ! crièrent Jacen et Jaina.

Revenue d'Anoth, Leia serrait entre ses bras le dernier-né de la famille Solo.

Quand leurs parents s'embrassèrent, les jumeaux, en bons petits diables, s'accrochèrent aux jambes paternelles pour réclamer l'attention qui leur était due.

— Salut, mon bonhomme ! dit Yan en souriant au bébé. (Il chercha le regard de sa femme.) Tu vas bien ? Il va falloir me raconter ton histoire, parce que le message n'était pas vraiment explicite.

— Je te raconterai tout, c'est promis. Attends que nous soyons un peu tranquilles. Pour le moment, je suis heureuse que tous nos enfants soient avec nous. Et ils y resteront, Yan. A partir de maintenant, nous nous chargerons de leur protection.

— Ça me paraît une idée formidable ! (Il secoua la tête et s'autorisa son meilleur ricanement.) Dire que c'était moi que tu accusais de toujours partir à l'aventure !

Yan s'éloigna du *Faucon* car il venait d'apercevoir

Luke qui se dirigeait vers eux, flanqué de D2-R2, apparemment décidé à ne plus s'éloigner d'un pouce de son maître.

— Luke, vieux frère ! s'exclama Solo en étreignant le Jedi. Content de te revoir en forme. Sacré paresseux, va ! Tu n'en finissais pas de faire la sieste !

Luke flanqua une tape dans le dos du Corellien et lui sourit. Yan remarqua que les yeux de son ami brillaient plus intensément que jamais.

A chaque obstacle surmonté, les pouvoirs du Jedi devenaient de plus en plus forts. Pourtant, comme Obi-Wan Kenobi et Yoda, Skywalker les utilisait de moins en moins, préférant se fier à l'intelligence plutôt qu'à des aptitudes spectaculaires.

Derrière eux, dans la jungle, un concert de cris et de piaillements retentit. Sans doute quelque bande de woolamandres avait-elle dérangé un couple de créatures ailées en train de se régaler de fruits à demi pourris. Des disputes de ce genre éclataient tout le temps, peut-être moins futiles, tout bien pesé, que celles des hommes.

Moins meurtrières, en tout cas.

Yan jeta un coup d'œil par-dessus l'épaule de Luke, dont le regard restait rivé sur le *Faucon*.

Solo comprit et se retourna.

Avec sur les épaules la cape noire qu'il lui avait donnée, Kyp Durron descendait la rampe d'accès. Les deux Jedi se jaugeaient du regard.

Yan s'écarta du chemin de Luke, qui avança en silence, les mâchoires serrées. Arrivé au pied de la rampe, Durron se campa sur le sol de Yavin 4 et attendit.

A sa façon de se tenir, Yan comprit que le jeune homme était terrifié de devoir affronter son professeur.

Le Corellien n'avait aucune envie d'arbitrer un duel entre les deux hommes qu'il tenait pour ses meilleurs amis. Pourtant, on pouvait envisager quelque chose de ce genre, c'était évident.

Leia poussa les enfants à l'écart, ses yeux passant sans cesse de son frère à Kyp Durron.

Luke continua d'avancer à pas lents.

— Je savais que tu reviendrais, Kyp, dit-il.

Solo reprit espoir. Il n'y avait pas trace de colère dans la voix du Jedi.

— Exar Kun a été détruit ? demanda Durron.

Mais il connaissait déjà la réponse.

— Le Seigneur de la Sith n'aura plus d'influence sur ta formation, Kyp. La seule question est de savoir ce que *tu* veux faire de ton potentiel.

Kyp ne cacha pas sa surprise.

— Vous me laisseriez... continuer ?

L'expression de Luke s'adoucit encore.

— J'ai assisté à la mort de mon premier maître. Plus tard, j'ai dû affronter Dark Vador, mon propre père. Depuis, j'ai eu d'autres tâches difficiles à accomplir.

« Rien de tout cela n'était volontaire, mais après chaque épreuve, je suis devenu un meilleur Jedi. Kyp, tu as été jeté dans les flammes. Je dois savoir si tu n'es plus que cendres, ou si tu sors grandi de l'aventure. Peux-tu renoncer au Côté Obscur ?

— Je... j'essayerai.

— Non ! cria Luke avec pour la première fois un peu de colère dans la voix. Essayer ne veut rien dire. Tu dois croire que tu réussiras. Sinon, tu échoueras.

Kyp baissa la tête et ferma les yeux.

Puis il les rouvrit et se dressa de toute sa taille.

— Je veux devenir un Jedi, déclara-t-il.

CHAPITRE XXIV

Lando Calrissian avait un poids sur l'estomac. Un million de crédits... La fameuse récompense... S'il ne l'investissait pas bientôt, cet argent finirait par l'empêcher de dormir.

Il n'était pas naturel, pour lui, d'avoir une grosse somme et rien d'utile à en faire.

Après avoir gagné au sabacc une concession minière sur Bespin, Lando avait gouverné la Cité des Nuages pendant de longues années. Bref, il n'était pas un débutant. Il était donc impossible que l'affaire des mines d'épices de Kessel soit un fiasco. A coup sûr, il allait se remplir les poches.

— Je te suis vraiment reconnaissant de m'avoir amené, Yan !

Sur ces mots, il s'assit dans le siège du copilote du *Faucon*. Visiblement, le Corellien n'était pas ravi de devoir quitter Leia et les gosses si vite, même si le voyage à Kessel prendrait à peine un jour. De plus, il s'inquiétait pour Chewie et la force d'invasion de la Gueule, dont on n'avait plus de nouvelles depuis des jours.

Kessel n'étant pas loin de l'amas de trous noirs, il y aurait peut-être des informations à glaner.

— Pas la peine de me remercier, grogna le Corellien. Si ça pouvait t'empêcher de faire du stop à tout bout de champ, ça serait déjà ça de gagné. Mais je pense toujours que tu es cinglé de vouloir aller sur Kessel. Et plus encore de songer à y rester !

Devant eux, la petite planète minière orbitait, escortée par sa lune, où Moruth Doole régnait sur l'ancienne colonie pénitentiaire de l'Empire.

— La dernière fois que je suis venu ici avec Chewie, dit Yan, on s'est proprement fait descendre. J'avais juré de ne plus me pointer dans le coin. Et quelques mois après, me revoilà !

— C'est parce que tu es un vrai copain, Yan ! Je te remercie encore. Mara Jade n'aurait pas aimé que je sois en retard.

— Si elle est venue, ricana le Corellien. Ce qui m'étonnerait...

— Je parie ma chemise qu'elle sera là ! s'exclama Lando. Je suis sûr que la brave petite compte les jours qui la séparent de moi.

— Je regrette vraiment Chewie, grommela Yan. Au moins, il ne profère pas ce genre d'âneries.

A la mention du Wookie, les deux hommes tournèrent la tête dans la direction de la Gueule. Les communications étant impossibles à cause des trous noirs, comment savoir ce qu'il était advenu de l'unité d'assaut ?

— J'espère que notre ami poilu n'a pas eu d'ennuis, dit Lando.

Yan ne répondit pas et activa la radio. Après un moment d'hésitation — des mauvais souvenirs —, il s'éclaircit la gorge et annonça :

— Ici Yan Solo, du *Faucon Millenium*. Nous sommes en approche de Kessel...

Lando vit la main gauche de son ami se poser non loin des commandes d'hyperdrive. L'ordinateur de navigation avait déjà calculé un cap d'évasion. Solo était prêt à replonger dans l'hyperespace au moindre incident.

— Nous sommes venus voir Mara Jade, la déléguée de la Guilde des Contrebandiers, continua Yan.

Nous... hum... demandons la permission d'atterrir sur votre lune. Nous attendons votre réponse.

Le visage du Corellien était des plus soucieux.

— Ne sois pas si nerveux, lui conseilla Lando. Les choses ont changé sur Kessel, tu vas voir.

Yan se mit aussitôt sur la défensive.

— Après ce qui m'est arrivé, je refuse de prendre le moindre risque. C'est tout.

Avant que Lando puisse répondre, la voix de Mara Jade, froide et professionnelle, sortit des haut-parleurs. Lando imagina les lèvres délicieuses qui prononçaient ces paroles.

Il soupira d'aise.

— Tu as une demi-journée de retard, Solo.

— Eh bien... Mon copain voulait avoir l'air présentable, et tu sais le temps qu'il lui faut.

Mara rit — à peine une seconde — et Lando foudroya du regard son vieux compagnon.

— Posez-vous, alors, dit Mara. La Guilde m'a fourni une escorte solide. La région est tranquille... Nous discuterons affaires en paix. J'ai une surprise pour vous, mes amis. Calrissian appréciera, je crois.

Lando sourit de toutes ses dents.

— Tu entends ça ? Une surprise pour moi ! Sûrement un témoignage de son affection !

— Bon sang, quelle andouille ! soupira Yan.

Il vérifia les coordonnées et amorça la manœuvre d'atterrissage.

Un petit vaisseau apparut derrière la verrière et se dirigea vers le *Faucon*.

— Ici Mara Jade. Je suis votre escorte, et la surprise dont je parlais... Suivez-moi.

Yan accéléra.

Lando sursauta, les yeux écarquillés.

— Bon sang, Yan, c'est mon vaisseau ! Le *Lady Luck*. Si je m'attendais à ça !

— Eh bien, dit Yan, ça nous épargnera au moins la peine de le chercher.

Lando se pencha vers le micro.

— Mara, vous avez retrouvé mon navire ? Je ne pourrai jamais vous remercier assez ! (Il baissa la voix.) Si je peux faire quelque chose... par exemple satisfaire vos rêves les plus fous.

— Continuez sur ce ton, Calrissian, et ce vaisseau finira dans un soleil, en pilotage automatique, bien sûr.

Lando s'adossa à son siège et sourit.

— Quelle femme, pas vrai ! Elle adore plaisanter.

Le *Faucon* suivit le *Lady Luck*, qui le guida jusqu'à l'entrée de la caverne géante où était cantonnée la garnison lunaire.

Les portes passées, les deux vaisseaux se posèrent côte à côte. Pressé de revoir sa belle contrebandière, Lando fut le premier dehors.

Yan le suivit de peu.

— Bonjour, Mara, dit-il. Où as-tu déniché le navire de Lando ? Nous pensions devoir passer la surface au peigne fin pour le retrouver.

— Il était à l'endroit exact où Calrissian affirmait l'avoir posé. Personne ne semble avoir eu le temps d'enlever les plaques d'identification pour s'approprier ce petit bijou.

Lando jeta un coup d'œil dans le hangar. Tous les vaisseaux lui paraissaient étranges — des modèles customisés. En tout cas, ils n'avaient rien à voir avec les semi épaves qui composaient jadis la « flotte » de Moruth Doole. Chacun avait sa propre décoration, mais tous portaient une espèce de croix sur les ailes.

Mara avait remarqué le regard intrigué de Calrissian.

— C'est le nouvel emblème de la Guilde des Contrebandiers, dit-elle. Rien d'ostentatoire, mais ça nous suffit.

— Qu'est-il arrivé aux vaisseaux de Moruth Doole ? demanda Lando.

— Quatre-vingt-dix pour cent de ses navires ont été détruits lors de l'affrontement avec les destroyers de Daala. Les rares pilotes survivants ont fui dans l'hyperespace avec leurs appareils. Personne ne sait où ils sont. A dire vrai, je m'en fiche éperdument.

« Quand les vaisseaux de secours de la Nouvelle République sont passés dans le système, la plupart des gens ont voulu partir avec eux. S'il avait le choix, quel imbécile voudrait vivre sur Kessel ?

— Si je comprends bien, dit Lando, plein d'espoir, Kessel est déserte, prête à s'offrir à qui la prendra ?

— Exactement. J'ai présenté votre proposition à certains membres de la Guilde, et elle leur a plu. Votre réputation d'homme d'affaires avisé a fait le reste. De plus, vous avez des relations haut placées dans le Gouvernement Provisoire, ce qui facilitera la... hum... distribution du glitterstim. Enfin, votre surface financière est suffisante pour que ça marche. Une association de rêve, quoi !

Lando bomba le torse.

— Je savais que nous étions faits l'un pour l'autre, roucoula-t-il.

Mara ignora ses avances.

— Mais il faut agir vite ! dit-elle. Des seigneurs du crime, moins scrupuleux que vous, rêvent de s'emparer des mines, qui débordent d'épices. Pour être franche, Calrissian, nous préférons traiter avec vous plutôt que de voir une bande de forbans prendre les choses en main et nous exclure de l'affaire. Voilà pourquoi nos forces sont ici, prêtes à intervenir si un bandit Hutt venait à attaquer.

— Plutôt judicieux..., admit Yan.

Lando se frotta les mains et regarda autour de lui. Entre les vaisseaux déambulaient des contrebandiers — humains ou non — qu'il n'aurait pas aimé rencontrer dans les souterrains de Coruscant.

— Tout ça paraît formidable... Si on allait voir de près l'objet du contrat ?

— Excellente idée, dit Mara. Allons-y, Calrissian. On prend votre vaisseau. Ça vous dit de piloter ?

Lando caressait voluptueusement les commandes du *Lady Luck*. C'était *son* yacht spatial, construit selon *ses* spécifications !

Il avait retrouvé son vaisseau, une femme splendide occupait le fauteuil du copilote et ils se dirigeaient vers la planète où il allait faire fortune. Bref, les choses n'auraient pu aller mieux !

C'était exact, mais elles pouvaient aller plus mal, et ça ne tarderait pas.

Quand ils survolèrent Kessel à basse altitude, ils passèrent près d'une des plus grandes usines implantées à la surface. Jadis, elle fabriquait de l'air pour compenser les pertes atmosphériques dues à la faible gravité.

Le bâtiment était éventré. A l'évidence, les forces de Daala n'y étaient pas allées de main morte.

— Plus de la moitié de ces usines sont hors service, expliqua Mara Jade. Daala pensait avoir affaire à une base rebelle — elle n'a presque rien laissé debout.

Lando se sentit soudain comme dégrisé.

— Eh bien, ça risque d'être plus compliqué et plus cher que je ne le pensais.

Il se consola en songeant aux milliards de crédits qui dormaient dans les galeries, et à l'efficacité des droïds qu'il comptait utiliser, encadrés par des Sullustéens connus pour leur âpreté au gain. Le retour d'investissement serait peut-être plus long que prévu, mais cela vaudrait la peine d'attendre. D'autant qu'il pouvait toujours augmenter ses prix, car la demande de glitterstim était plus forte que jamais.

— Nous allons visiter la prison, dit-il. Elle doit avoir résisté à l'attaque. Il faudra prévoir quelques aménagements, bien sûr, mais cette forteresse semble être le quartier général rêvé pour mon empire commercial.

Le *Lady Luck* avala à toute vitesse les kilomètres qui le séparaient de son objectif.

La vieille prison impériale, faite de pierre synthétique, avait vaillamment résisté aux assauts des destroyers. Voyant cela, Lando poussa un soupir de soulagement.

— Impeccable ! Voilà un truc qui marche tout seul, pour une fois. C'est un endroit formidable pour démarrer, non ? Mara, si nous allions étrenner notre nouveau siège social.

— C'est que... Il y a un petit problème, Calrissian.

Lando et Yan la regardèrent, interloqués.

— Moruth Doole, marmonna Mara. Il s'est terré dans la prison... Tous ses hommes sont morts, ou ils ont fichu le camp. Ne sachant plus que faire, Doole se protège derrière les systèmes de défense automatiques du pénitencier.

Ils figuraient parmi les meilleurs de la galaxie, Yan et Lando le savaient. Sans compter qu'ils n'avaient nulle envie de revoir l'exécrable Moruth Doole.

— Vous auriez pu mentionner ce détail un peu plus tôt, grogna Calrissian tandis qu'il préparait le *Lady Luck* à l'atterrissage.

Mon Mothma

CHAPITRE XXV

Dans la blancheur étincelante de l'aile médicale du
Palais Impérial, les narines agacées par les odeurs
médicamenteuses, Terpfen regardait en silence les
bulles de la cuve à bacta s'acharner à soustraire à la
mort le corps ravagé de Mon Mothma.

Toute la science médicale de la Nouvelle République était mobilisée pour sauver la présidente. En dépit
de ces efforts, les écrans de contrôle, insensibles au
drame, annonçaient heure par heure l'inéluctable
détérioration de l'état de la patiente.

Devant la porte de la chambre, deux gardes en
armes interdisaient toute intrusion.

Les cloisons isolées de la pièce assourdissaient les
bruits des machines qui maintenaient en vie Mon
Mothma. De chaque côté de la cuve, des droïds
médicaux s'affairaient sans prêter attention au chef
mécanicien.

Près de lui se tenait Ackbar, solide comme un roc.

— Ce sera bientôt fini, dit-il.

Terpfen acquiesça. Il n'était pas pressé de parler à
la présidente, même si c'était indispensable.

Dans cette même chambre, l'Empereur lui-même
avait suivi de vigoureux traitements censés réparer les
dégâts causés par l'utilisation du Côté Obscur de la
Force. Cette cuve à bacta très spéciale pouvait-elle

guérir la malade ? Sachant pourquoi elle était si mal en point, Terpfen en doutait.

Mon Mothma ouvrit les yeux et regarda ses visiteurs à travers la solution de bacta. Les voyait-elle vraiment, se demanda Terpfen, ou sentait-elle leur présence ?

Qu'importait... La présidente tourna la tête, entraînant avec elle les tuyaux qui lui servaient à respirer. Les bulles couraient le long de son corps, le régénérant lentement.

Mon Mothma lâcha les stabilisateurs qui l'aidaient à rester en équilibre dans la cuve et remonta à la surface. Quand les droïds l'eurent aidé à sortir, elle vacilla, le poids de sa robe trempée semblant trop lourd pour ses épaules.

Ackbar avait raison. Ce serait bientôt fini.

La présidente leva une main pour saluer les deux Calamariens.

— Le traitement me redonne des forces pour une petite heure, dit-elle. C'est chaque jour un peu moins... Bientôt, la cuve ne sera plus efficace et je devrai renoncer à mes fonctions, avant que le Conseil ne me destitue. (Elle regarda Terpfen.) Ne vous inquiétez pas, je sais pourquoi vous êtes là.

Le chef mécanicien sursauta.

— Je ne crois pas que...

— Ackbar m'a tout raconté. Il a examiné votre cas avec attention, et je souscris à ses conclusions. N'ayant pas agi volontairement, vous êtes une victime, pas un coupable. De toute manière, vous vous êtes racheté. La Nouvelle République ne peut se permettre de rejeter des hommes qui entendent continuer le combat. Vous êtes pardonné, Terpfen. N'en parlons plus... (Elle faillit perdre l'équilibre, les deux droïds l'en empêchant *in extremis*.) Je voulais m'assurer que ce soit fait avant de...

Ackbar s'éclaircit la gorge avec un bruit étrange, comme s'il ravalait des larmes.

— Mon Mothma, vous devez savoir que j'ai décidé de rester et de me battre. Je demanderai à retrouver mon grade, maintenant que je sais n'être pour rien dans la catastrophe de Vortex. Le peuple de Mon Calamari est capable de surmonter bien des épreuves, car il est fort. Mais si la République succombe, reconstruire mon monde sera vain, car les forces du Mal le submergeront un jour ou l'autre.

Mon Mothma sourit à l'amiral.

— Ackbar, vous savoir à nos côtés me fait plus de bien que tous ces fichus traitements ! (Les épaules de la présidente s'affaissèrent, son menton retomba sur sa poitrine. Devant le Conseil, jamais elle ne se fût autorisé pareille manifestation de faiblesse.) Pourquoi la maladie me frappe-t-elle en une heure aussi grave ? Je sais que je suis mortelle, comme tout le monde, mais pourquoi *maintenant* ?

Terpfen avança vers la cloison transparente, chaque pas lui coûtant un effort surhumain. Les deux gardes brandirent leurs armes, inquiets de voir un traître notoire s'approcher du chef de l'Etat. Quand le Calamarien inclina sa tête couverte de cicatrices, les cerbères se calmèrent, d'autant que Mon Mothma faisait montre d'une grande sérénité.

— C'est pour répondre à cette question que je suis là, Mon Mothma. Car je sais ce qui vous est arrivé.

La présidente le dévisagea, attendant qu'il continue.

Terpfen chercha ses mots. Son cerveau lui semblait si vide maintenant que les « greffes » maléfiques étaient neutralisées. Il avait haï les ordres venus de Carida, mais se retrouver « seul » dans sa tête, sans personne pour le mortifier ou le guider, n'était pas aussi facile qu'il l'aurait cru.

— Vous n'êtes pas malade, Mon Mothma. Vous avez été empoisonnée. (La présidente sursauta mais ne l'interrompit pas.) C'est un produit à action dégénérative, spécifiquement conçu pour votre structure génétique.

— Mais comment y ai-je été exposée ? Etes-vous le coupable, Terpfen ? Je veux dire... cela faisait-il partie de votre programmation ?

— Non ! s'écria le Calamarien, horrifié. J'ai commis bien des mauvaises action, mais pas celle-là. C'est Furgan qui vous a empoisonnée, devant des dizaines de témoins ! Vous souvenez-vous de la réception, au Jardin Botanique ? L'ambassadeur avait apporté sa propre boisson parce qu'il prétendait que vous vouliez l'assassiner ! Il en avait deux bouteilles. La première contenait un cocktail. L'autre était remplie de poison. Furgan a accompli son forfait au moment du toast, quand il vous a jeté son verre au visage. La substance est passée à travers les pores de votre peau. Depuis, elle s'attaque à vos cellules.

Ackbar et Mon Mothma regardaient Terpfen avec sur le visage la même stupéfaction.

— C'est évident, comment n'y ai-je pas pensé ? dit la présidente. Mais il y a des mois de cela.

Terpfen ferma les yeux, les mots sortant de ses lèvres comme s'il avait récité un texte appris par cœur.

— Furgan voulait que votre fin soit lente et débilitante, pour saper le moral de la Nouvelle République. Un simple assassinat aurait fait de vous une martyre, ralliant peut-être à notre cause des systèmes restés neutres. Aux yeux de l'ambassadeur, un lent déclin symbolisait la déliquescence de la Rébellion.

— Je comprends, dit Mon Mothma.

— Très intelligent, admit Ackbar. Mais que nous apporte cette information, Terpfen ? Que savez-vous sur le poison ? Comment peut-on le combattre ?

Le silence qui régnait dans la tête du chef mécanicien lui parut plus assourdissant qu'un cri.

— Ça n'est pas exactement un poison, plutôt un commando de microscopiques tueurs. Des virus artificiels programmés pour détruire les cellules de

Mon Mothma noyau après noyau. Ils ne s'arrêteront pas tant que vous serez vivante, madame.

— Il doit pourtant y avoir quelque chose à faire ! tonna Ackbar.

La tristesse et l'angoisse de Terpfen éclatèrent d'un coup, comme une étoile se transforme soudain en nova.

— Nous n'y pouvons rien ! Savoir la vérité est inutile, car il n'existe pas de traitement.

CHAPITRE XXVI

Le *Gorgone* de l'amirale Daala avait survécu de justesse à la tempête ionique qu'il fallait traverser pour entrer dans la Gueule.

La jeune femme avait surmonté la tourmente, sanglée dans son fauteuil de commandement, consciente que le vaisseau serait éventré s'il déviait d'un micron du cap calculé par l'ordinateur. A son équipage, elle avait ordonné de se réfugier dans les zones les plus sûres, seuls quelques officiers essentiels restaient à leur poste, harnais de sécurité attaché. Parmi les rares chemins permettant de pénétrer dans la Gueule, Daala avait choisi celui qu'on appelait la « porte de derrière ». C'était le plus court, certes, mais aussi le plus dangereux.

Un risque calculé, car son vaisseau n'était plus en état de se faire chahuter longtemps par les éléments.

La plupart des stabilisateurs avaient rendu l'âme après la miraculeuse manœuvre d'évasion nécessitée par l'explosion de la Nébuleuse du Chaudron. Par bonheur, les boucliers avaient tenu le temps qu'il fallait, même s'ils étaient à présent hors service. Quant à la coque du navire, jadis brillante comme de l'ivoire, elle évoquait un morceau de métal noirci.

Plusieurs épaisseurs de blindage avaient fondu, mais cela faisait partie du prix à payer pour être encore en vie.

Le *Gorgone* avait eu beaucoup de chance d'échapper au piège tendu par le Broyeur de Soleil. Avant de plonger dans l'hyperespace — la seule chance de s'en tirer —, Daala avait vu le *Basilic* se désintégrer à côté d'elle. En quelques secondes, sa force de frappe avait été anéantie.

Blessé, le vaisseau-amiral s'était retrouvé en hyperdrive sans que le navigateur ait eu le temps de calculer un cap. En règle générale, ce genre d'aventure tournait mal, le navire finissant sa course dans une planète, ou au cœur d'un soleil. Mais le destin n'avait pas voulu que l'histoire de Daala s'achève ainsi.

Le *Gorgone* était revenu dans l'espace normal, au cœur du vide interstellaire. Sans boucliers, les systèmes de survie à moitié en panne, des trous dans la coque — qui provoquaient une perte d'atmosphère non négligeable le temps que les zones sensibles soient isolées —, il n'avait plus rien d'un fier prédateur.

L'équipage s'était aussitôt attelé aux réparations. Pour déterminer la position exacte du navire, les navigateurs avaient dû travailler une journée entière, tant il avait dérivé.

Pendant des heures, des grappes de techniciens en scaphandre avaient tourné autour de la coque, réparant tout ce qui pouvait l'être dans la limite du stock de pièces détachées.

Un moment, le *Gorgone* avait flotté entre les étoiles comme une épave, car ses moteurs refusaient de fonctionner. Harcelant ses hommes, Daala les avait contraints à pulvériser des records de vitesse. A cette heure, ils avaient même réussi à remettre en service une des batteries de lasers.

Daala avait une mission à remplir. Elle-même se refusait le moindre instant de repos, car c'était le meilleur exemple à donner à ses subordonnés.

La jeune femme avait eu près de dix ans — dix longues années d'ennui — pour entraîner ses commandos et son personnel navigant. Habitués à travailler sans relâche, ils réagissaient admirablement à la première crise authentique de leur carrière.

Le Grand Moff Tarkin avait confié quatre destroyers à sa protégée. Le premier, nommé *Hydra*, avait été détruit avant même de quitter la Gueule, le *Manticore* ayant péri lors de l'attaque de Mon Calamari, victime du génie tactique d'un de ces maudits hommes-poissons. Le *Basilic*, endommagé pendant le raid sur Kessel, n'avait pas pu fuir assez vite la supernova du Chaudron.

Au lieu de porter le feu jusque sur Coruscant, comme elle l'avait prévu, Daala avait essuyé une série d'échecs humiliants.

Durant le voyage de retour vers les zones habitées de la galaxie, la jeune femme avait eu tout loisir de réfléchir à sa déroute. Les choses étaient d'une simplicité extrême : au lieu de s'en tenir à son devoir — protéger le centre de recherches de la Gueule —, elle s'était engagée dans une guerre privée contre la Rébellion. Pour se racheter, il n'y avait qu'un seul moyen : retourner dans la Gueule et obéir aux ordres de Tarkin.

Le *Gorgone* ne pouvait plus aller bien vite, mais Daala le poussait quand même au maximum de ses possibilités. Bientôt, elle aurait repris son poste et serait prête à se battre contre n'importe quel ennemi.

Si les Rebelles voulaient le Complexe, ils devraient le payer au prix fort, car il ne serait pas question de reddition.

À peine de retour « chez elle », Daala dut faire face à un drame.

Et elle n'eut pas besoin de Kratas pour s'en apercevoir.

— Amirale, ils... ! s'écria le commander.

— J'ai vu, j'ai vu...

La forme rassurante de l'Etoile Noire n'était plus

visible autour des planétoïdes. En revanche, trois corvettes corelliennes et une frégate rebelle se massaient aux abords du Complexe.

La liste des catastrophes s'allongeait. Après une décennie d'attente et d'ennui, les Rebelles étaient venus et elle arrivait trop tard pour les arrêter !

La jeune femme se mordit les lèvres. Ça n'était pas possible ! Le *Gorgone* avait échappé à la destruction pour une *raison*. Revenue à son poste, Daala avait l'impression que quelqu'un regardait par-dessus son épaule et lui chuchotait des conseils.

Le Grand Moff Tarkin veillait sur elle.

Son destin était clair. Elle n'aurait pas le droit d'échouer, cette fois.

— Kratas, maximum de puissance à l'armement. Levez ce qui nous reste de boucliers. Nous allons combattre.

CHAPITRE XXVII

Kyp Durron courait dans la jungle, essayant d'éviter les lianes basses qui pouvaient assommer un homme sans la moindre difficulté. La bouche fermée, les narines pincées — une précaution judicieuse pour ne pas avaler ou inspirer des colonies d'insectes — le jeune homme, couvert de sueur, avait l'impression de respirer dans une étuve.

Il faisait de son mieux pour rester au niveau de maître Skywalker, qui se déplaçait dans cet enfer comme dans les rues principales de Coruscant. Sans doute ses pouvoirs de Jedi lui permettaient-ils de repérer les passages les plus faciles.

A une ou deux reprises, Kyp avait eu recours au Côté Obscur pour se faciliter la vie dans de telles situations. Aujourd'hui, la seule idée d'en appeler aux enseignements d'Exar Kun le révulsait.

Les lianes, les buissons et même les moustiques valaient mieux que la trahison d'un idéal dont Durron mesurait à présent la valeur.

Maître Skywalker courait, entraînant son élève très loin du temple.

Les deux Jedi étaient seuls, les autres aspirants ayant des exercices différents à leur programme.

Maître Skywalker était fier de l'équipe, et il ne le cachait pas. Selon lui, ses élèves dépasseraient bientôt le stade où il pourrait encore leur apprendre quelque chose. Les nouveaux Chevaliers Jedi devraient se prendre en main et découvrir par eux-mêmes ce qui faisait leur force.

Depuis qu'il était passé à un cheveu de pulvériser Yan Solo — son ami —, Durron hésitait beaucoup à utiliser son pouvoir, craignant qu'il ne le pousse à commettre d'autres horreurs.

Maître Skywalker avait improvisé cette escapade dans la jungle. Kyp entendait encore les bips désespérés de D2-R2, mécontent de ne pas pouvoir suivre son cher Luke.

Le jeune Jedi n'était pas très sûr de comprendre ce que son professeur attendait de lui. Depuis des heures qu'ils marchaient et couraient, Skywalker n'avait rien dit d'autre que « à droite », « à gauche », ou « attention ».

Durron était intimidé de se trouver seul avec l'homme qu'il avait vaincu grâce à la complicité du Seigneur Noir de la Sith. Avant qu'ils partent, le maître avait insisté pour que Kyp emporte le sabrolaser fabriqué par Gantoris.

Voulait-il défier son disciple en duel ? Un duel à mort, cette fois.

Si c'était le cas, le jeune homme avait résolu de ne pas relever le gant. Sa colère avait provoqué assez de drames comme ça. Et encore Luke avait-il survécu aux machinations de l'homme en noir.

Dès les premiers mots prononcés par Exar Kun, le jeune homme avait reconnu en lui un représentant du Côté Obscur. Mais il s'était cru capable de résister là où Anakin Skywalker — Dark Vador — avait échoué.

Bien entendu, les ténèbres l'avaient submergé. Aujourd'hui, il aurait donné cher pour être débarrassé de ses pouvoirs de Jedi, ainsi n'aurait-il plus rien à craindre de lui-même.

Alors qu'ils atteignaient une clairière, maître Skywalker s'arrêta sans crier gare. Kyp s'immobilisa près de lui ; suivant son regard, il finit par distinguer les deux prédateurs reptiloïdes qui se camouflaient dans l'épaisse végétation. A mieux les regarder, on eût cru avoir affaire à un croisement entre un chat sauvage et un lézard géant. Sur leurs horribles gueules, trois petits yeux jaunes luisaient comme des soleils maléfiques.

Maître Skywalker soutint le regard des monstres, qui grognèrent, montrèrent les dents, puis battirent en retraite dans la jungle.

— Continuons, dit Luke.

— Où allons-nous ? demanda Kyp.

— Tu le sauras bien assez tôt.

Incapable de supporter plus longtemps le silence, Durron tenta d'engager la conversation.

— Maître Skywalker, que se passera-t-il si je ne parviens pas à distinguer le bon côté du mauvais ? Je répugne à utiliser de nouveau mon pouvoir, de peur qu'il ne me ramène sur le chemin de la destruction.

Un papillon géant voleta devant eux, cherchant parmi de grandes fleurs celle qu'il serait le plus agréable de butiner. Alors que Kyp regardait, fasciné, un essaim d'insectes carnivores — presque des araignées volantes — fondit sur le papillon, s'attaquant d'abord à ses ailes.

La proie se défendit vaillamment, mais ses bourreaux l'eurent dévorée avant qu'elle touche le sol.

— Le Côté Obscur est plus commode, plus séduisant, dit Luke. Plus facile à contrôler... Mais le meilleur moyen de savoir, c'est de sonder tes motivations. Si tu utilises ton pouvoir pour aider les autres, il vient sûrement du côté lumineux. Quand tu poursuis des buts égoïstes, ou que tu cherches à te venger, le pouvoir n'est pas... pur. Refuse de t'en servir. Tu pourras faire le tri plus tard, quand tu seras de nouveau calme.

Ecoutant ces mots, Kyp comprit qu'il s'était trompé du tout au tout. Exar Kun lui avait menti depuis le début. Lui prétendait que la colère était le moteur des actes d'un Jedi.

— As-tu compris ? demanda Luke.

— Oui.

— Parfait.

Maître Skywalker traversa la clairière et s'enfonça de nouveau dans la jungle. En le suivant, Kyp sentit un frisson glacé le long de son échine.

Ils étaient venus par un autre chemin, mais Durron n'aurait jamais pu oublier cet endroit, dût-il vivre mille ans.

— J'ai froid, dit-il. Je refuse de faire un pas de plus.

Devant eux, au centre d'un petit lac, se dressait un temple d'obsidienne surmonté d'une statue drapée d'une cape noire.

Exar Kun, plus vrai que nature.

A l'intérieur de ce temple, tandis que Dorsk 81 dormait d'un sommeil artificiel, Kyp avait eu son premier contact avec la Confrérie de la Sith.

— Le Côté Obscur règne sur ce bâtiment, dit Durron. Je ne peux y entrer.

— Ton inquiétude montre que tu es devenu prudent. Kyp, c'est le premier pas vers la sagesse... et vers la Force.

Le maître s'assit sur un rocher et plissa les yeux pour ne pas être ébloui par les rayons du soleil qui se reflétaient sur l'eau.

— J'attendrai ici, ajouta Luke. Toi, tu dois y aller.

Gagné par la terreur et la répulsion, Kyp déglutit avec peine. Ce temple représentait tout qui avait miné son âme et qui l'avait éloigné des rives du Bien. Sans parler des monstrueuses erreurs qu'il avait commises. Avec ses mensonges, Exar Kun l'avait amené à tuer son frère Zeth, à menacer la vie de Yan Solo, et à trahir son professeur.

Il frissonna de plus belle. Peut-être se trouvait-il face à son châtiment.

— Que vais-je découvrir en ces lieux, maître ? s'enquit-il.

— Ne pose plus de questions, dit Luke, car je ne peux te donner aucune réponse. Simplement, décide si tu emportes ton arme. (Il désigna le sabrolaser de Kyp.) A toi de choisir, mais sache qu'il te faudra peut-être combattre... d'une manière ou d'une autre.

Kyp posa la main sur la garde de l'épée électronique. Maître Skywalker voulait-il qu'il la conserve, ou qu'il la laisse ? En l'absence d'indice, Kyp hésitait. Puis il décida qu'il valait mieux, à tout hasard, avoir l'arme et ne pas s'en servir plutôt que de s'en priver.

Tremblant, Durron approcha du bord de l'eau. Les colonnes immergées étaient toujours là, composant un chemin pavé.

Il posa un pied sur la première pierre. Inspirant à fond, il leva la tête et décida de ne pas écouter les voix qui hurlaient dans sa tête. Il devait faire face à cette épreuve, quoi qu'elle lui réservât.

Il ne se retourna pas pour regarder maître Skywalker.

Il traversa l'étang et prit pied sur l'îlot où se dressait le temple.

Sous la statue d'Exar Kun se découpait l'entrée triangulaire de l'édifice. Sur les murs, Kyp aperçut les runes et les hiéroglyphes qui l'avaient intrigué la première fois.

Avec un effort, le jeune Jedi aurait pu de nouveau les déchiffrer. Mais il secoua la tête pour chasser de son esprit cette folle tentation.

Son regard se posa sur le visage du Seigneur de la Sith, mort depuis des millénaires. S'il avait rencontré un maître comme Luke Skywalker, Exar Kun serait-il revenu lui aussi du côté lumineux ? Qu'est-ce qui décidait du destin d'un homme ?

Kyp eut envie de se retourner pour poser la question à son professeur.

Mais il n'aurait pas obtenu de réponse.

Alors il entra dans le temple et attendit.

Au début, rien ne se passa. Puis Kyp eut l'impression que son estomac se retournait. Il eut la chair de poule et sa vision se troubla. Autour de lui, l'air se solidifia, l'emprisonnant dans une gangue immatérielle qui l'eût empêché de fuir s'il en avait eu la force.

La réalité sembla se dissoudre...

Kyp se laissa pousser à l'intérieur du temple. Il aurait aimé se déplacer plus vite, mais son corps ne réagissait pas comme à l'accoutumée.

Une ombre apparut, semblant jaillir des murs. Très vite, elle prit forme humaine, et Durron comprit qu'il la nourrissait avec sa peur.

Bientôt gigantesque, la silhouette paraissait renfermer toute l'obscurité de l'univers. Bien qu'elle n'eût pas de visage, son apparence était pour Kyp atrocement familière.

— Vous êtes mort, dit-il, essayant sans grand succès de prendre un ton agressif.

— C'est vrai, dit l'ombre, mais je vis encore en toi. En ce monde, Kyp Durron, tu es le seul qui puisse perpétuer mon souvenir.

— N'y comptez pas. Je vais plutôt vous détruire.

Il sentit dans sa main vibrer la sombre puissance qui lui avait permis de frapper maître Skywalker. La force maléfique de la Sith montait en lui. Quelle douce vengeance ce serait que de la retourner contre Exar Kun !

L'énergie s'accumulait, suppliant d'être libérée. S'il se laissait dominer par elle, il pourrait détruire à jamais l'ombre noire qui l'avait manipulé.

Le jeune Jedi se contrôla à grand-peine. Son cœur battait la chamade, le sang cognait à ses tempes, sa colère grandissait... et il savait qu'il se trompait.

Ça n'était pas la bonne façon de faire.

Il respira lentement et se calma.

Le pouvoir de la Sith l'abandonna. En face de lui, l'ombre attendait. Bannissant sa colère, Durron invoqua un autre pouvoir. Exar Kun voulait que la rage le submerge. Il n'allait pas lui faire ce plaisir.

Il saisit le sabrolaser et activa la lame violet et blanc.

L'ombre se mit en position défensive, comme si elle avait voulu croiser le fer avec lui. A l'évidence, l'étrange adversaire du jeune Jedi attendait qu'il passe à l'attaque.

Kyp brandit son arme ; la créature leva des bras plus noirs que tout ce que le jeune homme avait jamais vu.

L'ombre semblait à présent s'offrir à ses coups. Durron se prépara à frapper, fier de ce qu'il était sur le point de faire. Une arme de Jedi, lumineuse par essence, allait détruire l'obscurité.

Au moment d'abattre la lame, l'élève de Luke s'immobilisa.

Il ne devait pas frapper, sabrolaser ou non. S'il attaquait Exar Kun, ce serait céder à la tentation de la violence, quelle que soit l'arme qu'il utilisait.

La garde du sabrolaser semblait glacée dans sa main. Durron désactiva l'arme et la remit à sa ceinture.

Il fit face à la silhouette qui se dressait toujours devant lui, et remarqua qu'elle était maintenant de sa taille et beaucoup moins menaçante.

L'apparition portait une sorte de bure que Kyp n'avait pas distinguée jusque-là.

— Je ne me battrai pas, dit-il.

— J'en suis heureux, répondit l'ombre d'une voix qui sonna bien plus amicalement aux oreilles du jeune Jedi.

Ce n'était pas Exar Kun. Ça ne l'avait jamais été.

Les bras spectraux se levèrent pour rabattre la capuche de la bure.

Un merveilleux visage apparut devant les yeux de Durron, qui mit un moment à croire que sa raison n'avait pas chaviré.

C'était son frère !

Zeth.

— Je suis mort, Kyp. En ce monde, tu es le seul qui puisse perpétuer mon souvenir.

L'ombre de Zeth donna une accolade au Jedi, qui sentit son corps se réchauffer pour la première fois depuis qu'il était entré.

Quand le spectre eut disparu, Durron se retrouva seul dans le temple.

Le temple qui avait perdu tout pouvoir sur lui.

Quand il ressortit, Kyp vit son maître, debout sur la rive, qui lui faisait signe de venir.

— Rejoins-nous, Kyp ! criait-il. Bienvenue parmi les tiens, Chevalier Jedi !

CHAPITRE XXVIII

Comme de bien entendu, quand Yan toqua aux grandes portes du centre pénitentiaire, elles ne bougèrent pas d'un pouce.

Le Corellien se tenait devant la prison en compagnie de Lando et de Mara Jade. Tous trois portaient des combinaisons isolantes taillées dans les... rideaux du *Lady Luck*. Il fallait ça pour se protéger de l'atmosphère corrosive de Kessel.

Mara parla, son souffle faisant onduler le masque respiratoire plaqué sur sa bouche.

— Nous pouvons mobiliser une unité d'assaut, s'il le faut. Sur la lune, nous disposons d'une force de frappe largement suffisante.

— Non ! cria Lando, les yeux brillant d'excitation et d'inquiétude. On doit entrer sans endommager mon quartier général !

Le vent sec et glacial cinglait les yeux de Solo, qui tourna la tête. Il se souvint de la manière dont il haletait quand Skynxnex, l'âme damnée de Moruth Doole, les avait traînés, Chewie et lui, dans les mines d'épices sans leur fournir d'appareils respiratoires. Pour l'heure, Solo aurait aimé déloger Moruth Doole de sa tanière, à coups de pied dans les fesses, si possible. Le voir haleter comme un phoque à cause du manque d'air eût été un spectacle de choix.

Les deux hommes, pour tout dire, avaient un contentieux remontant à l'époque où Solo trempait encore dans la contrebande. Doole avait trahi le Corellien, qui s'en était tiré de justesse en larguant une cargaison de glitterstim destinée à un certain... Jabba le Hutt.

Lequel avait mal pris la chose !

Se grattant la tête, Yan se demanda ce qu'il fichait sur Kessel. Bon sang, il aurait donné n'importe quoi pour être avec sa femme et ses enfants. Ou au moins avec son vieux copain Chewie ! Des vacances ! Voilà ce qu'il lui fallait. De délicieuses, longues et luxueuses vacances !

Pour une fois...

— J'ai une meilleure idée, dit Mara, arrachant le Corellien à sa rêverie. Tu te souviens de Ghent, notre « craqueur » ? Il était presque devenu le bras droit de Talon Karrde, tellement il lui était utile. Eh bien, il est venu avec moi, et il se trouve sur la base lunaire.

Yan se rappelait parfaitement le jeune garçon. Il n'existait pas d'ordinateur capable de résister face à ce génie de l'informatique. Enthousiaste et plutôt sympathique, le gosse avait un seul défaut : il ne savait jamais quand tenir sa langue.

Pour l'heure, ils n'avaient pas besoin d'un type bien élevé, mais d'un craqueur de codes.

— Vendu, dit Yan. Il n'a qu'à venir avec le *Faucon*. J'y garde quelques gadgets qui pourraient bien nous être utiles. Plus vite on en aura fini, plus vite je pourrai repartir !

— Je suis d'accord, dit Lando. Un moyen d'entrer sans tout casser est exactement ce que je cherche.

Mara fit la moue.

— Je demanderai aussi un commando d'assaut. Depuis que tous les contrebandiers nous sont alliés, certains ont des démangeaisons dans les poings. Que voulez-vous, on ne change pas d'un coup des années d'habitude. Une bonne bagarre fera des heureux...

Une heure plus tard, frigorifié malgré sa combinaison isolante, Yan Solo commençait à perdre patience. Dans le lointain, il apercevait les fumées de deux usines de fabrication d'air. Les colonnes blanches étaient tout ce qui bougeait dans cet univers de désolation. Du moins à la *surface*... Au cœur des galeries, il le savait d'expérience, erraient des araignées d'énergie géantes prêtes à engloutir toutes les créatures qui croisaient leur chemin.

Un bang supersonique tira le Corellien de ses souvenirs. Sondant le ciel, il aperçut la forme familière du *Faucon Millenium*.

Le vaisseau se posa près du *Lady Luck*. Quand le sas fut ouvert et la rampe dépliée, cinq contrebandiers s'y engagèrent. Deux grandes femmes musclées — de la garde de Mistryl —, un Whipide et un Trandoshéen aux allures de reptile ouvraient la marche. Un insigne de la Guilde sur la poitrine, ces costauds étaient armés jusqu'aux dents. Solo se demanda un court instant comment ils faisaient pour ne pas ployer sous le poids de leur quincaillerie.

Le cinquième personnage n'avait pas encore fini de se poser un masque sur le visage. Yan reconnut Ghent, avec ses yeux pétillants et ses cheveux en bataille.

Le jeune homme regarda un instant Mara, puis se concentra sur l'impressionnante porte.

— Ça devrait être du gâteau, dit-il, fouillant déjà dans le sac d'outils qu'il avait en bandoulière.

Mara Jade et Lando vinrent se placer à côté de Yan et regardèrent Ghent se mettre au travail, pas plus perturbé que ça par le paysage ravagé de Kessel.

— Si on m'avait dit que je dépenserais un jour autant d'énergie pour *entrer* dans une prison, soupira Yan.

Terré derrière une porte blindée dans les sous-sols de la prison, Moruth Doole pensait tristement au bon vieux temps. Comparé au calvaire qu'il subissait depuis des mois, vivre sous le joug impérial avait été une vraie sinécure.

Du temps de sa splendeur, l'ancien maître du centre pénitentiaire habitait de somptueux appartements, au sommet du bâtiment, d'où il pouvait observer jusqu'à plus soif le paysage environnant. Pour se distraire, il pouvait dévorer un de ses insectes ou choisir une prisonnière rybet dans son harem personnel.

Depuis l'attaque de Daala, Doole avait transféré ses pénates dans le quartier de haute sécurité. Conscient qu'on ne lui ficherait pas éternellement la paix, il préparait ses défenses, travaillant presque sans relâche.

Soudain la lumière baissa d'intensité et son champ de vision s'emplit d'ombres indéfinissables. Avec un soupir, Moruth Doole tapa du bout de l'index sur l'œil mécanique qui compensait ses problèmes d'acuité visuelle. Pendant la bataille spatiale de Kessel, le précieux petit appareil s'était brisé. Doole avait réussi à le rafistoler, mais ça n'était plus vraiment ça, et il se retrouvait aveugle de temps à autre.

Doole décida de faire un peu d'exercice. Arpentant la pierre froide du sol de la cellule qui lui tenait lieu d'appartement, il ne fut pas long à se plonger dans ses souvenirs.

Kessel avait été dévastée par les Impériaux. A la surface, il ne restait à peu près que des ruines, et des dizaines de carcasses de vaisseaux dérivaient un peu partout dans le système. Moruth n'avait pas pu trouver le moindre engin volant — fût-ce une semi-épave — pour s'enfuir. Il n'avait pourtant aucune envie de moisir dans la prison.

Mais comment faire autrement ?

Jusqu'aux larves aveugles qui devenaient turbulentes ! Ces grosses chenilles munies d'appendices effilés étaient idéales pour travailler dans les salles non éclairées, à cause de la sensibilité du glitterstim à la lumière. Doole s'en était occupé, il les avait nourries (pas trop, pour ralentir leur croissance, mais assez pour qu'elles survivent) et voilà qu'elles fichaient la pagaille.

Moruth tira sa langue de batracien et émit un son coassant. Ces larves ingrates étaient ses enfants, des Rybets immatures qui n'avaient pas encore connu leur métamorphose finale. En attendant, il leur offrait une activité passionnante — envelopper les épices dans un conditionnement opaque —, et elles se révoltaient ! De quoi vous dégoûter à tout jamais de faire le bien !

Pour compliquer les choses, une poignée de larves avait réussi à se libérer. Errant dans les couloirs sinueux de la prison, elles gîtaient dans les cellules les plus sombres, prêtes à attaquer leur maître s'il se risquait à partir à leur recherche.

Moruth Doole n'avait pas la moindre intention de tomber dans le panneau. Il avait en tête des soucis bien plus importants.

Néanmoins, la situation lui tapait sur les nerfs. D'autant qu'un des plus gros mâles de son cheptel s'était permis de libérer toutes les « pouliches » soigneusement sélectionnées pour son harem. A présent, elles erraient dans la prison, privant Moruth d'un de ses derniers plaisirs.

Ainsi son univers était-il réduit à sa plus simple expression. Enfermé dans sa cellule, le Rybet faisait les cent pas, s'ennuyait à mourir et crevait de peur dès qu'il lui fallait mettre un pied hors du QHS, armé jusqu'aux dents, pour aller renouveler ses réserves de nourriture.

Bien entendu, Moruth disposait d'une voie d'évasion — un tunnel qu'il s'était creusé à coups de blaster et qui débouchait dans les galeries.

Dans le réseau de mines, on pouvait marcher des semaines avant de revoir le jour, à supposer qu'on y parvienne. Mais à quoi bon prendre le risque, puisqu'il n'y avait pas moyen de quitter la planète ?

D'autant plus que les galeries, ces derniers temps, étaient devenues très dangereuses.

Après l'attaque de Daala, tous les mineurs avaient fui comme des rats pendant un naufrage. Débarrassées des gardiens, des ouvriers et du vacarme constant des machines, les araignées d'énergie étaient revenues tisser leur toile de glitterstim le long des parois. Utilisant des détecteurs d'énergie cinétique spéciaux, Doole avait constaté que les monstres se rapprochaient sans cesse de la surface.

Le Rybet s'assit sur sa couchette et inspira profondément l'air humide de la prison. En d'autres temps, cela l'eût réconforté, car ses poumons de batracien se délectaient des atmosphères croupies. Aujourd'hui, il était trop déprimé pour y faire attention.

Jetant un coup d'œil fatigué à son écran de contrôle — un équipement inhabituel dans une cellule de QHS —, il eut la surprise d'apercevoir un vaisseau posé devant la prison.

Un vaisseau ?

Grossissant l'image, le Rybet poussa un grognement. Même si tous les humains se ressemblaient, il aurait mis sa langue à couper qu'il connaissait l'homme occupé à frapper à la porte.

Yan Solo ! L'être vivant qu'il détestait le plus. Celui qui l'avait plongé dans tous ces ennuis.

Solo, un jour, je te ferai manger des larves, comme au précédent directeur de la prison...

Devant les portes, Yan regardait Ghent résoudre le problème avec son efficacité habituelle. Bien en peine de dire à quoi servaient les multiples dérivations, épissures et branchements que le gamin avait faits, le Corellien eût pu jurer une chose : ça allait marcher !

Et ça marcha, comme le lui indiqua le cri de triomphe du craqueur de codes.

Immédiatement après, les battants de la porte se

rétractèrent dans les murs. Une rafale d'air sous haute pression jaillit de la prison.

Les quatre contrebandiers épaulèrent leurs armes et mirent un genou à terre, prêts à faire feu. Voyant que rien ne se produisait, les deux gardes de Mistryl se relevèrent et se mirent en chemin. Le massif Whipide et le Trandoshéen les suivirent.

— Allons trouver ce chacal de Moruth Doole ! lança Yan.

Aucune option n'était séduisante, mais le Rybet devait faire un choix. Yan Solo, ses amis et leurs porte-flingue venaient de faire irruption dans la prison.

Et dire qu'on la tenait pour la plus inexpugnable de la galaxie !

Doole n'avait pas la moindre idée du mode d'emploi des systèmes de défense intégrés, qu'il s'agisse des canons-laser ou du champ désintégrateur. Sans son bras droit, Skynxnex, il était impuissant. Hélas, ce triple crétin avait trouvé malin de se faire tuer pendant qu'il poursuivait Solo dans les galeries.

Pauvre idiot ! A son âge, aller se faire dévorer par une araignée d'énergie !

Au terme de sa réflexion, Doole avait conclu qu'il ne lui restait plus qu'une chance : se fier à ses enfants, les larves aveugles qu'il maintenait dans l'obscurité depuis l'instant où elles s'extirpaient de la masse gélatineuse des œufs conservés dans la nursery jouxtant le harem.

Doole s'enfonça dans les couloirs, prenant au passage dans l'armurerie toutes les armes qu'il était capable de porter. Il les rangea dans deux sacs.

Quand il ouvrit les portes de la salle de travail, la lumière s'y engouffra. Exposées pour la première fois à la chaleur, les larves reculèrent, leurs yeux aveugles exorbités tandis qu'elles tentaient de déterminer qui était leur visiteur.

— C'est moi, les enfants, c'est moi...

Doole sélectionna les chenilles qui lui paraissaient les plus en forme et les poussa dans les couloirs. Son plan était simple : en faire les gardiennes de sa position retranchée. Etant aveugles, il doutait qu'elles fassent souvent mouche, mais il espérait qu'elles tireraient avec enthousiasme une fois qu'il leur en aurait donné l'ordre. Avec un feu assez nourri, qui sait si Solo et ses amis ne seraient pas tués ?

Ça n'était pas le plan le plus génial du monde, mais faute de mieux...

Tandis qu'il faisait avancer les larves devant lui, Doole sentit une odeur musquée qui ne trompait pas. Les Rybets immatures avaient peur, car ils détestaient le changement. Jusqu'à l'âge adulte, son peuple était assez lamentable, il fallait bien l'avouer. Une fois acquises l'intelligence et la conscience, c'était une autre affaire. Doole en était la preuve vivante !

Distrait par ses pensées, il sursauta quand des cris aigus retentirent, provenant de trois cellules proches.

Sans crier gare, plusieurs des femelles de son ancien harem jaillirent et attaquèrent, jetant sur la petite troupe tout ce qui leur tombait sous la main.

Doole évita les échardes de plastacier, les couteaux de cuisine et les lourds presse-papiers qui convergeaient sur lui. Il essaya de dégainer un blaster, mais une cruche le percuta du côté sensible de son crâne.

Laissant tomber un de ses sacs, il sprinta dans le couloir en agitant les bras.

Une partie des larves le suivirent, d'autres choisissant de rester avec leurs mères. Le Rybet s'en fichait, car il n'avait qu'une idée : réintégrer au plus vite sa cellule.

Une fois arrivé au QHS, il referma la porte derrière lui et distribua ses blasters aux six défenseurs potentiels qu'il avait laissés entrer.

— Braquez-les dans la direction d'où viendra le

bruit. Quand ils auront fait sauter la porte, ouvrez le feu. Pour ça, il faut appuyer sur ce gros bouton...

Les chenilles promenèrent leurs tentacules le long des canons des armes.

— On vise et on tire, c'est pourtant simple ! s'énerva Doole en plaçant les blasters dans leurs embryons de mains.

Soudain, son œil mécanique tomba en panne, le laissant dans l'obscurité totale.

Le Rybet grogna de terreur.

Le tunnel d'évasion n'était peut-être pas une si mauvaise idée.

Un drôle de sentiment au creux de l'estomac, Yan Solo courait dans les couloirs de la prison. Le bâtiment était hanté par des ombres glaciales, le bruit de ses pas ressemblant à un glas.

Dans son comlink, la voix de Mara Jade dit :

— Solo, nous l'avons trouvé. Il s'est barricadé dans le quartier de haute sécurité. Nous l'avons vu sur les écrans de surveillance. Il a des créatures armées avec lui.

— Je viens, dit Yan.

Quand il arriva, le Corellien constata que les deux gardes de Mistryl étaient en train de fixer des détonateurs à concussion sur une porte blindée.

Mara surveillait les opérations ; Calrissian, lui, s'énervait tout seul.

— Ne cassez rien de plus que le strict nécessaire, marmonnait-il. J'aurai déjà assez de frais de réparation comme ça...

Bien entendu, les deux femmes se fichaient comme d'une guigne de ses commentaires. Leur travail achevé, elles s'éloignèrent, rentrèrent la tête dans les épaules et se bouchèrent les oreilles.

De l'autre côté de la porte, des tirs de blaster résonnèrent. A l'écho, Yan estima qu'ils ricochaient contre les murs.

218

— Pas encore, tas de crétins ! piailla une voix que le Corellien reconnut sans peine.

Moruth Doole !

Les détonateurs explosèrent, soufflant la partie inférieure de la porte blindée. Le Whipide se précipita. D'un coup d'épaule, il acheva le travail.

— Attention ! cria Mara.

Le Whipide s'écarta, évitant les décharges de blaster des larves, qui se précipitaient dans le couloir en tirant à l'aveuglette.

— Massacrez-les ! beugla Doole.

Une initiative malheureuse, car les larves, entendant sa voix, firent volte-face et le canardèrent. Vif comme l'éclair, il parvint à se mettre à l'abri derrière une plaque de blindage.

— Pas moi !

Le Trandoshéen ouvrit le feu. En bon professionnel, il descendit deux larves comme à la parade et parvint à entrer dans la cellule. Avant que ses compagnons puissent le suivre, une explosion retentit. Yan, Mara et les deux gardes de Mistryl profitèrent de la diversion pour avancer en force. Yan abattit une troisième larve au moment où le plafond s'écroulait à demi.

Ivre du désir de se venger, plusieurs femmes rybets tombèrent du ciel et atterrirent dans les appartements privés de Doole. Armées de blasters — le sac perdu par Moruth —, elles ouvrirent immédiatement le feu sur le refuge de leur Némésis.

Les larves aveugles pointèrent d'abord leurs armes sur les assaillantes. Puis, comme si elles avaient communiqué avec leurs mères, elles les retournèrent contre Doole.

— Arrêtez ! Arrêtez ! cria ce dernier.

Au côté de Lando, Yan se faisait aussi petit que possible, car il ne désirait pas se mêler à une guerre civile. Doole fut bientôt obligé de lâcher son bouclier surchauffé. Sautant de son orbite, son œil mécanique tomba sur le sol, où il se brisa.

Alors le Rybet appuya sur un bouton caché dans le mur. Une trappe s'ouvrit à ses pieds. Sans hésiter une seconde, Doole s'engouffra dans son tunnel d'évasion.

— Poursuivons-le ! cria Lando. Il faut l'arrêter avant qu'il ne fasse n'importe quoi dans mes mines.

Les larves survivantes avancèrent comme si elles voulaient elles aussi plonger dans le tunnel, que ce fût pour suivre Doole ou pour le traquer. Leurs mères les en empêchèrent avec de petits cris.

Yan s'aperçut qu'elles dévisageaient avec appréhension les contrebandiers.

Il n'avait pas le temps de jouer les diplomates ! Se précipitant vers la trappe, il s'agenouilla et plongea la tête dans l'obscurité.

Les pas du fuyard s'entendaient encore très nettement.

Yan se releva. Les larves approchèrent et tirèrent plusieurs fois dans le trou, comme si elles avaient pu atteindre leur bourreau.

— Le glitterstim ! cria Lando. Il ne lui faut pas de lumière.

Yan tendit l'oreille et capta un nouveau bruit qui lui glaça le sang. Ce n'était pas très fort, mais on eût dit que des centaines de pattes raclaient la pierre.

Les araignées d'énergie approchaient, attirées par la chaleur corporelle d'une créature vivante.

Les pas de Doole résonnaient d'une manière étrange, un peu comme s'il avait tourné en rond.

Les raclements se firent de plus en plus nombreux. Une véritable colonie d'araignées d'énergie vivait là-dessous. Après une longue disette, elles sentaient de nouveau la présence d'une proie.

Un cri inhumain retentit ; le bruit de la course du Rybet mourut.

Le silence retomba. Les araignées d'énergie avaient un festin devant elles.

S'ébrouant, Solo referma la trappe et s'assura

qu'elle était verrouillée. Inutile que les araignées viennent errer dans les couloirs de la prison.

Le Corellien s'assit sur le sol, le cœur battant. Les contrebandiers semblaient satisfaits d'avoir remporté la victoire. Le Whipide s'adossa à une paroi, les bras croisés sur la poitrine.

— Une bonne chasse, hein ?

Le Trandoshéen regardait autour de lui. Sans doute cherchait-il quelque chose à manger.

Les femmes rybets s'occupèrent de leurs petits, soignant les blessés et pleurant les morts.

Lando vint s'asseoir à côté de Yan.

— Eh bien, monsieur le P-DG, tu vas pouvoir lancer ta restructuration...

Yan, Lando et Mara regagnèrent le *Faucon* et reprirent le chemin de la lune. Jade et Calrissian se parlaient plus facilement à présent que l'ami de Solo ne faisait plus le joli cœur à tout bout de champ. Mara avait même cessé d'éviter le regard de son interlocuteur, et elle ne levait plus un menton hautain chaque fois qu'il disait un mot. Au contraire, elle lui répéta plusieurs fois que le *Lady Luck* ne risquait rien derrière le champ de force de la prison.

Lando semblait à moitié convaincu, mais il ne voulait pas contredire l'objet de sa flamme.

— Nous allons devoir remplir un tas de papiers, lui dit Mara. J'ai tous les contrats dans mes bagages, à la base. On peut s'acquitter à l'amiable des formalités, mais il y aura quand même des tonnes de formulaires à signer et autant de documents à contrôler.

— Nous signerons et nous contrôlerons ! s'enthousiasma Lando. Je veux que cette association soit longue et prospère. Pour commencer, nous devrons réfléchir ensemble au meilleur moyen de reprendre la production. C'est dans notre intérêt commun, n'est-ce pas ? D'autant que je vais devoir investir une fortune dans l'affaire. Il faut recommencer à vendre au plus vite...

Yan écoutait la conversation de ses amis d'une oreille distraite.

Rentrer chez moi, voilà ce que je veux ! Plus de détours par l'une où l'autre planète...

Le *Faucon* venait de quitter l'atmosphère de Kessel quand un appel de la base retentit dans les haut-parleurs.

— Attention ! Un grand vaisseau approche du système. Et quand je dis *grand*, ça n'est pas une figure de style !

Yan ne perdit pas un instant.

— Lando, balayage senseurs !

Calrissian s'exécuta. Il releva la tête, les yeux écarquillés.

— *Grand* est un sacré euphémisme, souffla-t-il.

Yan apercevait déjà l'objet à travers le cockpit en plastacier. Il avait la taille d'une petite lune.

— Une Etoile Noire...

Les réparations avaient pris plus longtemps que prévu, plongeant Tol Sivron dans la frustration. Aujourd'hui, le prototype était enfin prêt à attaquer le système solaire le plus proche.

Sivron tourna la tête, ravi d'entendre le capitaine des commandos donner les ordres idoines. La délégation des responsabilités était la clé de voûte du commandement. Bref, le Twi'lek adorait être assis dans son fauteuil pendant que les autres se tapaient le boulot.

Doxin prit la parole :

— La cible est en vue, directeur Sivron.

— Parfait, fit Tol, observant avec intérêt la planète et son satellite.

— Je relève une activité spatiale significative, dit Yemm. J'enregistre tous ces détails pour la postérité, avec mes commentaires. Nous aurons besoin de rapports précis pour remplir un mémo sur les performances du prototype.

— La cible est une base rebelle, dit Sivron, ça ne fait pas de doute. Réfléchissez à sa position. C'est sûrement de là que venait notre prisonnier, Yan Solo.

— Comment pouvez-vous en être si sûr ? demanda Golanda.

Impatient, Sivron fit un geste de la main.

— Nous devons essayer cette Etoile Noire, oui ou non ? Une cible se propose à nous. Pourquoi ne serait-elle pas une base rebelle ?

— La base lunaire émet des messages d'alarme. Il doit bien s'agir d'une installation militaire, dit le capitaine des commandos.

Plusieurs navires fort bien armés venaient à l'instant de quitter la lune pour orbiter autour de la planète.

— Ils ne peuvent rien contre nous, dit Sivron, pas même fuir. Tirez dès que vous serez prêts. (Il sourit, dévoilant ses dents pointues.) J'ai un très bon pressentiment.

— Je n'avais jamais rêvé de voir cette arme en action, dit Doxin, aux anges.

— Elle n'a jamais été étalonnée, rappela Golanda, plutôt sombre.

— Nous allons utiliser un superlaser antiplanétaire. Pourquoi diable aurait-il fallu l'étalonner ? objecta Doxin.

— Procédure de visée engagée, dit le capitaine des commandos.

Dans les puits de tir, ses hommes, après avoir compulsé le manuel d'utilisation, allaient jouer le rôle de canonniers.

— Pourquoi est-ce si long ? s'impatienta Sivron.

Comme pour lui répondre, les lumières de la passerelle baissèrent, indiquant que toute l'énergie, ou presque, était concentrée sur l'armement.

Les rayons du superlaser déchirèrent l'espace et leur cible ne fut bientôt plus qu'une boule de feu.

Tol Sivron applaudit.

Yemm nota avec application.

Doxin poussa un cri de triomphe.

— Manqué ! lâcha Golanda.

Tol Sivron plissa les yeux.

— Plaît-il ?

— Vous avez touché la lune, pas la planète.

Le directeur dut reconnaître qu'elle avait raison. La planète était toujours entière.

Les vaisseaux qui avaient fui le satellite ressemblaient à un vol d'oiseaux affolés.

Le directeur fit un nouveau geste de la main. Cette fois, on eût dit qu'il chassait une mouche.

— Ça n'est qu'un détail. La cible n'était qu'un détail. A présent, nous savons que le prototype est fonctionnel. Les rapports ne mentaient pas... (Il prit une grande inspiration.) L'heure est venue de nous servir de cette arme, messieurs.

CHAPITRE XXIX

Leia était stupéfaite que Mon Mothma s'accroche encore à la vie. Bouleversée, elle était penchée sur le lit de mort de la présidente, les yeux errant sur la multitude d'appareils médicaux qui refusaient de la laisser s'éteindre.

Au Sénat, sur Alderaan, la femme aux cheveux auburn avait été une des plus brillantes et farouches adversaires de son père. A présent, elle ne pouvait même plus tenir debout. Sa peau était grise et transparente, si fine qu'on eût dit du parchemin tendu sur un canevas d'os.

Pour lever les paupières, il lui fallut consentir à un effort surhumain, ses yeux ayant besoin d'un long moment pour se fixer sur sa visiteuse.

Leia sentit son cœur se serrer. Elle tendit une main pour caresser le bras de l'agonisante, à peine un frôlement, pour ne pas lui briser un os.

— Leia... Tu es venue...

— Bien sûr, puisque vous m'avez demandée...

Après l'avoir déposée sur Coruscant avec les jumeaux, Yan était reparti, pestant contre Lando, mais jurant qu'il serait de retour dans quelques jours. *In petto*, Leia s'était dit qu'elle croirait à ce genre de promesse le jour où les poules auraient des dents.

— Tes enfants... sont en sécurité ?

— Oui. Winter reste ici pour les protéger. Plus personne ne me les enlèvera.

Bientôt, Leia serait plus occupée que jamais, voyant de moins en moins Yan et ses petits. Un bref instant, elle envia le train-train quotidien des fonctionnaires, qui rentraient chez eux tous les soirs, et tant pis s'il fallait laisser du travail pour le lendemain ! Mais elle était une Jedi, et son père se nommait Bail Organa. Faite pour une grande destinée, elle ne pouvait renoncer à ses responsabilités, qu'elles fussent publiques ou privées.

La jeune femme prit une profonde inspiration et fit la moue, les narines agressées par toutes ces odeurs d'hôpital.

Elle se sentait tellement impuissante. Face au combat sans espoir que menait Mon Mothma contre le poison, sa joie d'avoir vaincu les Impériaux et récupéré son fils pâlissait.

A peine se consolait-elle en pensant que l'ambassadeur Furgan n'était plus là pour se réjouir du drame.

— J'ai... fait... parvenir ma démission... au Conseil.

Leia comprit que se récrier eût été indécent. Mon Mothma avait pris la bonne décision. Il fallait réagir comme la présidente le lui avait appris : en pensant d'abord aux intérêts de la Nouvelle République.

— Que va-t-il advenir du gouvernement ? demanda Leia. Les Conseillers vont-ils passer leur temps à se manger le nez et à ne rien accomplir faute de trouver un consensus ? Qui vous remplacera ?

Mon Mothma essaya de sourire.

— *Toi*, Leia. Tu es le meilleur choix...

La princesse en resta bouche bée, mais l'agonisante continua :

— Oui... Pendant que tu étais absente, le Conseil s'est réuni pour discuter de l'avenir. Ma démission n'a surpris personne. Tu as été choisie pour me remplacer, à l'unanimité.

— Mais, commença Leia.

226

Son cœur s'affolait, son cerveau refusait de fonctionner. Elle ne s'était pas attendue à ça. Tout au moins, pas maintenant. Peut-être après une ou deux décennies de plus de bons et loyaux services.

— Tu seras la nouvelle présidente, Leia. S'il me restait un peu de mes forces, c'est à toi que je les donnerais. Tu en auras besoin pour défendre la Nouvelle République contre ses ennemis... et contre elle-même.

Mon Mothma ferma les yeux et serra la main de Leia avec une force surprenante.

— Où que je sois, je ne te quitterai pas, mon enfant...

Incapable de dire un mot, Leia resta au chevet de la mourante, sa main dans la sienne.

CHAPITRE XXX

Dans le Complexe de la Gueule, un des hommes de Wedge s'était assez familiarisé avec les systèmes pour déclencher l'alerte. Dans l'intercom, une voix criait :

— Alerte rouge ! Un destroyer impérial est entré dans le secteur. Alerte rouge ! Tout le monde aux postes de combat.

Antilles et Qwi Xux venaient juste d'apercevoir le *Gorgone* à travers la baie d'observation de l'ancien laboratoire de la jeune femme. Le gigantesque vaisseau avait pris position à portée de tir du groupe de planétoïdes.

— Mon Dieu ! gémit 6PO. Moi qui croyais que nous étions en sécurité ici.

Wedge prit la main de Qwi.

— Viens. Allons dans la salle de contrôle.

Ils coururent dans les couloirs, Qwi faisant de son mieux pour se souvenir du chemin, mais n'y parvenant pas toujours.

Ses servomoteurs tournant au maximum, 6PO les suivait avec quelque difficulté.

— Attendez-moi ! Oh ! pourquoi faut-il toujours que les choses tournent à la catastrophe ?

Une fois dans la salle, Wedge fut soulagé de voir qu'une dizaine de ses hommes l'avaient précédé, s'occupant déjà de prendre possession des consoles. Une partie des ordinateurs étaient en panne, mais l'essentiel de l'équipement fonctionnait, les senseurs crachant un flot de données sur les écrans.

Wedge posa les mains sur les épaules de Qwi et l'attira contre lui, rivant son regard sur le sien.

— Qwi, essaie de te rappeler ! De quelles défenses dispose le Complexe ?

La jeune femme indiqua du doigt le navire visible sur l'écran principal.

— Voilà les seules défenses du centre, dit-elle. Nous dépendions entièrement de la flotte de l'amirale Daala.

Elle s'approcha d'une des consoles éteintes et utilisa son clavier musical pour y introduire son code personnel. Avec un peu de chance, elle pourrait passer outre les circuits endommagés et entrer dans un des programmes maîtres.

— Nous avons cependant des boucliers, expliqua la scientifique. Il faudrait augmenter leur puissance.

Cinq techniciens vinrent l'aider. S'ils parvenaient à accéder aux commandes des générateurs, dériver la puissance vers les boucliers serait un jeu d'enfant.

Au bout d'un moment, un des hommes dit :

— C'est fait ! Ils peuvent venir, nous aurons de quoi résister à un assaut. Mais... général, je n'aime pas ça du tout. Le réacteur principal est déjà instable, et nous lui demandons un effort considérable. Ça revient peut-être à signer notre arrêt de mort.

Wedge interrogea Qwi du regard, puis se tourna vers ses subordonnés.

— Si on ne fait rien, c'est la mort dans les minutes qui viennent... Nous avons pris tout ce qui avait de l'intérêt. Préparez les vaisseaux. Je crois que l'heure est venue de quitter le Complexe.

— Daala ne nous laissera pas faire, s'inquiéta Qwi. Nous avons découvert trop de secrets.

Soudain, Wedge écarquilla les yeux. Il venait de se souvenir d'un affreux détail.

— Bon sang, nous avons pris le système de refroidissement d'une corvette pour pallier la panne des générateurs ! Un de mes vaisseaux est immobilisé !

Il s'approcha de la console des communications et appela la corvette en question.

— Capitaine Ortola, tous vos chasseurs doivent rejoindre le hangar du *Yavaris*. Evacuer aussi votre équipage. Sans propulsion, vous êtes une cible de choix !

— Bien compris, monsieur, dit l'officier.

Sur l'écran principal trapézoïdal, au fond de la pièce, s'afficha le visage de l'amirale Daala. Ses yeux semblaient des lasers jumelés pointés sur le cœur de Wedge.

— Vermine de Rebelles, vous ne quitterez pas la Gueule vivants ! A cause de vous, ce centre de recherches ne sert plus à rien à l'Empire. Inutile d'essayer de vous rendre... Je veux vous détruire !

L'Impériale coupa la communication avant qu'Antilles ait pu répondre. Le cœur battant la chamade, le général se tourna vers Qwi :

— Tu es sûre qu'il n'y a aucune arme à notre disposition ? Bon sang, ça paraît impossible...

— Attends ! s'exclama la scientifique. Chewbacca et une équipe d'élite sont allés libérer les esclaves wookies. Dans le hangar où ils travaillaient, il y avait toujours plusieurs navettes d'assaut en réparation, et même des chasseurs. Tu crois que ça pourrait nous être utile ?

Un des hommes de Wedge claqua des doigts.

— Des navettes d'assaut ? De la classe gamma, je suppose ? (Qwi acquiesça.) Ça n'a rien d'extraordinaire, mais le blindage et l'armement sont corrects. Je dirais que ça vaut une bonne dizaine de nos chasseurs. Une force d'appoint à ne pas négliger... Daala n'a plus qu'un vaisseau, mais sa puissance de feu reste largement supérieure à celle de notre flotte.

L'homme baissa les yeux sur la liste affichée sur un écran.

— C'est bien ce que je craignais, général. Ce sont de vieux modèles. Il faut un astrodroïd pour les piloter, en particulier dans un environnement aussi délicat. On devrait pouvoir se débrouiller avec un seul robot relié à tous les systèmes de navigation.

A cet instant, dans un grand bruit de ferraille, 6PO entra dans la salle de contrôle.

— Ah ! je vous retrouve enfin, soupira-t-il.

Tous les regards se tournèrent vers le droïd, qui en eût frémi s'il l'avait pu.

6PO avançait en gesticulant, négociant avec peine la rampe abrupte qui donnait accès au hangar des navettes.

— J'aimerais bien savoir pourquoi tout le monde me traite comme si j'étais un vulgaire objet !

Chewie lui répondit d'un grognement. Le droïd doré s'indigna de plus belle.

— Ça n'a rien à voir ! En réalité, je...

Le Wookie s'empara du droïd et le porta jusqu'au pied de la rampe d'embarquement d'une navette. Les Wookies et les hommes de la Nouvelle République s'affairaient autour des cinq engins restant dans le hangar. Entretenus par les prisonniers, tous étaient en parfait état de marche.

Des bruits sourds indiquèrent que l'amirale Daala avait ouvert le feu. Chewie et ses compatriotes regardèrent le plafond en poussant des grognements sauvages.

Un peu de poussière leur tomba sur le crâne.

— Je sais que je regretterai de m'être laissé embarquer dans cette histoire, grommela 6PO. Je ne suis pas fait pour ce genre de travail. Je peux servir d'ordinateur de navigation, à la rigueur. Mais je ne connais rien en tactique militaire, et...

Chewie l'ignora et commença à gravir la rampe. Voyant que ses jérémiades n'avaient pas d'effet, le droïd le suivit.

— Mais comme je dis toujours, pour autant que je suis utile...

Les autres Wookies, y compris le vieux Nawruun, prirent place aux postes de combat, prêts à réduire en miettes les chasseurs Tie.

Chewie s'assit dans le fauteuil de commandement de la navette — trop petit pour lui, comme toujours — et fit signe au droïd de prendre place à côté de lui.

— Eh bien, puisque tu y tiens, dit le 6PO en se laissant tomber dans le siège du copilote.

Il commença à inspecter l'ordinateur, tentant de déterminer le meilleur moyen de communiquer avec lui.

D'autres explosions retentirent, signe que l'attaque de Daala se faisait plus violente. Bientôt, assourdi par le bruit des moteurs, Chewie ne les entendit plus.

Le Wookie activa les répulseurs de la navette, qui s'éleva d'un bon mètre au-dessus du sol. De main de maître, il la guida à l'intérieur du corridor de lancement, les autres engins le suivant. Derrière eux, le champ de force retenant l'atmosphère se leva. Presque aussitôt, les portes donnant sur l'espace s'ouvrirent.

6PO était connecté aux ordinateurs de navigation des cinq navettes, qui se lancèrent dans le vide les unes derrière les autres.

— C'est une expérience assez excitante, commenta le droïd.

Chewie poussa son appareil au maximum. Dans l'espace, des essaims d'ailes B se préparaient à défendre le Complexe. Le *Yavaris* avait ouvert le feu sur le *Gorgone*, qui n'en continuait pas moins à canarder les boucliers des planétoïdes.

Des chasseurs Tie s'apprêtaient à entrer dans la danse.

Chewie activa l'armement de la navette, 6PO se connectant au programme tactique préétabli.

Comme un vol d'oiseaux pêcheurs, les cinq navettes

plongèrent au cœur de la bataille spatiale qui faisait déjà rage.

— Misère ! gémit le droïd doré.

CHAPITRE XXXI

Quand on sonna à la porte de ses quartiers du nouveau Palais Impérial, Leia eut besoin d'un moment
pour réaliser qu'on était au milieu de la nuit. Un
instant, elle imagina que Yan était de retour de Kessel, un gros bouquet entre les bras.

Ouvrant la porte, elle découvrit la silhouette familière de son frère.

— Luke ? Quand es-tu arrivé sur Coruscant ?

Du coin de l'œil, la jeune femme aperçut une
deuxième silhouette, un peu en retrait dans le couloir.
Plissant les yeux, Leia reconnut Kyp Durron. Mais il
avait changé, ne ressemblant plus à l'adolescent
impulsif que Yan avait sauvé des mines d'épices de
Kessel.

— Oh... Kyp, dit la mère des jumeaux d'une voix
dépourvue de chaleur.

Voir le jeune homme la rendait nerveuse. Bien sûr,
il avait été un des meilleurs amis de Yan — et un
compagnon des plus agréables — mais, depuis, il
s'était commis avec le Côté Obscur, accomplissant
des actes affreux.

Son visage portait les stigmates de toutes ces horreurs, qu'il avait au moins autant subies que provo-
quées. Bien des années plus tôt, Leia avait vu un
regard comparable.

Celui de Luke, après qu'il eut appris que Dark

Vador était son père. Comme son professeur, Durron avait voyagé jusqu'au bout de l'enfer.

Un petit droïd messager passa dans le couloir, forçant Luke et Kyp à se plaquer contre le mur. Confuse, Leia se souvint des règles élémentaires de la politesse.

— Mais entrez, je vous en prie...

Sortant de la chambre, Winter apparut, vêtue d'une simple chemise de nuit. Néanmoins, elle paraissait prête à passer l'action si quiconque menaçait les enfants.

— Mes salutations, maître Skywalker, fit-elle.

— Bonjour, Winter, répondit le Jedi.

L'amie de Leia fit volte-face.

— Je vais voir si les petits dorment bien, dit-elle.

Elle s'en fut, marchant sans un bruit.

Leia regarda de nouveau ses visiteurs. Elle n'avait pas l'esprit bien clair, sans doute pour avoir trop négocié, la veille, avec des Conseillers qui ne voulaient rien entendre. De plus, elle avalait trop de boissons stimulantes et manquait chroniquement de sommeil.

Luke referma la porte derrière lui. Un bref instant, Leia se souvint du jour où, dans cette même pièce, il avait essayé de débloquer les pouvoirs de Jedi de sa sœur.

Ce soir, il semblait avoir d'autres soucis en tête.

— Yan est là ? demanda Durron.

La princesse remarqua qu'il portait toujours la cape noire que son mari lui avait offerte. Elle comprit que le vêtement était devenu un symbole pour le jeune homme. L'image de ce qu'il pourrait devenir un jour.

— Il est parti sur Kessel avec Calrissian, qui veut reprendre les mines d'épices.

Kyp parut interloqué. Luke s'assit dans un fauteuil, croisa les doigts et regarda sa sœur.

— Leia, nous avons besoin de ton aide.

— Oui, je m'en doutais, répondit la jeune femme,

non sans ironie. Je ferai tout mon possible, bien sûr. Que puis-je pour toi ?

— Kyp et moi sommes... réconciliés. Il a le potentiel pour devenir le meilleur de mes élèves, mais il doit faire encore une chose pour que je le considère vraiment comme... hum... guéri...

Leia déglutit avec peine, redoutant la suite.

— Et de quelle chose s'agit-il ?

— Le Broyeur de Soleil doit être détruit. Personne ne dit le contraire dans la Nouvelle République. Mais Kyp doit s'en charger lui-même.

Leia en resta quelque peu sonnée.

— Mais... comment peut-il faire ? D'après ce qu'on sait, cette arme est indestructible. Kyp a même pu la récupérer au cœur d'une planète gazeuse. L'eût-on jeté dans un soleil que ça n'aurait pas fait une grande différence.

Kyp acquiesça.

— Exact. Je n'aurais pas eu plus de difficulté...

— Alors, que faire ? demanda Leia.

— Nous allons retourner dans la Gueule avec le Broyeur. Kyp activera le pilote automatique et il précipitera l'arme dans un trou noir. Blindage spécial ou pas, c'en sera fini. Il n'existe pas de meilleur moyen de débarrasser notre univers de quelque chose.

Kyp intervint.

— Le Broyeur de Soleil doit être mis hors de portée de l'Empire *et* de la République. J'ai... hum... Le docteur Xux ne se souvient plus des spécifications... La galaxie n'aura plus besoin de redouter cette affreuse menace.

Les yeux du jeune homme brillèrent de nouveau, la fierté et la détermination chassant la culpabilité.

Luke lui posa une main sur le bras et prit le relais.

— Leia, tu es la nouvelle présidente. Tu as le pouvoir de nous aider. Et tu sais que j'ai raison !

Leia secoua la tête, déjà accablée par la bataille diplomatique qu'elle allait devoir livrer.

— Les discussions vont être chaudes... La majorité des Conseillers refusera de laisser Kyp approcher de nouveau du Broyeur. Comment l'empêcher de recommencer à pulvériser des systèmes solaires ? Pouvons-nous prendre ce risque ?

— Il faut que les Conseillers jouent le jeu. Cela doit être fait. Et je serai avec lui.

Leia se mordit les lèvres. Son frère pouvait être si convaincant.

— As-tu conscience de ce que tu me demandes ?

— Leia, tout comme j'ai combattu notre père, c'est une épreuve que Kyp doit affronter. S'il la réussit, il sera le meilleur Jedi de sa génération. Dis-le aux Conseillers.

— Très bien. Je vais essayer.

Kyp osa une nouvelle interruption :

— Il ne faut pas essayer, mais agir ou ne pas agir. (Avec un sourire, il désigna Luke.) En tout cas, c'est ce qu'il nous répète tout le temps.

CHAPITRE XXXII

Agrippé aux commandes du *Faucon*, Yan Solo serra les dents quand l'Etoile Noire pulvérisa la lune de Yavin 4.

— Bon sang, s'écria Lando, c'était *ma* base lunaire ! D'abord Moruth Doole, puis une Etoile Noire. Cette affaire tourne décidément à la catastrophe.

Le visage dur, Mara Jade se pencha entre les deux sièges et cria dans le micro :

— Ici Mara Jade. Tous les vaisseaux au rapport ! Combien avons-nous de perte ? L'ordre d'évacuation est-il arrivé assez tôt ?

La voix imperturbable d'une guerrière de Mistryl lui répondit :

— Affirmatif, commander Jade. Nous avons réagi dès l'apparition de l'ennemi. Deux vaisseaux seulement n'ont pas réussi à décoller. Un troisième a été heurté par des débris... et détruit.

— Ainsi, il nous reste encore une force de frappe.

— Une force de frappe ? ricana Yan. Contre ce monstre ? Bon sang, c'est une Etoile Noire, pas un cargo.

A travers le cockpit en plastacier, le Corellien voyait le prototype tourner autour de Kessel comme un vautour qui a senti une charogne.

— Yan, plaida Lando, nous devons faire quelque chose avant que les Impériaux ne désintègrent aussi la planète. Pense à tout le glitterstim qui nous attend dans les galeries.

Mara se pencha de nouveau sur le micro.

— Formation d'attaque, dit-elle. Nous allons détruire cette Etoile Noire. (Elle se tourna vers Yan et baissa la voix :) Si c'est vraiment un prototype, ses défenses seront lacunaires. Pas d'escadre de chasseurs Tie, ni de turbolasers. C'est ce qui a causé le plus de dégâts à nos forces, non ?

— Pas tout à fait, dit Lando. La deuxième Etoile Noire a utilisé ses superlasers sur quelques-uns de nos plus gros navires.

Mara réfléchit un moment.

— Alors, il nous suffira de les tenir occupés pour qu'ils ne s'en prennent pas à la planète. Les turbolasers doivent être assez peu efficaces contre les petits navires.

— Je ne parierais pas ma chemise là-dessus, marmonna Calrissian.

— Au diable les probabilités ! lança Yan en se préparant à passer à l'assaut.

— Pourquoi faut-il toujours que ça me tombe dessus ? gémit Lando. Je suis vraiment le pigeon idéal pour les causes perdues.

Le *Faucon Millenium* se glissa à la pointe de la formation d'attaque des contrebandiers. Yan fut impressionné de voir avec quelle précision manœuvraient les pilotes. On eût dit des militaires entraînés à la perfection.

Ces types devaient avoir un sacré respect pour Mara Jade, songea le Corellien. En règle générale, les contrebandiers ne prenaient d'ordres de personne.

Un des vaisseaux d'attaque vint se placer à côté du *Faucon*. C'était un Z-95, le type de navire que Mara elle-même aimait utiliser.

La voix du pilote retentit dans les haut-parleurs.

— Ici Kithra. *Faucon*, prenez la tête de notre

formation. Je me charge du flanc droit, et Shana du gauche. Nous frapperons ensemble l'Etoile Noire.

Yan reconnut la voix quelque peu pontifiante d'une guerrière de Mistryl. Il se demanda combien Mara en avait amené avec elle.

— Message reçu, Kithra, dit Jade. (Elle tourna la tête vers Yan.) Alors, Solo, prêt à diriger l'attaque ?

— Je n'ai jamais eu l'intention de lancer le *Faucon* à l'assaut d'une Etoile Noire. J'étais juste venu déposer Lando sur Kessel.

— Pense à l'attaque comme à un bonus.

— Dépêche-toi un peu, Yan, s'impatienta Lando, avant que l'ennemi ne fasse un carton sur nous !

— Heureusement que Leia n'est pas là, grogna le Corellien. Elle m'incendierait de me voir faire l'idiot comme ça !

Alors que le trio de vaisseaux approchait de son objectif, les turbolasers firent feu, manquant d'un cheveu le Z-95 de Kithra.

— Boucliers au maximum ! cria Yan. Tant pis si ça risque de ne pas servir à grand-chose.

A tout hasard, il tira trois torpilles à protons qui firent autant d'effet qu'une caresse à l'Etoile Noire.

— Il nous faudra un an pour percer la coque de ce truc, se lamenta Solo.

— Ai-je jamais dit que ce serait facile ? railla Mara Jade.

Les tentacules crâniens de Tol Sivron s'agitaient, indice d'une profonde irritation. Comment ces moustiques, avec leur ridicule armement, osaient-ils s'en prendre à son précieux prototype ?

— Que croient-ils donc faire ? marmonna-t-il.

Le capitaine des commandos répondit aussitôt :

— Si je puis me permettre, directeur, ne perdez pas de vue que cette Etoile Noire est un engin de démonstration, en quelque sorte. Il n'est pas conçu pour faire face à une multitude de menaces mineures. Une Etoile opérationnelle aurait quelque sept mille chasseurs Tie dans ses hangars, des centaines de batteries de turbo-lasers, et une escorte d'au moins douze super-destroyers. Nous n'avons rien de tout ça.

« Pris séparément, chaque ennemi est insignifiant. Ensemble, ces navires peuvent nous harceler pendant longtemps, et finir par nous causer des dommages.

— Dois-je comprendre que nous n'avons pas le moindre chasseur ? demanda Sivron, visiblement indigné. Voilà une planification exécrable. Qui a rédigé cette partie du protocole d'essai ? Je veux le savoir sur-le-champ.

— Directeur Sivron, dit le capitaine, de l'exaspération dans la voix malgré le filtre de son casque, ça ne semble pas très important pour le moment.

— C'est important pour moi ! répliqua Sivron d'un ton sans réplique.

Il se tourna vers Yemm, qui était déjà en train de chercher dans les archives.

— Directeur, Qwi Xux avait la responsabilité de cette section. Elle s'est surtout intéressée au développement du superlaser, et elle a négligé les considérations tactiques.

Sivron soupira à fendre l'âme.

— Eh bien, nous venons de mettre le doigt sur le point faible de notre protocole d'homologation. Il est anormal que personne ne s'en soit avisé avant. A quoi servent donc nos réunions ?

— Monsieur le directeur, dit Doxin, que ce désagrément ne nous fasse pas oublier les fantastiques performances du superlaser.

— Bien sûr, bien sûr... Néanmoins, nous devrions organiser une réunion pour évaluer les implications de...

Le capitaine des commandos se leva d'un bond de son siège.

— Monsieur, il faut agir au plus vite ! On nous attaque !

Une série d'explosions secoua l'Etoile Noire.

— Trois coups au but, commenta le capitaine. Des torpilles à protons. Et ça ne fait que commencer.

— Eh bien, ripostez avec les canons-lasers, dit Sivron d'un ton las. On devrait pouvoir détruire ces casse-pieds.

— Le générateur principal n'est qu'à demi chargé, rappela Doxin.

— Et alors ? objecta Sivron. Ça n'est pas suffisant pour écraser quelques moustiques ?

Doxin parut dubitatif, mais il n'insista pas.

— Hum... Oui... Enfin, je crois... Nous sommes prêts à tirer, en tout cas.

— Quand vous voudrez, mon vieux, ironisa Sivron.

Doxin ordonna aux canonniers de faire feu. Quelques secondes plus tard, le super rayon jaillit de l'Etoile Noire et pulvérisa un chasseur ennemi. Réagissant à la vitesse de l'éclair, les autres s'éloignèrent du lieu de l'explosion et s'éparpillèrent autour de l'Etoile.

— Vous avez vu ? s'extasia Sivron. Nous en avons eu un !

— Hourra ! trompeta Golanda. Il en reste combien ? Une bonne quarantaine... (Son ton se fit sinistre.) Dans un quart d'heure, le superlaser n'aura plus d'énergie.

— Directeur, si je peux faire une suggestion, intervint le capitaine des commandos, nous devrions quitter le secteur. La preuve est faite que notre nouvelle arme fonctionne à merveille. A quoi bon risquer qu'elle soit endommagée par les Rebelles ? Préservons l'Etoile Noire, et livrons-la aux autorités impériales.

— Et comment nous y prendre, selon vous ? demanda Sivron.

— Retournons dans l'amas de trous noirs de la Gueule. Ces petits vaisseaux ne nous suivront pas. Le prototype n'est pas très maniable, mais il est rapide.

Je précise qu'il est inutile de revenir près du Complexe. Nous cacher à l'autre bout de la Gueule sera suffisant.

L'homme se tut un moment. Puis, sans enthousiasme, il conclut :

— Une fois que nous serons à l'abri, vous pourrez organiser une réunion pour décider de la suite des opérations. Si ça vous chante, vous aurez même tout loisir de créer une commission.

Ce mot magique emporta la décision.

— Excellente idée, capitaine ! Mettons-la à exécution. Partons d'ici aussi vite que possible.

Le commando introduisit un nouveau cap dans l'ordinateur de navigation. L'Etoile Noire prit la tangente, s'éloignant à vive allure de Kessel.

— C'est passé près ! s'exclama Yan Solo après que l'Etoile Noire eut tiré pour la troisième fois. Le rayon a frôlé nos boucliers arrière.

Le Z-95 de Shana avait été détruit. Les autres navires s'étaient éparpillés comme un vol d'hirondelles.

— Ici Kithra. Nous devons nous regrouper !

— M'est avis qu'on ferait mieux de mettre les bouts ! dit Yan.

— Regardez ! cria Lando. L'Etoile Noire dévisse ! Nous l'avons forcée à fuir.

— A moins qu'elle ne s'éloigne seulement pour recharger ses générateurs, hasarda Mara.

— Ma planète ne sera pas en sécurité tant que cette chose traînera dans le secteur, dit Calrissian. Yan, lançons-nous à sa poursuite ! Si le *Faucon* parvient à approcher du réacteur...

— Lando, tu as reçu un coup sur la tête ? N'oublie pas que c'est *mon* vaisseau !

— Je ne risque pas... Mais lui et moi avons déjà fait ce coup-là ! Tu t'en souviens ?

— J'ai un mauvais pressentiment, souffla Yan en

glissant un regard à Mara Jade. Mais tu as raison, on ne peut pas se contenter de fuir. Si le prototype tombe entre les mains de la Marine impériale, il se produira une série de catastrophes dont je refuse de me sentir responsable. Allons-y !

Il poussa le vieux *Faucon* au maximum de sa vitesse.

Mara s'adressa à la flotte de la Guilde :

— Ordre à tous les vaisseaux de battre en retraite. Nous prenons l'ennemi en chasse. Seuls.

Le *Faucon* rattrapa rapidement l'Etoile Noire, qui n'avait aucune chance de lui damer le pion sur le plan de la vitesse.

— Accrochez vos ceintures ! cria le Corellien.

Avec son adresse coutumière, il entreprit de slalomer entre les tubulures géantes de l'Etoile, approchant de la zone hypersensible où était niché le réacteur.

Alors qu'il s'engageait à toute vitesse dans un étroit passage, une énorme grue encore fixée à la coque du prototype se détacha et bascula. Déséquilibré par les tirs des contrebandiers, l'engin de construction n'avait pas résisté au brusque changement de cap de l'Etoile.

— Attention ! cria Lando. Ce truc nous tombe dessus !

Yan écrasa le bouton de mise à feu de ses canons-lasers, pulvérisant la grue avec une précision chirurgicale.

Lando s'adossa à son siège et poussa un long soupir de soulagement.

Il faillit rendre ses poumons avec quand le *Faucon* piqua soudain du nez. Un fragment de plastacier — quelques tonnes, pour le moins — venait de percuter les boucliers, les traversant assez pour éperonner la poupe du navire de Yan. Des étincelles jaillirent du tableau de bord, et de la fumée monta du compartiment moteur.

— On est salement touchés ! cria Lando.

Yan agrippa les commandes.

244

— Ce bon vieux *Faucon* en a vu d'autres, lança-t-il. Il tiendra le coup.

Lando croisa les doigts pour que ce vœu pieux soit exaucé.

Les moteurs auxiliaires choisirent ce moment pour s'allumer et donner à l'Etoile Noire une forte impulsion. Yan usa de tout son talent pour empêcher le *Faucon* de percuter les parois du passage où ils se trouvaient.

— Je ne vais pas pouvoir faire ça jusqu'à la fin des temps, dit-il. Quelqu'un a une idée ?

— Désolé, l'ami, mais je suis à court, répondit Lando. Bon sang, je n'aurais jamais cru devoir revivre ça... Me revoilà en train de faire l'andouille dans les entrailles d'une Etoile Noire.

— Les moteurs battent de l'aile, annonça Yan, un œil sur la liste de dommages affichée sur son écran de contrôle. Sans réparations, on court à la catastrophe. Un moment rêvé pour une panne !

L'Etoile Noire tourna une nouvelle fois sur son axe, changea de cap et accéléra un peu plus. Yan évita habilement une poutrelle métallique venue dont ne sait où. A demi terminé, le prototype lâchait ainsi d'étranges projectiles *par destination* qui finiraient tôt ou tard par avoir la peau du *Faucon*.

— Yan, il faut s'éloigner de l'Etoile, souffla Mara Jade.

— Impossible de nous en arracher avec des moteurs dans cet état, répondit le Corellien. Je ne veux pas éparpiller mes atomes dans l'espace. En tout cas, pas aujourd'hui...

C'était une belle façon de mourir, certes, mais pas pour un père de famille.

— Il faudrait que je jette un coup d'œil aux moteurs, continua le Corellien, mais c'est infaisable tant que l'Etoile file à cette vitesse. Les amis, nous allons devoir nous arrimer pour le voyage.

— Nous *arrimer* ? répéta Mara Jade, interloquée.

— C'est un petit truc à moi, dit Yan. Je l'ai déjà utilisé pour bluffer des Impériaux qui me collaient au train. Le *Faucon* est équipé d'un système de mon cru. (Il modifia la trajectoire du vaisseau, l'amenant presque au contact de la coque de l'Etoile.) J'appelle ça mon *billet de passage incognito*. La première fois que je m'en suis servi, c'était pour m'accrocher au dos d'un destroyer, que j'ai quitté quand il a vidangé ses déchets, juste avant de plonger dans l'hyper-espace.

Le *Faucon* s'arrima avec un bruit métallique.

— Et voilà le travail ! triompha le Corellien. On est en sécurité pour le moment, même si je préférerais être plus loin du réacteur. Mais si les Impériaux projettent de retourner dans la Gueule, on risque d'être sacrément secoués.

CHAPITRE XXXIII

Alors qu'il volait vers l'amas de la Gueule à bord du Broyeur de Soleil, Luke sentit que le jeune Kyp Durron se rapprochait mentalement de lui.

Kyp surmontait peu à peu son angoisse d'abuser de ses pouvoirs de Jedi. Après sa « révélation », dans le temple d'Exar Kun, le garçon avait changé. S'il réussissait l'ultime épreuve, un avenir brillant s'offrait à lui.

Souriant, Luke se remémora la fougue que Leia avait mise à défendre son projet. Pour sa première intervention de présidente, elle n'avait pas fait dans la facilité, c'était le moins qu'on pouvait dire.

Elle était sortie de la salle du Conseil après de longues heures, rejoignant le restaurant panoramique où Luke et Kyp l'attendaient en se régalant d'un menu dégustation composé des principales réussites culinaires de la galaxie.

L'irruption de la nouvelle présidente, ses gardes du corps essayant de marcher aussi vite qu'elle, avait eu un certain succès dans la salle, remplie de fonctionnaires et de bureaucrates.

Leia s'était moquée comme d'une guigne de sa nouvelle popularité.

Elle avait l'air épuisée, mais ne pouvait dissimuler la satisfaction qui brillait dans son regard.

— Le Broyeur de Soleil est à votre disposition,

messieurs. Vous feriez mieux de partir avant qu'un Conseiller ne décide que ma victoire était trop facile et ne dépose un amendement qu'il nous faudra discuter. Kyp Durron, j'ai pris d'énormes risques politiques pour vous.

— J'en serai digne, madame la présidente. Vous pouvez en être sûre.

Quelques heures plus tard, le Broyeur de Soleil plongeait dans l'hyperespace pour rejoindre l'amas de la Gueule en empruntant le chemin le plus court.

Dès qu'ils furent sur leurs « rails », Kyp s'immergea dans une transe de repos. C'était une sorte d'hibernation volontaire que Skywalker apprenait à tous ses élèves, la recommandant avant une mission délicate.

Kyp se réveilla au bout d'une heure et engagea la conversation avec son maître, lui parlant longuement de Deyer, sa planète natale, et de Zeth, le frère qu'il avait tant aimé. Alors que Luke l'écoutait avec une bienveillante attention, le jeune garçon avait craqué, libérant sa tristesse et ses larmes. Dans le temple d'Exar Kun, l'âme de son frère l'avait sauvé, mais son cœur saignait toujours. Il avait commis tant d'erreurs.

— Yoda aussi m'avait imposé une épreuve, dit alors Luke. J'ai dû me rendre dans une grotte, au fin fond des marais de Dagobah, où je me suis retrouvé face à une image de Dark Vador. Je l'ai attaqué et vaincu... pour m'apercevoir que j'avais combattu contre moi-même. Ce jour-là, j'ai échoué. Toi, tu as réussi. (Il chercha le regard de son élève.) Je ne dis pas que ton chemin sera facile, Kyp, mais tes efforts auront leur récompense, et la galaxie t'en sera reconnaissante.

Embarrassé, Durron détourna le regard et étudia l'ordinateur de navigation du Broyeur de Soleil.

— Prêt à sortir de l'hyperespace, dit-il. Attachez votre ceinture, maître.

Luke sourit. Revenir dans l'espace normal à proximité d'un amas de trous noirs n'était pas une partie de plaisir.

Kyp commença le compte à rebours.

— Trois, deux, un...

Il abaissa quelques manettes. Presque sans transition, les lignes parallèles de l'hyperespace furent remplacées par une vue plus prosaïque.

Quand le Broyeur fut stabilisé, Luke reconnut la masse indéfinissable de la Gueule. Mais quelque chose n'allait pas, il le sentit immédiatement.

— Qu'est-il arrivé à Kessel ? demanda Kyp.

La réponse était évidente.

— La lune a été détruite, continua Durron.

— Nous avons été détectés, dit Luke. Des navires à onze heures.

Il sentit grâce à la Force la colère de l'équipage des chasseurs qui fondaient sur le Broyeur.

Une voix de femme retentit dans les haut-parleurs.

— Ici Kithra, de la garde de Mistryl. Je parle au nom de la Guilde des Contrebandiers. Identifiez-vous et précisez ce que vous venez faire dans la Gueule.

— Ici Luke Skywalker. Kyp Durron et moi sommes en mission pour la Nouvelle République. Nous devons détruire le Broyeur de Soleil. Quand cela sera fait, nous espérons qu'un de vos vaisseaux nous ramènera sur Coruscant. Mara Jade et moi avons eu un contact radio hier, et...

— Jade est absente, mais elle m'a prévenue de votre arrivée. Comme vous pouvez voir, nous venons de subir une attaque...

— Donnez-moi des détails, dit Luke. Où est Mara ? Et Yan ?

Kyp ferma les yeux et sonda l'espace avec la Force.

— Yan... il est parti par là... vers la Gueule...

— Un prototype d'Etoile Noire nous a attaqués, dit Kithra. Nous pensons que les Impériaux fuyaient la force d'invasion de la République qui venait de pénétrer dans la Gueule.

— Wedge et Chewie..., souffla Luke à Kyp.

— Et Yan ? demanda le jeune homme.

Kithra leur résuma les derniers événements.

— Depuis combien de temps le *Faucon* s'est-il lancé à la poursuite de l'Etoile ?

— Quelques heures. Nous n'avons plus eu le moindre contact... Je réfléchissais aux différentes options qui s'offrent à nous.

Luke et Kyp se regardèrent, se comprenant sans avoir besoin de discours.

— Il n'y a qu'une chose à faire, commença le maître.

— ... c'est voler à la rescousse de Yan, acheva l'élève.

— Dans la Gueule ? demanda Kithra.

— Exactement, répondit Luke.

Pour deux Jedi, trouver un chemin sans danger se révéla relativement facile. Travaillant en tandem, leurs esprits étaient plus efficaces que n'importe quel ordinateur de navigation.

Le Broyeur de Soleil vibrait comme s'il allait se disloquer, mais ça n'était qu'une impression.

Luke sonda l'espace avec la Force et sourit.

Kyp l'imita.

— On est bientôt arrivés, dit-il, soulagé.

De fait, ils sortirent de l'hyperespace quelques minutes plus tard.

Aussitôt Luke chercha à repérer l'Etoile Noire, qu'il s'attendait à voir engagée dans un combat à mort avec les forces de Wedge Antilles.

Mais un spectacle très différent accueillit les deux Jedi. Les forces de la Nouvelle République combattaient bien, mais contre un autre ennemi.

Un destroyer que Kyp aurait reconnu entre mille.

— Luke, c'est Daala ! cria-t-il, plein de haine.

CHAPITRE XXXIV

Le prototype d'Etoile Noire, moteurs coupés, était
caché dans l'amas de la Gueule, le plus loin possible
du Complexe. Comme prévu, Tol Sivron, Golanda,
Doxin, Yemm et le capitaine des commandos tenaient
une assemblée plénière pour évaluer leur situation.

Trouver une pièce vide assez grande pour faire une
salle de conférences digne de ce nom n'avait pas été
un jeu d'enfant. Au grand dam des participants, les
boissons chaudes et les pâtisseries brillaient par leur
absence. Mais on était en temps de crise, dut admettre
Sivron, et il fallait faire des sacrifices si on entendait
sauver l'Empire.

— Encore une fois, capitaine, merci beaucoup
d'avoir mis le doigt sur un point essentiel de notre
protocole, dit le directeur, son sourire révélant ses
dents pointues.

Dans les annexes des procédures d'urgence, l'officier avait déniché, à la fin de la sous-section « Communication des Informations », un addenda soulignant
le caractère secret des inventions du Complexe.

L'article était ainsi rédigé :

« Il convient d'interdire aux Rebelles l'accès aux
données sensibles concernant les activités de recherche et de développement du Complexe. Ce point du
règlement doit être appliqué à la lettre, quels qu'en
qu'en soient le coût et les conséquences. »

Selon le capitaine, c'était clair. Dans le cas présent, il convenait, pour se conformer aux ordres, de détruire le Complexe.

— *Quels qu'en soient le coût et les conséquences*, répéta-t-il. On ne saurait être plus explicite.

— De plus, renchérit Doxin, ça nous donnera une autre occasion d'utiliser le superlaser pour le bien de l'Empire.

Yemm continuait de consulter les archives sur son petit portable.

— Directeur Sivron, rien de ce que j'ai vu ne contredit l'interprétation du capitaine.

— Dans ce cas, la motion est adoptée. Nous retournons au Complexe. A présent, capitaine, occupez-vous des détails pratiques.

— A vos ordres, monsieur.

— Eh bien, tout est réglé... Si personne n'a rien à ajouter, nous pouvons lever la séance.

Tous bondirent sur leurs pieds.

Tol Sivron jeta un coup d'œil à la petite horloge murale. Moins de deux heures s'étaient écoulées. De surprise, il en leva un sourcil.

C'était une des réunions les plus courtes de sa carrière.

CHAPITRE XXXV

Concentré sur ses responsabilités de plaque tournante informatique des cinq navettes, 6PO, pour la première fois de sa vie, avait oublié sa peur.

Le *Gorgone* continuait à combattre, tirant sur le Complexe et sur les navires de la Nouvelle République.

Chewie tentait depuis un moment d'analyser la tactique du destroyer impérial. Soudain, il grogna une idée à 6PO, et, sans attendre sa réponse, ouvrit une fréquence pour la communiquer aux quatre autres vaisseaux.

Il parla rapidement en wookie. 6PO trouva que c'était une excellente idée. Primo, Chewie ne parlait rien d'autre ; secundo, il y avait peu de chances pour que quelqu'un, sur le *Gorgone*, comprenne un mot à son discours.

Le droïd, lui, pratiquait plus de six millions de langues, mais ça n'était pas donné à tout le monde.

Les Wookies qui pilotaient les autres navettes grognèrent leur assentiment.

6PO se sentit obligé de sortir de son mutisme.

— Eh bien, couina-t-il, je ne vois pas comment on pourrait détruire toutes les batteries de turbolasers de proue du destroyer. C'est du suicide. Pourquoi n'attendons-nous pas que la Nouvelle République envoie des renforts ? Crois-moi, ce serait la décision la plus sage.

Chewie grogna, décourageant le droïd de continuer sur ce registre.

Une formation de chasseurs Tie les frôla, faisant feu de tous ses lasers. Une navette gamma fut touchée à plusieurs reprises — huit, selon le compte de 6PO —, ses boucliers ne résistant pas à ce feu nourri. Elle explosa, aveuglant un instant Chewie, qui grommela de dépit.

Il détestait voir mourir des frères d'armes. Aujourd'hui, c'était encore pis, puisque ces malheureux venaient de recouvrer la liberté après dix ans d'enfer.

Le droïd aussi fut secoué par le drame. Relié à l'ordinateur du vaisseau détruit, il avait le sentiment qu'on venait de lui arracher une part de lui-même.

— Quelle horreur ! gémit-il avant de se reconcentrer sur sa tâche. Chewbacca, à partir de maintenant, tu peux compter totalement sur mon soutien plein et entier. Nous ne pouvons pas permettre que ces gens fassent des choses pareilles.

Chewie émit un grognement viril et flanqua une grande claque dans le dos du droïd, l'envoyant presque percuter le cockpit.

Soudain, un point brillant attira l'attention de l'astrodroïd de fortune. Grossissant l'image de ses senseurs optiques, il reconnut la forme cristalline d'un petit vaisseau biplace.

— Chewbacca, on dirait le Broyeur de Soleil.

Préoccupé, le Wookie jeta un coup d'œil et acquiesça d'un grognement.

La bataille faisait toujours rage, le destroyer de Daala parvenant à toucher ses deux objectifs avec une précision inquiétante.

Sept chasseurs Tie quittèrent la formation principale pour venir intercepter les navettes. Chewie ordonna à ses canonniers wookies d'ouvrir le feu. Le vieux

Nawruun et ses compagnons ne se le firent pas dire deux fois.

Quatre chasseurs explosèrent. Deux autres dévissèrent, allant chercher refuge près des flancs du *Gorgone*. Le dernier survivant battit en retraite, sans doute pour aller rameuter des renforts.

Chewie ulula de satisfaction.

Les navettes concentrèrent leurs tirs sur la proue du *Gorgone*, détruisant l'une après l'autre ses batteries de turbolasers.

— Bien joué, Chewbacca ! s'enthousiasma 6PO. Tu as réussi !

Le destroyer était sans défense à l'avant.

Des cris de triomphe montèrent des puits de tir et des haut-parleurs. Voyant un essaim de chasseurs Tie fondre sur eux, le droïd doré crut bon de doucher l'enthousiasme de ses camarades.

— Excuse-moi, *général* Chewbacca, mais ne serait-il pas judicieux de battre en retraite ?

Comme un pilote émérite, Kyp Durron guida le Broyeur de Soleil jusqu'à l'entrée du spatioport du planétoïde principal. Passant les portes en douceur, il se posa dans le hangar.

Luke avait préféré le laisser faire, se chargeant lui-même d'établir un contact radio avec les vaisseaux et les troupes qui occupaient le Complexe.

— Wedge, tu m'entends ? Ici Luke. Tout va bien ? Où en êtes-vous, de votre côté ?

Une réponse sortit des haut-parleurs, accompagnée par le vacarme des cris, des ordres et des tirs du *Gorgone*.

— Luke, tu es de nouveau en forme ? Que fiches-tu ici ?

Skywalker réalisa qu'Antilles était entré dans la Gueule bien avant la défaite finale d'Exar Kun.

— Je suis venu pour détruire le Broyeur de Soleil. Mais on dirait que vous avez de sacrés problèmes !

— Il me faudrait des heures pour te raconter tout ce qui s'est passé depuis le début de cette mission... Tu es à l'abri, au moins ?

— Je ne risque rien, vieux frère. Le Broyeur est posé dans un hangar.

— Bonne initiative. Sûr que je ne cracherai pas sur votre aide !

Dès que Kyp eut coupé les moteurs, il ouvrit le sas et les deux Jedi sortirent de leur vaisseau.

Quand ils arrivèrent dans la salle de contrôle, Wedge se précipita pour donner l'accolade à son vieil ami.

— Content que tu sois de retour dans le monde des vivants, mon gars !

Son regard se posa sur Kyp Durron, qui se tenait un peu à l'écart.

— Que fait-*il* là, Luke ?

Qwi Xux, apercevant le jeune homme, poussa un cri et recula.

— Je suis désolé, murmura Durron.

Luke chercha le regard du général.

— Kyp est là pour nous aider, Wedge. Il s'est éloigné du Côté Obscur, et j'ai fait la paix avec lui. Si tu as une querelle contre lui, règle-la quand tout ça sera fini !

Wedge regarda sa douce amie, qui acquiesça.

— Mon élève était là pour accomplir sa pénitence : en finir avec le Broyeur de Soleil. A présent, deux Jedi viennent t'offrir leurs services.

Wedge se tourna vers un de ses hommes.

— Au rapport, soldat !

L'homme récita la liste des pertes et des coups portés à l'ennemi.

— Il semble que Chewbacca et ses navettes aient détruit les turbolasers de proue du *Gorgone*.

Antilles apprécia la nouvelle.

— C'est bien. Si nous parvenons à continuer comme ça, il reste une chance...

— Tu as eu des nouvelles de Yan ? demanda Luke au général.

— Yan ? Que viendrait-il faire dans cette galère ?

Luke lui parla du prototype et de l'audacieuse manœuvre de Solo.

Le général soupira.

— Le *Gorgone* est là et maintenant le Broyeur. Et tu me dis que l'Etoile Noire va arriver ? (Il s'autorisa dix secondes de stupéfaction, puis s'adressa à ses hommes :) Les gars, vous avez entendu ? On va avoir de la visite ! Une autre surprise !

On eût parié que c'était impossible, mais tous se débrouillèrent pour travailler encore plus vite.

Une bonne initiative, car l'Etoile Noire venait d'apparaître sur les écrans.

CHAPITRE XXXVI

Le *Faucon Millenium* était toujours arrimé à l'Etoile Noire quand celle-ci se remit en mouvement. Malgré tout son talent, Yan n'était pas parvenu à réparer les moteurs à temps.

Le Corellien, Mara Jade et Lando Calrissian s'accrochèrent de leur mieux à ce qui leur tombait sous la main, car le redémarrage les secoua rudement.

Quand le pire fut passé, Yan étudia les diagnostics qui s'affichaient sur son écran de contrôle.

— Il faut que je fasse quelque chose pour ces moteurs, marmonna-t-il. Si on pouvait voler assez vite, il suffirait de faire sauter le réacteur de l'Etoile et de ficher le camp. Avec le *Faucon* dans cet état, on ne parviendra jamais à s'éloigner assez vite.

Il se tourna vers ses deux compagnons.

— Et même si on réussissait par miracle, on ne sortirait pas entiers de l'amas de la Gueule. Le vaisseau ne serait pas assez maniable.

— D'autant qu'on ne connaît pas le *bon chemin*, dit Mara. Mes instincts de Jedi ne sont pas assez développés pour ce genre d'excursion.

— Hum... Bien raisonné, admit Solo.

— Yan, s'écria Lando, il faut pourtant faire quelque chose ! Si l'Etoile Noire retourne près du Complexe, ça ne sera pas bon du tout pour nos forces.

— Je sais... Chewie est là-bas avec un tas de types bien... Pas question de les laisser tomber.

Mara se leva, décidée.

— Alors, il n'y a qu'une solution : désactiver le superlaser. (Elle haussa les épaules.) Puisqu'on est là, autant en profiter, non ?

— Mais les moteurs, commença Yan.

— Tu as des scaphandres en réserve ? Au moins deux, pour les réparations urgentes.

— Ouais, admit Yan, sans bien voir où la jeune femme voulait en venir. J'en ai un pour moi et un pour Chewie.

— Parfait ! Calrissian et moi allons sortir et placer des détonateurs sur le réacteur. Pendant ce temps, tu répareras les moteurs. En réglant bien les explosions, on n'aura pas de problèmes.

Lando regarda la jeune beauté.

— Vous et moi ?

— Vous... *tu* as une meilleure idée, Lando ?

— Eh bien... Je serais ravi de vous... de *t'*escorter, Mara !

Lando reniflait le scaphandre d'un air dubitatif.

— Ce truc sent le Wookie à plein nez. Chewie sait-il qu'on peut laver les choses ?

Les manches étaient trop longues et les pieds du pauvre Calrissian flottaient dans les énormes bottes.

Une fois harnaché, il eut l'impression d'avancer dans une baudruche.

— Lando, on a un travail à faire. Arrête de pleurnicher ou je me débrouillerai seule.

— Surtout pas... Je veux t'aider, tu sais...

— Alors, tiens ! (Elle lui passa une caisse pleine de détonateurs.) Porte ça.

Lando regarda les explosifs et déglutit avec peine.

— Super ! Merci.

Un cri retentit. A coup sûr, Yan venait de se cogner la tête quelque part. C'était inévitable quand on jouait les mécanos sur le *Faucon*. Lando entendit son ami murmurer quelque chose sur le droïd qu'il n'allait pas tarder à se payer pour faire le sale boulot.

— Quelques circuits sont grillés ! lança le Corellien. Mais nous avons des pièces détachées. Enfin, peut-être pas tout ce qu'il faut, mais assez pour repartir. Trois circuits ont fondu. On se passera du premier et je ferai une épissure pour le deuxième.

— Tu as une demi-heure pour que ça remarche, dit Mara en mettant son casque.

Yan se contorsionna et réussit le petit exploit de sortir la tête par la trappe de maintenance.

— Pas de problème, je serai prêt !

— Il vaudrait mieux, parce que tout va nous péter à la figure ! dit Lando.

Il mit son casque, qui était trois fois trop grand pour lui.

— Dépêche-toi, Lando, lui lança Mara. Nous avons du pain sur la planche.

Depuis son fauteuil de commandement — toujours aussi inconfortable — Tol Sivron étudiait la situation militaire de la Gueule en évitant avec soin de prendre une décision.

L'abécédaire du bon manager.

— C'est le *Gorgone*, monsieur, dit le capitaine des commandos. Dois-je le contacter ?

— L'amirale Daala semble décidée à accomplir son devoir... Il était temps, railla le Twi'lek.

Le directeur ne pardonnait pas à la jeune femme d'avoir abandonné les chercheurs. Maintenant que les Rebelles avaient investi le Complexe, son revirement ne servait plus à rien.

— Et pourquoi est-elle revenue avec un seul destroyer ? demanda Sivron. Elle en avait quatre... Non, trois. Un a été détruit, si je ne m'abuse. Enfin, ça lui en fait encore un joli nombre. Serait-elle venue parader avec son armement ? Eh bien, cette fois, nous avons l'Etoile Noire, et nous n'hésiterons pas à nous en servir.

— Excusez-moi, directeur, dit le capitaine, mais le *Gorgone* semble en très mauvais état. De plus, les forces rebelles le harcèlent. Je crois de notre devoir d'aller à sa rescousse.

Sivron n'en crut pas ses oreilles.

— Vous voulez secourir Daala alors qu'elle nous a trahis ? Votre sens de l'honneur me dépasse, cher capitaine. Cette femme a abandonné son poste.

— Monsieur, ne combattons-nous pas tous pour la même cause ?

— En un sens, oui. Mais nous avons des priorités différentes. Comme en témoigne la désertion de Daala.

Sur l'écran, les tirs des vaisseaux rebelles redoublaient de violence. Des chasseurs explosaient, colonnes de flammes et de fumée qui rappelèrent à Sivron les fournaises de Ryloth, sa planète natale.

Le directeur sentit son estomac se nouer. Sa carrière avait été longue et pleine de succès. Dans quelques minutes, il allait y mettre un terme en détruisant le Complexe qu'il avait si bien dirigé.

Il reprit la parole, glacial.

— Très bien, allons montrer à cette pimbêche que les scientifiques et les administratifs tiennent leur place au combat.

Comme pour ponctuer cette déclaration, une alarme retentit.

— Quoi encore ? demanda Sivron, excédé.

Yemm et Doxin se plongèrent dans leur manuel pour trouver une explication.

— Les senseurs ont repéré des intrus, dit le capitaine des commandos. Dans la zone du réacteur. Il semble que nous ayons transporté un *parasite* attrapé dans le système de Kessel.

— Et qu'espèrent-ils faire, ces fous ?

— D'après nos caméras, deux personnes sont sorties du vaisseau. A première vue, elles ont l'intention de se livrer à une opération de sabotage.

Sivron se leva d'un bond.

— Eh bien, arrêtez-les, bon sang ! (Il arracha le manuel des mains de Doxin et tourna les pages à toute vitesse.) Utilisez la procédure numéro... (Il continua à feuilleter, sans succès. Finalement, il jeta le livre, l'air dégoûté.) Enfin, la bonne procédure ! Capitaine, faites quelque chose !

— Nous avons peu d'hommes et très peu de temps. Je vais ordonner à deux de mes commandos de passer un scaphandre et de sortir.

— Si vous voulez, dit Sivron, agacé. Epargnez-moi les détails, mais débrouillez-vous pour que le travail soit fait !

Lando déplaçait le casque de droite et de gauche pour positionner au mieux la visière, mais le résultat n'était pas très convaincant. Non content de flotter dans l'énorme scaphandre du Wookie, il lui fallait produire des efforts surhumains pour voir où il mettait les pieds.

Se déplacer dans ce labyrinthe de canalisations, de câbles et de poutrelles n'étant déjà pas très simple, Calrissian luttait ferme pour conserver son équilibre, laissant à ses bottes magnétiques le soin de l'empêcher de tomber dans l'espace comme une pierre.

Bien que de la taille d'une petite lune, l'Etoile avait une gravité pratiquement nulle — un poignard de plus dans le dos de l'ex-futur propriétaire des mines de Kessel.

— Il faut approcher davantage du réacteur, dit Mara, sa voix retentissant dans le casque surdimensionné de Lando.

Après quelques secondes de flottement, Calrissian trouva comment activer son propre micro.

— Si tu le dis... Plus vite je serai débarrassé de ces

détonateurs, mieux je me porterai. (Il soupira, un peu pour lui-même, beaucoup pour attendrir sa compagne.) Entre nous, tu ne crois pas que détruire *une* Etoile Noire soit largement suffisant dans la vie d'un héros ?

— J'admire les hommes qui en veulent toujours plus, répondit Mara, énigmatique.

Lando se tut, peu sûr du sens profond de la phrase. A tout hasard, il se fendit d'un large sourire que la jeune femme ne vit pas à cause du casque.

Tendant une main gantée pour que Mara s'y agrippe, Lando se dirigea prudemment vers le cylindre du réacteur. La descente était difficile, mais praticable. Au-dessus de leurs têtes, le *Faucon* ressemblait à un gros insecte collé au plafond.

— Ça devrait aller, dit Mara. Passe-moi un détonateur !

Lando fouilla dans la caisse et en sortit un épais disque de métal. Mara le saisit et se pencha pour le fixer sur la coque du réacteur.

— Nous allons marcher en rond et en déposer sur le périmètre, dit-elle.

Elle préactiva la machine infernale, dont le petit écran intégré clignota en l'attente de l'ultime signal.

— Quand ils seront tous en place, je nous donnerai vingt minutes pour regagner le *Faucon* et nous éloigner. Ça devrait être suffisant.

Sans attendre l'accord de Lando, la jeune femme passa à l'exécution de son plan. Le vieux copain de Yan suivit le mouvement, maudissant le jour où il s'était fourré dans la tête l'idée de devenir un aventurier.

Déposer les sept détonateurs lui parut prendre une éternité. Lorsqu'ils furent revenus à leur point de départ, Mara s'approcha tant de Lando qu'il put voir son joli minois à travers le casque.

— Tu es prêt, Calrissian ?

— Et comment !

Elle sortit une petite télécommande et donna le signal, armant les sept détonateurs.

Vingt minutes. Pas une de plus.

— On retourne au *Faucon* ! Vite !

Quelque chose bougea à l'extrême limite du champ de vision de Calrissian, qui tourna la tête pour voir briller le scaphandre blindé d'un commando impérial. Le soldat avait l'air d'un bipode miniature, tant il était bardé de métal et de plastique. De ses gants jaillissaient des vibrolames plus meurtrières que des griffes. Un coup bien porté, et l'homme pouvait éventrer le scaphandre de Lando, le tuant sur le coup à cause de la décompression.

— D'où vient-il encore, celui-là ? grogna Calrissian.

L'homme avança et frappa des deux poings. Comme un boxeur, Lando fit une feinte de corps, ses bottes magnétiques lui permettant de ne pas basculer dans le vide.

Les vibrolames passèrent à quelques centimètres de sa poitrine.

Mara réagit avec plus d'esprit d'à propos que son compagnon.

De toutes ses forces, elle lança la caisse vide à la tête de l'Impérial, qui tenta d'esquiver, mais manqua de rapidité.

Recevant le projectile en pleine tête, l'homme tituba, un peu sonné. Décidée à tirer parti de son hésitation, Mara s'agrippa à Lando, avança d'un pas, décolla sa botte magnétique droite de la coque — un bel effort ! — et flanqua un formidable coup de pied dans la poitrine de son adversaire.

Sans Calrissian pour la retenir, la jeune femme eût sûrement partagé le sort du commando, dont les deux bottes perdirent contact avec le sol.

L'homme hurla-t-il quand il bascula dans le vide ?

Mara et Lando auraient été incapables de le dire, car ils n'étaient pas en contact radio avec lui.

Le soldat tenta de se retenir à la coque, ses vibrolames laissant de longues marques noires sur le métal poli.

Puis il tomba, aspiré par le vide, passa devant les tuyères du réacteur et fut vaporisé par un retour de flammes.

Prudente, Mara dégaina le blaster qu'elle avait glissé à la ceinture de sa combinaison.

Le compte à rebours continuait.

Calrissian contacta Solo.

— On arrive, Yan ! Sois prêt à partir, vieux frère, parce que je te garantis que ça va chauffer, dans le coin.

A travers ses bottes, Mara sentit que le sol vibrait. Levant les yeux, elle aperçut un deuxième commando.

Ma parole, c'est une vraie promenade !

Le soldat portait un fusil-blaster, mais Jade doutait qu'il ose s'en servir si près du réacteur et d'une multitude de canalisations très délicates.

L'homme pointa son arme, faisant signe aux deux Rebelles de se rendre. D'un mouvement discret du pouce, Mara régla son blaster sur la puissance minimale de la fonction « anesthésie ».

Ainsi, elle pourrait tirer sans danger.

— Tu crois que ce type nous entend ? demanda-t-elle à Lando.

— Qui peut savoir ? En tout cas, il faudrait trouver une idée, parce que le temps presse.

— Occupe-le une seconde...

Lando baissa les yeux sur le détonateur le plus proche et mima une formidable explosion avec ses bras.

Le commando tourna la tête un bref instant...

... que Mara mit à profit pour tirer.

Etourdi, le soldat suivit le même chemin que son

camarade. Plus doué, il réussit cependant à s'accrocher à une poutrelle.

— On n'a pas le temps de se soucier de lui ! cria Mara. Fichons le camp d'ici avant que tout ne nous saute à la figure.

Lando ne dit rien, car elle venait de lui enlever les mots de la bouche. En revanche, il partit au pas de course, oubliant presque son ridicule scaphandre.

Pendant qu'il montait vers le vaisseau, le deuxième commando avait réussi à se rétablir et à reprendre pied sur la coque. Ignorant les fuyards, il se précipita vers les détonateurs.

Calrissian l'avait vu faire du coin de l'œil, mais il ne s'inquiéta pas. Une fois l'aimant activé, il fallait dix hommes pour arracher les petits appareils d'un support métallique. Pour intervenir sur le mécanisme, l'Impérial aurait eu besoin de beaucoup plus de temps.

Moins de trois minutes avant la mise à feu, Mara et Lando s'engouffrèrent dans le *Faucon* et refermèrent le sas.

— Bienvenue à bord ! cria Yan, qui venait juste de désactiver son système d'arrimage. Attachez vos ceintures, ça va secouer !

Le *Faucon* partit comme un bolide.

Tandis que le vaisseau s'éloignait de l'Etoile Noire, le commando survivant, contredisant la thèse de Lando, venait de désamorcer le cinquième détonateur. Habile et rapide, l'homme utilisait le laser intégré à son scaphandre pour découper le plastacier et retirer les explosifs qu'il jetait dans l'espace.

S'attaquant au sixième détonateur, il connut un instant de doute. Même s'il réussissait à avoir celui-là, aurait-il le temps de... ?

La question était judicieuse. Au moment où il lançait la sixième charge dans l'espace, la dernière explosa.

Pas de chance !

Un peu plus loin, au cœur de la bataille spatiale, l'amirale Daala grinçait des dents. A ceci près, son visage affichait toujours l'expression dédaigneuse qui faisait froid dans le dos à ses subordonnés.

L'affaire tournait à la catastrophe, ses forces se faisant peu à peu laminer. Pour commencer, elle n'avait pas pu lancer beaucoup de chasseurs Tie dans la bataille, car la plupart avaient péri avec ses deux destroyers, dans la Nébuleuse du Chaudron. Et ceux qui lui restaient ne tenaient pas le choc face aux Rebelles.

Quand l'Etoile Noire était apparue, la jeune femme avait cru un moment que l'espoir changeait de camp. Enfin, au dernier moment, elle allait remporter une éclatante victoire !

Découvrant que le prototype était commandé par Tol Sivron, le roi des incapables, l'amirale était retombée dans sa mélancolie.

— Pourquoi ne tire-t-il pas ? s'énervait-elle. Un seul coup et il pourrait pulvériser la frégate et les trois corvettes. A quoi rêve-t-il, cet imbécile ?

— Je ne saurais le dire, amirale, souffla Kratas, qui se tenait à ses côtés.

Elle le foudroya du regard pour lui faire comprendre qu'elle n'attendait pas de réponse.

— Tol Sivron n'a jamais pris une initiative de sa vie. Pourquoi ferait-il son devoir aujourd'hui ? Intensifiez l'attaque sur le Complexe. Montrons à ce porc comment on doit se battre !

Elle plissa les yeux ; son regard fit le tour de la passerelle.

— Assez d'exercices ! L'heure est venue de rayer le Complexe de la carte de l'univers. Feu à volonté !

CHAPITRE XXXVII

Dans la salle de contrôle du Complexe, un technicien frappa du poing sur sa console.

— Général Antilles, les boucliers faiblissent !

Un ingénieur se rua dans la pièce, le visage empourpré à force d'avoir couru.

— Monsieur, tout ce cirque a bousillé le système de refroidissement provisoire. Ce bricolage n'était pas fait pour résister à un conflit galactique. Les générateurs vont nous sauter à la figure, et pas moyen de bidouiller, cette fois !

Wedge apprécia le langage imagé de l'homme, mais pas les nouvelles qu'il apportait.

Le jeune général prit la main de Qwi.

— On dirait que nous allons épargner du travail à Daala... On fiche le camp, les enfants !

Debout à ses côtés, Luke se retourna soudain :

— Où est Kyp ?

Le jeune homme avait disparu.

— Je n'en sais rien, dit Wedge, mais nous n'avons pas le temps de le chercher !

Le cœur de Kyp Durron battant la chamade, il recourut à une technique Jedi classique pour se calmer. S'il voulait agir efficacement, il lui fallait disposer de tous ses moyens, la peur et l'épuisement n'ayant pas voix au chapitre.

Dans le Complexe, le tumulte des alarmes et l'écho

des tirs ennemis composaient une abominable cacophonie. Les soldats de la Nouvelle République couraient en tous sens. L'évacuation commençait.

Personne ne faisait attention à Durron. L'eût-on questionné qu'il aurait utilisé une astuce Jedi banale pour faire avaler quelque mensonge commode à son interlocuteur.

Kyp se félicitait que maître Skywalker n'ait pas remarqué son départ. Quand l'Etoile Noire était apparue, le jeune Jedi avait compris ce qu'il lui restait à faire.

Son professeur aurait essayé de l'arrêter et il n'avait pas de temps à perdre.

Il avait utilisé ses pouvoirs — ceux du côté lumineux, espérait-il — pour détourner l'attention pendant qu'il se glissait hors de la salle.

Depuis, un bouclier mental protégeait ses pensées et ses émotions. Sauf si Skywalker produisait un terrible effort pour le détecter, il passerait inaperçu dans le chaos.

Dehors, la bataille faisait rage ; Kyp savait que le Complexe ne résisterait plus très longtemps. Si le prototype tirait une seule fois, c'en serait fini.

Pour l'heure, c'était la principale menace.

Tandis qu'il se dirigeait vers le hangar où l'attendait le Broyeur de Soleil, Durron se souvint du jour où Yan et lui s'étaient enfuis de Kessel.

Evoquer le Corellien lui fit l'effet d'une gifle.

L'Etoile de la Mort était revenue dans la Gueule, mais il n'y avait pas trace du *Faucon Millenium*.

Yan était-il mort au cours de sa mission de sabotage ?

Longtemps, l'impulsivité du jeune homme avait été sa malédiction. Sans elle, probablement n'aurait-il jamais basculé du Côté Obscur. Aujourd'hui, ce défaut se muait en qualité. Obligé de combattre les ennemis mortels de la République, il ne pouvait s'offrir le luxe de tergiverser.

Il avait beaucoup de choses à se faire pardonner.

Tout d'abord, d'avoir prêté l'oreille aux paroles d'Exar Kun. Puis d'avoir failli tuer Luke.

Et d'avoir volé sa mémoire à Qwi Xux ! Et de s'être approprié le Broyeur de Soleil pour détruire des systèmes solaires.

Enfin d'avoir provoqué la mort de son frère Zeth !

Il allait faire tout son possible pour sauver ses amis. Pas seulement afin de se racheter, mais parce qu'ils méritaient de vivre et de continuer à lutter pour que la liberté et la paix règnent dans la galaxie.

Kyp aperçut le Broyeur de Soleil, brillant de toutes ses facettes.

Les mains tremblantes, il saisit l'échelle et commença à grimper. Quand Zeth avait essayé de faire la même chose, sur Carida, il n'avait pas réussi.

Le jeune Jedi entra dans le Broyeur et referma le sas avec l'impression de s'isoler à tout jamais du reste de l'univers. Reverrait-il un jour le soleil ? Retournerait-il sur Coruscant ?

Et Yan, lui reparlerait-il jamais ?

Il s'assit dans le fauteuil du pilote et chassa ces pensées grâce à une technique Jedi de base. Quelques heures plus tôt, maître Luke et lui volaient paisiblement, parlant de leurs vies et de leurs espoirs. A présent, Kyp devait se concentrer sur sa mission.

Il activa les moteurs du Broyeur, sortit du hangar, et se dirigea vers le prototype.

Si solide que fût le blindage spécial, rien ne prouvait qu'il résisterait à une frappe directe du superlaser. Dans ces conditions, il lui fallait agir avant d'être vu.

Il restait deux torpilles à résonance dans les réserves du Broyeur. Même si la cible n'était pas une planète, deux coups au but devaient déclencher une réaction en chaîne suffisante.

Il accéléra, petit point insignifiant au milieu de la bataille et des volutes de gaz qui dansaient autour des trous noirs.

Soudain, Kyp vit une boule orangée se former au

cœur de l'Etoile, dans la zone du réacteur. A l'évidence, c'était la conséquence d'une petite explosion.

Presque simultanément, un vaisseau jaillit hors du prototype et s'en éloigna à grande vitesse.

Durron reconnut le *Faucon Millenium*.

Le soulagement et la fierté l'envahirent. Ainsi Yan avait survécu et réussi au moins en partie sa mission. L'Etoile Noire étant blessée, l'achever serait un jeu d'enfant.

Ensuite, le jeune Jedi irait régler ses comptes avec l'amirale Daala.

Il transféra un maximum de puissance à l'armement. Les projectiles mortels se formèrent dans le réacteur toroïdal.

Une énergie qui eût suffi à détruire un soleil.

Pour la dernière fois, Durron allait l'utiliser.

La mise à feu du septième détonateur perturba la rotation de l'Etoile Noire. Le commando qui essayait d'empêcher la catastrophe fut propulsé dans le vide, son armure carbonisée ne contenant plus qu'une bouillie sanglante.

L'explosion avait ouvert une brèche dans le réacteur.

Tol Sivron observait le désastre, ses tentacules crâniens battant follement.

— Ces deux imbéciles avaient ordre d'empêcher le sabotage ! rugit-il. Yemm, notez leurs numéros matricules et flanquez-leur un blâme. (Pianotant sur l'accoudoir de son fauteuil, il se souvint au dernier moment d'un détail d'importance :) Faites-moi aussi un rapport sur les dégâts.

Doxin se précipita vers une console.

— D'après ce que je vois sur le diagramme diagnostiqueur, le réacteur n'est pas trop gravement touché. Il y a des fuites, bien sûr, mais nous pourrons réparer avant que le niveau de radiations ne soit trop élevé. Heureusement que l'explosion n'était pas plus forte. Une brèche plus importante aurait signé notre arrêt de mort.

Le capitaine des commandos se leva et aboya des ordres dans le micro de son casque.

— Je viens d'envoyer sur le site une escouade de mes hommes. Ils ont ordre de réparer sans se soucier de leur sécurité personnelle.

— Parfait, parfait, dit Sivron, distrait. Quand pourrons-nous tirer de nouveau ?

L'officier en armure blanche étudia un écran de contrôle.

— Mes hommes sont déjà en chemin. Ils approchent du réacteur...

Il se tourna vers Sivron, qui ne put voir son expression à cause de la visière noire du casque.

— Si tout se passe comme prévu, nous aurons récupéré notre puissance de feu dans vingt minutes.

— Dites à vos soldats de se presser, déclara Sivron. Je détesterais que Daala détruise le Complexe avant nous. Reconnaissez que ce serait très ennuyeux !

— Je comprends, directeur, fit le capitaine.

Avec une moue dégoûtée, Sivron regarda le *Faucon Millenium* s'éloigner pour venir se mêler à la bataille qui faisait rage autour du Complexe.

Il étudia les quatre vaisseaux rebelles qui entouraient les planétoïdes du centre de recherches. Ensuite, son regard se posa sur le destroyer de Daala.

Daala, qu'il maudissait pour avoir abandonné son poste à un moment crucial.

— Tant de cibles, maugréa-t-il, et si peu de temps pour les atteindre toutes.

CHAPITRE XXXVIII

Très gravement endommagé, le *Gorgone* volait si bas au-dessus des boucliers faiblissant du Complexe que Luke manqua baisser la tête par réflexe.

Vu de si près, le destroyer était immense et il fallait des nerfs solides pour ne pas céder à la panique.

— Les boucliers viennent de lâcher, dit un technicien. Nous ne survivrons pas à une nouvelle attaque. De plus, les générateurs sont proches du point critique.

Wedge activa l'intercom et cria ses ordres. Sa voix retentissait dans les bâtiments de tous les astéroïdes du centre de recherches.

— Evacuation immédiate. Tout le monde aux navettes. Il ne reste que quelques minutes...

Les alarmes semblaient hurler plus fort. Luke suivit les hommes qui couraient vers les portes de la salle. Wedge prit le bras fin de Qwi et voulut l'entraîner avec lui. Elle résista.

— Regarde ! cria-t-elle. Que fait Daala ? Non, ça n'est pas possible !

Wedge baissa les yeux sur l'écran qui paraissait hypnotiser Qwi. Des données défilaient, trop vite pour que l'œil pût les identifier. Antilles crut quand même reconnaître des équations et des plans.

— Daala doit connaître le mot de passe du directeur ! expliqua Qwi. Elle est en train de vider les mémoires de sauvegarde. Toutes les informations sur les armes !

Wedge prit Qwi par la taille et l'arracha au terminal.

— On ne peut rien y faire pour le moment. Il faut partir d'ici !

Ils sortirent et suivirent les soldats qui battaient en retraite vers les navettes.

Wedge était tendu à craquer comme si un chronomètre, dans son ventre, avait égrené les secondes qui les séparaient de l'explosion du réacteur ou de la prochaine attaque de Daala. De ces événements, peu importait lequel se produirait en premier, car le résultat serait le même : la destruction totale du Complexe !

Antilles n'avait jamais voulu devenir un foutu général. C'était un bon pilote de chasse, un homme de terrain. Il avait volé aux côtés de Luke lors de la destruction de la première Etoile Noire, et près de Lando Calrissian quand il s'était agi d'anéantir la deuxième.

Jusque-là, sa mission préférée avait été d'escorter l'adorable Qwi Xux. Même effrayée et désorientée, la jeune femme gardait son exotique séduction. Il aurait aimé la prendre dans ses bras pour la réconforter, mais mieux valait remettre ça à plus tard.

S'ils ne sortaient pas de ce piège au plus vite, c'était la mort garantie.

Alors que les fuyards déboulaient dans le hangar, une des navettes se déclara chargée à ras bord.

Wedge sortit son comlink.

— Fichez le camp ! Ne nous attendez pas !

Le groupe dont il faisait partie s'engagea sur la rampe d'accès d'un autre vaisseau de transport. Wedge accéléra le pas, Qwi toujours à ses côtés.

Quand ils furent à l'intérieur, Luke se précipita dans le poste de pilotage. Antilles trouva un siège pour Qwi, s'assura que tout le monde était entré et cria :

— Verrouillez le sas !

Un lieutenant se chargea d'exécuter cet ordre.

Wedge alla prendre place dans le siège du pilote, où il ne se laissa même pas le temps de boucler sa ceinture.

— On décolle, Luke ! Vite !

Les bottes du commander Kratas martelaient le sol de la plate-forme d'observation. Daala se retourna, espérant entendre un rapport encourageant.

Kratas tenta de se composer un visage sérieux, mais il ne put supprimer tout à fait le sourire qui se dessinait sur ses lèvres.

— Transfert terminé, amirale. Nous avons récupéré tous les fichiers de sauvegarde du Complexe. (Il baissa la voix.) Vous aviez raison : le directeur Sivron n'avait pas pris la peine de modifier son mot de passe. Il utilisait celui que vous aviez *craqué* il y a dix ans.

— Sivron est un artiste de l'incompétence. Agir intelligemment, même une fois, aurait fait tache sur une carrière vouée à la médiocrité.

Daala persiflait, mais la plupart de ses chasseurs Tie étaient détruits, ses turbolasers de proue n'étaient plus qu'un souvenir et ses moteurs tournaient à quarante pour cent de leur puissance maximale.

Mieux valait ne pas mentionner les systèmes en surchauffe, car la liste était trop longue.

La jeune femme n'avait pas prévu que la bataille s'éterniserait ainsi. Elle avait pensé écraser les Rebelles en quelques minutes, puis finir tranquillement de nettoyer le terrain.

Et ce crétin de Sivron, pourquoi n'intervenait-il pas ? Un instant, elle l'imagina en train de présider une réunion et faillit éclater de rire malgré le sérieux du moment.

Une seule consolation : elle avait les données secrètes, un vrai trésor pour l'Empire.

Elle vit les navettes qui quittaient les astéroïdes du Complexe mais jugea que c'étaient des cibles insignifiantes.

— Les boucliers du centre de recherches ont lâché, annonça un lieutenant.

— Parfait, dit Daala. Faites demi-tour. L'heure du coup de grâce a sonné.

— Amirale, intervint Kratas, les senseurs captent une activité nucléaire inhabituelle sur l'astéroïde des générateurs. Ils sont très instables, proches de l'explosion...

Le visage de Daala s'illumina.

— Excellent ! Ce sera notre première cible. Ces générateurs feront peut-être l'essentiel du travail pour nous.

Le *Gorgone* venait de terminer sa manœuvre, la proue pointant en direction du Complexe.

— Vitesse maximale ! ordonna l'amirale, droite comme un *i*, les mains croisées dans le dos.

Ses cheveux couleur cuivre cascadaient sur ses épaules comme un flot de lave en fusion.

— Feu à volonté ! Je veux qu'il ne reste rien de ces astéroïdes !

Le destroyer fondit sur sa proie.

Wedge Antilles contacta la flotte de la République sur une fréquence non protégée. Pour l'heure, il n'avait pas de temps à perdre avec les procédures de brouillage. Si les forces impériales réussissaient à déchiffrer son message, elles n'auraient pas loisir d'en tirer parti, tant les choses iraient vite.

— A tous les chasseurs : regroupez-vous et retournez dans le *Yavaris*. Nous quittons la Gueule. Mission accomplie !

La frégate ressemblait à un grand oiseau prêt à accueillir ses petits sous ses ailes. Les chasseurs X et Y quittaient les uns après les autres le combat pour rentrer au bercail.

Wedge accéléra. Les portes du hangar de la frégate brillaient dans l'espace comme un phare.

Quatre chasseurs Tie prirent en chasse la navette du général. Ils ouvrirent le feu, éprouvant rudement les boucliers.

Avant que Wedge ait pu riposter, une navette d'assaut portant les écussons de l'Empire vint se mêler au combat. A la grande surprise de Luke, elle tira sur les chasseurs Tie, en détruisant un. Stupéfaits, les trois autres essayèrent de dévisser. Deux se percutèrent, le troisième étant lui aussi pulvérisé par une décharge de laser.

Dans les haut-parleurs, Antilles entendit un rugissement qui ne trompait pas. Seul un Wookie pouvait l'avoir poussé.

La voix métallique de Z-6PO se fit entendre.

— Chewbacca, s'il te plaît, arrête de triompher bêtement. Nous ferions mieux de gagner le *Yavaris*.

Luke se mêla à la « conversation ».

— Bien joué, les gars ! Et merci !

— Maître Luke ! cria 6PO. Que faites-vous donc là, par le ciel ? Savez-vous que nous devons rejoindre la frégate !

— 6PO, c'est exactement ce que nous essayons de faire...

Derrière eux, le *Gorgone* se précipitait comme un bantha au galop sur le Complexe sans défense. Des langues de feu jaillissaient de ses moteurs tandis que ses turbolasers encore fonctionnels tiraient sans relâche.

Daala portait le coup de grâce avec la rage d'un soldat humilié qui s'acharne sur un adversaire à terre. Si la chose manquait de grandeur, elle n'en avait pas moins une sinistre beauté.

Les uns après les autres, les astéroïdes explosaient comme des fruits trop mûrs.

Le *Gorgone* piquait à présent tel un chasseur. Daala courait-elle au suicide ?

Si oui, pourquoi ?

Luke et Wedge durent fermer les yeux quand les générateurs du Complexe explosèrent, composant une nova miniature.

L'intensité lumineuse contraignit tous les écrans à passer en veille, car ils n'auraient pas résisté longtemps à ce régime.

Wedge ne s'en fit pas trop, certain que l'ordinateur de navigation les conduirait sans coup férir à bon port.

Quand les écrans se rallumèrent, le général et le Jedi jetèrent un coup d'œil sur le carnage.

Il ne restait rien du Complexe, sinon des débris qui seraient tôt où tard avalés par les trous noirs.

Les deux hommes ne virent pas trace non plus du *Gorgone*.

CHAPITRE XXXIX

Travaillant à la manière d'automates, les commandos affectés à la réparation du réacteur ressemblaient à des fourmis grimpant le long d'un mur. Les radiations jaillissaient de la brèche, obscurcissaient leurs visières et détruisaient lentement les systèmes de survie de leurs scaphandres.

Faiblissant de plus en plus, les hommes se servaient de leurs micro-lasers pour souder des plaques de blindage sur le trou béant.

Quand les circuits de son scaphandre lâchèrent, l'auréolant d'étincelles du bleu le plus pur, un des soldats sacrifiés bascula dans le vide sans un cri. Un moment, ses bras battirent comme s'il avait tenté de voler. Puis il s'immobilisa, masse morte livrée à l'espace.

Sans un regard pour le défunt, un de ses compagnons prit sa place. Tous avaient déjà reçu une dose mortelle de radiations. Ils le savaient, mais leur entraînement les empêchait de paniquer : servir l'Empire était l'unique but de leur existence.

La peau carbonisée, les yeux injectés de sang, les poumons brûlés, l'officier qui commandait le groupe s'obligea à effectuer la dernière soudure avec tout le soin requis.

Le froid de l'espace solidifiait instantanément le

nouveau joint. D'une voix agonisante, l'officier appela son supérieur :

— Mission accomplie, capitaine.

Le commando se tourna vers ses hommes et leur fit un signe de la tête. A l'unisson, sans un cri de protestation, ils se laissèrent tous tomber dans le vide.

L'officier plongea le dernier.

La fin ne serait pas longue à venir...

Constatant la disparition du *Gorgone* et l'anéantissement du Complexe, le directeur Sivron se montra d'abord contrarié et boudeur.

— Le Complexe était ma cible, grogna-t-il. (Il interrogea du regard ses chefs de division.) Comment Daala a-t-elle pu nous damer le pion ? Nous avons pourtant une Etoile Noire.

Alors que l'onde de choc de l'explosion se perdait dans l'espace, Sivron vit la flotte rebelle se regrouper pour quitter la Gueule.

Le Twi'lek soupira.

— On devrait peut-être faire une autre réunion, pour discuter de nos options.

— Monsieur, dit le capitaine des commandos en se levant d'un bond, le réacteur est réparé, au moins provisoirement. J'ai perdu neuf hommes pour que nous récupérions notre puissance de feu. Les Rebelles battent en retraite. Si nous ne les attaquons pas sur-le-champ, nous les perdrons. Je sais que c'est une entorse aux procédures, mais nous n'avons pas le temps de tenir une réunion.

Sivron regarda de droite à gauche, l'air mal à l'aise. Il détestait qu'on le pousse à prendre des décisions précipitées. Trop de choses pouvaient mal tourner quand on ne pesait pas soigneusement le pour et le contre. Cela dit, le capitaine n'avait pas tout à fait tort.

— Fort bien, adoptons le protocole d'urgence. La

question est simple : devons-nous utiliser le superlaser pour écraser la flotte rebelle ? Doxin, votre vote ?

— Je suis pour !

Sivron se tourna vers sa collaboratrice au visage taillé à la serpe.

— Golanda ?

— Massacrons-les !

— Yemm ?

Le Devaronien acquiesça, ses cornes battant de haut en bas.

— Un vote à l'unanimité aura meilleure allure sur le rapport, directeur.

Sivron réfléchit un instant.

— Wermyn étant absent pour les raisons que nous connaissons tous, je voterai en son nom. Attendu que je me prononce aussi pour l'adoption de la motion, le vote est unanime. Sus à la flotte rebelle ! (Il se tourna vers Yemm.) Veuillez enregistrer dans les archives les minutes de cette délibération.

— Directeur, intervint le capitaine, l'ennemi accélère le mouvement. Une des corvettes est déjà en train de sortir de la Gueule.

— Capitaine, votre impatience m'étonne ! N'avez-vous pas entendu que la résolution est votée ? (Il regarda ses subordonnés.) Si nous passions à la mise en œuvre ? Soldats, préparez-vous à abattre la première cible.

Il plissa les yeux et scruta l'écran, repérant la corvette qui restait immobile dans l'espace.

— Pourquoi pas celle-là ? proposa-t-il. Elle semble avoir une panne, ou un problème quelconque. Ça pourrait nous servir à régler le système de visée. D'autant que vous avez déjà raté une planète, capitaine !

— Comme vous voudrez, monsieur.

L'officier des commandos transmit les ordres aux canonniers.

— Je suggère que nous tirions à mi-puissance, monsieur, dit Doxin, un œil sur les relevés des senseurs. Même au minimum de sa force, le superlaser n'aurait aucun mal à détruire un vaisseau de ce tonnage. En procédant ainsi, nous pourrons tirer plusieurs fois sans épuiser nos réserves. Et nous n'aurons pas à attendre longtemps entre les rafales.

— Une brillante proposition, approuva Sivron, rayonnant. J'*adorerais* faire feu plus d'une fois, ce coup-ci.

Dans les puits de tir, les canonniers se préparèrent, verrouillant leurs armes sur la cible.

— Dépêchez-vous de tirer ! s'énerva Sivron. Nous voulons détruire *tous* ces navires, pas uniquement un seul !

Les canonniers s'exécutèrent. Le rayon du superlaser, focalisé par le cristal optique, se mua en un trait d'énergie mortel qui vint frapper sa cible avec une précision millimétrique.

La masse de la navette corellienne était si insignifiante qu'elle absorba une infime partie de la puissance destructrice du laser. Continuant sa course, la flèche assassine se perdit dans le labyrinthe de trous noirs de la Gueule.

— Superbe ! s'exclama Sivron. Vous voyez ce qui arrive quand on respecte les procédures ! A présent, visez le gros navire... Hum... La... frégate... Je veux la voir exploser !

— Nous avons encore assez d'énergie pour tirer plusieurs fois, déclara le capitaine des commandos.

Un petit point lumineux apparut dans un coin de l'écran. Il occupait si peu de place que Sivron manqua ne pas le voir. Mais le moustique, ne doutant de rien, ouvrit le feu avec ses lasers, égratignant à peine les boucliers de l'Etoile Noire.

— Encore des ennuis ? marmonna Sivron. Faites-moi un plan rapproché sur cet enquiquineur !

Golanda obéit et poussa un petit cri. Son visage s'assombrit.

— Je crois que c'est un de nos concepts, monsieur le directeur. Je vous laisse le reconnaître.

Le Twi'lek examina le vaisseau en forme de cristal. Ses tentacules frémirent, puis battirent. Bien sûr qu'il reconnaissait leur agresseur. Il en avait eu une maquette devant les yeux, puis des dizaines de rapports, et enfin une simulation informatique. Sans compter que Xux lui avait montré le prototype.

— Le Broyeur de Soleil ! Mais il est à nous !

Les torpilles à résonance étaient déjà en train de se former dans le réacteur toroïdal.

— Ouvrez une fréquence ! dit Sivron. Je veux parler au pilote. (Un lieutenant signala que la communication était établie.) Broyeur de Soleil ? Ici Tol Sivron ! Pilote, vous vous êtes indûment approprié un objet appartenant au Complexe de la Gueule. J'exige que vous le restituiez sur-le-champ à l'autorité impériale la plus proche.

Croisant les bras, il attendit la réponse.

Elle ne tarda pas à venir — sous la forme d'une première torpille.

Ignorant la pompeuse déclaration du Twi'lek, Kyp appuya sur le bouton de mise à feu avec la plus grande satisfaction. Quand ce fut fait, il regarda le projectile à super-énergie s'éloigner du Broyeur de Soleil et pénétrer dans les entrailles de l'Etoile Noire.

La torpille désintégra poutres et colonnes d'acier, s'enfonçant profondément dans sa cible jusqu'à ce qu'elle percute une cloison blindée.

L'énergie du projectile se diffusa en *éventail*, déclenchant un début de réaction en chaîne dans la superstructure de l'Etoile. La fission nucléaire se communiqua d'atome en atome et forma un arc de destruction. La cloison se vaporisa, laissant un trou béant dans la coque de l'engin de mort.

La jubilation de Durron fut de courte durée, car le phénomène ralentit, puis cessa. L'Etoile de la Mort, encore squelettique, n'avait pas une masse suffisante pour assurer sa propre désintégration.

Le jeune Jedi avait anéanti une partie de la coque du prototype, mais ça ne suffisait pas.

Kyp se prépara à tirer une seconde fois. Sachant qu'il s'agissait de la dernière torpille, il avait intérêt à ne pas manquer son coup.

Faisant décrire un arc de cercle au *Faucon*, Yan Solo essaya d'évaluer les dégâts causés à l'Etoile par les détonateurs.

Ça n'était pas terrible. Normalement, le réacteur aurait dû exploser et transformer le prototype en nova. Mais la manœuvre avait échoué. Pour une raison inconnue, les explosifs semblaient avoir fait long feu, laissant simplement une brèche insignifiante sur la coque.

Le vaisseau dériva un instant dans l'espace, le temps que Mara et Lando retirent leurs scaphandres. Lando essuya la sueur qui coulait le long de son front et se frotta les mains d'un air franchement dégoûté.

— Et maintenant, on fait quoi ? demanda Yan quand ses compagnons l'eurent rejoint dans le cockpit.

Lando regarda l'Etoile Noire, derrière eux.

— On devrait peut-être aller voir si Wedge...

A cet instant, le Complexe de la Gueule et le *Gorgone* disparurent dans une fantastique explosion.

— Trop tard, dit Mara.

— Bon sang, pourquoi n'est-ce pas l'Etoile Noire qui part ainsi en fumée ? gémit Lando.

— Nous lui aurons peut-être causé des dégâts permanents, le consola Yan.

L'instant d'après, tous trois blêmirent en voyant le superlaser de l'Etoile détruire une des corvettes corelliennes.

— Tu parles de dégâts ! s'exclama Mara.

— Si on ne fait rien, la flotte est fichue, soupira Calrissian.

— Un moment, dit Yan. On va approcher.

— Approcher ? se récria Lando. Tu es devenu dingue ?

— C'est Kyp ! cria le Corellien. Il attaque l'Etoile avec le Broyeur de Soleil. Il faut aller l'aider !

Il poussa les moteurs au maximum.

Le Broyeur de Soleil volait vers le cœur de l'amas de la Gueule. Tol Sivron ordonna qu'on poursuive le petit vaisseau, trop dangereux pour être laissé entre les mains des Rebelles.

— Verrouillez l'ordinateur de visée sur ce moustique ! écuma le Twi'lek, nous allons le pulvériser, comme ce fichu vaisseau rebelle !

— Monsieur, intervint le capitaine des commandos, il est difficile d'atteindre une cible de cette taille qui se déplace aussi rapidement.

— Alors approchez assez pour être sûr de ne pas manquer votre coup ! Une seule de ces torpilles nous a coûté *onze pour cent* de la coque ! Nous ne pouvons pas nous permettre une autre catastrophe de ce genre. Que dirions-nous aux autorités impériales ?

— Vous avez mille fois raison, monsieur, approuva le capitaine. Il serait peut-être judicieux de nous tenir loin du Broyeur.

— Absurde ! De quoi ça aurait l'air sur le rapport ? Obéissez à mes ordres, capitaine !

L'Etoile se lança à la poursuite du petit navire.

— Tirez dès que vous tiendrez votre cible, dit Sivron.

L'Etoile Noire accéléra. Le Broyeur jouait avec elle au chat et à la souris, ralentissant chaque fois qu'il risquait de la semer.

La température des gaz augmentait à mesure que le

prédateur et sa proie approchaient du groupe de singularités.

Le Broyeur de Soleil vira de bord. Faisant feu de ses petits lasers, il infligea des piqûres de moustique à l'Etoile Noire, qui avait fort à faire pour résister à l'attraction du trou noir le plus proche.

— Que se passe-t-il ? demanda Sivron aux canonniers. Vous attendez de pouvoir lire le numéro de série de ses moteurs ?

Le superlaser tira de nouveau ; cette fois, le Broyeur n'avait pas une chance d'en réchapper.

Hélas, le rayon dévia vers la gauche, brutalement aspiré par le trou noir.

— Encore raté ! Tas d'imbéciles ! rugit Tol Sivron. Capitaine, transférez les commandes sur ma console. Je vais piloter. Votre incompétence me tape sur les nerfs !

Ebahis, les chefs de division regardèrent le Twi'lek. Le capitaine des commandos fit pivoter son fauteuil.

— Etes-vous sûr que ce soit très sage, monsieur le directeur ? Vous manquez peut-être un peu d'expérience...

Sivron ne céda pas.

— J'ai lu le manuel, et je vous ai regardé faire. Ça suffit pour savoir l'essentiel. Transférez-moi les commandes ! C'est un ordre !

Le Twi'lek sourit quand il vit sa console clignoter, annonçant qu'on venait de lui obéir.

— Bon, on va pouvoir en finir, jubila-t-il.

Le chat suit la souris jusque dans la gueule du chien, pensa Kyp en continuant à voler vers le trou noir.

L'Etoile le suivait comme son ombre.

Il fit demi-tour et fondit sur le prototype en faisant feu de toutes ses armes.

Puis il lança sa dernière torpille à résonance.

Ce tir allait semer la panique chez l'adversaire. Hélas, il ne parviendrait pas à détruire l'Etoile, Kyp le savait.

Et il entendait obtenir une victoire totale.

Quand la réaction en chaîne commença, Durron fonça vers le trou noir le plus proche.

Utilisant son ordinateur tactique, il calcula la position exacte du point à partir duquel aucun vaisseau, si puissant fût-il, ne pouvait échapper à l'attraction du trou noir.

Il s'en approcha, l'Etoile Noire le pistant comme un chien de chasse.

Yan beuglait dans son micro :

— Kyp ! Kyp Durron ! Réponds-moi, fiston ! Eloigne-toi du trou noir. C'est dangereux !

Pas de réponse.

L'Etoile Noire et le Broyeur de Soleil s'affrontaient en un combat singulier, se fichant comme d'une guigne de ce qui les entourait. Le prototype impérial, lui aussi, frôlait la lisière du trou noir.

— J'ai compris le plan de Kyp, dit Solo. Le prototype est des millions de fois plus grand que le Broyeur. Si Kyp peut l'attirer jusqu'au point de non-retour...

— Sans être aspiré lui-même ? demanda Lando, sceptique.

— C'est la question, oui.

L'Etoile Noire tira de nouveau, le rayon recommençant à se dérouler vers la singularité. Cette fois, le canonnier avait compensé. Le laser toucha sa cible, la secouant gravement.

Tout autre vaisseau n'eût pas résisté, mais le blindage spécial parvint à protéger le Broyeur.

Pas entièrement, cependant...

A l'évidence, les moteurs du petit vaisseau étaient touchés, car il zigzaguait dans l'espace comme un ivrogne, essayant de s'éloigner de la gueule avide du trou noir. Mais il en était trop près, la gravité se révélant trop forte.

Il tourbillonnait comme une feuille morte, flirtait avec le gouffre.

Le pilote de l'Etoile Noire ne put résister à la tentation d'achever son adversaire. Le prototype plongea, venant lui aussi défier la singularité.

Alors son pilote réalisa le danger. Inversant la poussée des moteurs, il tenta de s'éloigner du gouffre.

Mais le vaisseau géant était déjà engagé dans le trou noir.

Le Broyeur de Soleil, incapable d'accélérer, n'avait aucun espoir d'échapper à son destin. Bientôt, il fut entraîné à la remorque de l'Etoile.

Pour Kyp Durron, le chemin s'arrêtait là.

— Fiston ! cria Yan, le cœur pris dans un étau.

Le petit vaisseau plongea dans le néant derrière la proie qu'il avait conduite à sa perte. Le prototype, sphérique à l'origine, prit une forme de plus en plus oblongue. Quand il disparut dans la singularité, il ressemblait davantage à un cône qu'à une roue.

Petit point brillant perdu dans l'espace, le Broyeur de Soleil suivit le même chemin. Avant de disparaître, il largua quelque chose derrière lui.

— Adieu, Kyp, murmura Yan.

Mara et Lando ne pipèrent pas mot.

— Une torpille message ! cria Mara, qui venait d'identifier l'objet expulsé par le Broyeur. Si on ne fait rien, elle ne sera pas assez puissante pour échapper à l'attraction du trou noir.

— Un message, tu dis ? fit Yan, essayant de se ressaisir. Rayon tracteur, vite ! Il faut le récupérer !

Le *Faucon* plongea à son tour. Pour réussir ce coup-là, il allait falloir jouer serré. Mais n'était-ce pas la spécialité du Corellien.

Crâne, il passa à l'extrême limite du point dangereux.

— Yan ! cria Lando. Rayon tracteur verrouillé. A ta place, je ne traînerais pas dans le coin. Mais ce que j'en dis... Après tout, c'est *ton* vaisseau... Cela dit, c'est *ma* peau, alors bouge-toi, vieux frère !

— Arrête de pleurnicher, Lando. Dès que tu auras ramené la torpille à bord, on filera ! (Sa voix s'étrangla.) Au moins, j'entendrai les derniers mots du gosse...

CHAPITRE XL

Yan et Lando enfilèrent des gants avant de porter la torpille message à l'intérieur du compartiment habitable du *Faucon*. A cause du froid de l'espace, le cylindre de métal ne pouvait pas être touché à main nue.

L'objet était plutôt imposant ; des décharges électrostatiques couraient encore le long de sa surface polie, souvenirs de sa sortie à grande vitesse du tube lance-torpilles.

— C'est un gros message, souffla Lando tandis que les deux hommes posaient l'objet sur le sol métallique.

Longues d'environ un mètre et larges de quatre-vingts centimètres, les torpilles messages étaient un équipement standard sur tous les vaisseaux de la galaxie. Grâce à elles, le capitaine d'un navire condamné pouvait larguer son journal de bord et une copie de ses fichiers informatiques. Ainsi était-on à même de mener une enquête sur les circonstances du drame.

Le Broyeur de Soleil avait une étonnante réserve de torpilles messages. Sur Coruscant, quand ils avaient examiné l'arme infernale, les scientifiques de la Nouvelle République avaient cru avoir trouvé une torpille à résonance. Pourtant, le modèle embarqué à bord du Broyeur était on ne peut plus courant.

Pis, les chercheurs n'avaient jamais voulu croire Durron quand il avait essayé de leur dire la vérité.

Yan soupira. Après ses exploits dans la Nébuleuse du Chaudron et dans le système de Carida, Kyp avait largué des *boîtes noires* (l'autre nom des torpilles) afin que personne ne tienne ces destructions pour de simples accidents astronomiques.

Le Corellien était comme assommé de tristesse. L'objectif de son ami n'était pas aberrant, du moins pas complètement. Mais pour détruire l'Empire, le gamin avait recouru à des méthodes aussi pourries que celles de Palpatine.

Luke clamait que son disciple était capable de se racheter ; aujourd'hui, tout était terminé et son potentiel de Jedi resterait à jamais inexploité.

En son âme et conscience, Solo ne trouvait rien à redire au sacrifice de Kyp, car il avait entraîné avec lui l'Etoile Noire et le Broyeur de Soleil. Deux monstrueuses menaces étaient épargnées à la galaxie, cela pour le prix d'une seule vie.

Une contre des milliards.

Arithmétiquement, c'était imparable. Et de tous les autres points de vue, ça semblait incontestable.

Une évidence.

Vraiment ?

Mara Jade s'était agenouillée près du cylindre, passant une main sur la coque. Elle étudiait le petit panneau de contrôle.

— Aucun brouillage, dit-elle. Kyp n'aura pas eu le temps... ou il se doutait que le *Faucon* serait le premier sur les lieux.

— Ouvre-le, Mara, dit Yan, plus brusque qu'il ne l'aurait voulu.

Les hypothèses ne servaient à rien. Le Corellien voulait savoir ce que son ami avait dit avant de mourir.

Cela lui semblait une ultime marque de respect.

Mara pianota sur les touches du petit clavier. Les voyants passèrent au rouge, puis à l'ambre, et enfin au vert. Avec un sifflement hydraulique, le couvercle de la torpille message se souleva.

— Nom d'un bantha enragé ! cria Yan.

A l'intérieur du cylindre, aussi immobile qu'une statue, le teint à peine moins cireux, les trois amis venaient de découvrir Kyp Durron. Les yeux fermés, il affichait une expression d'intense concentration.

— Kyp ! cria Yan. (Il sentit la joie monter en lui, mais la contint. Rien ne disait que le jeune Jedi était tiré d'affaire.) Kyp...

Si incroyable que cela parût, Durron avait réussi à se caser dans la torpille, à peine assez grande pour un enfant. Les jambes incroyablement pliées, les bras dans une position invraisemblable, la poitrine comprimée, l'élève de Luke était parvenu à se... réduire... volontairement.

Yan se pencha sur son ami.

— Est-il vivant ? murmura-t-il. On dirait... une sorte de transe Jedi.

Face à une situation désespérée, Kyp avait trouvé la force d'utiliser ses techniques antidouleur de Jedi pour se faire subir cette... compression. L'enseignement de Luke aidant, il avait parié sur son unique chance d'échapper au néant.

— Il est en animation suspendue, dit Mara Jade. Sa transe est si profonde qu'il pourrait tout aussi bien être mort.

La torpille message était étanche, mais elle n'avait aucun système de survie. Comment Kyp avait-il pu respirer avec le peu d'air dont il disposait ?

— C'est impossible ! dit Lando.

— Sortons-le de là, souffla Yan. En douceur.

Avec mille précautions, ils sortirent Kyp de sa prison d'acier et le posèrent sur une couchette. Le jeune Jedi souffrait d'une multitude de fractures auto-infligées, et son corps ressemblait à celui d'un pantin disloqué.

— Le pauvre gosse, dit Yan, tenant délicatement un des poignets brisés de son ami. Il faut le transporter d'urgence dans un hôpital. J'ai le nécessaire pour les premiers secours, mais rien qui puisse faire face à... à ça. Il n'a plus un os entier !

Kyp ouvrit les yeux. Solo y lut une souffrance dépassant tout ce qu'il avait vu dans sa vie. Pourtant, le jeune Jedi parvenait à la maîtriser.

— Yan... Tu es venu à mon secours...

— Evidemment, fiston. Qu'est-ce que tu croyais ?

— L'Etoile Noire... ?

— Gobée par le trou noir. Comme le Broyeur de Soleil. Le cauchemar est terminé.

Kyp soupira et tout son corps en trembla.

— Parfait...

Le jeune homme semblait sur le point de retomber dans l'inconscience. Il se ressaisit, une lueur nouvelle dans les yeux.

— Je vais m'en sortir, tu sais ?

— Evidemment. Je n'en ai jamais douté !

Kyp se détendit, s'autorisant à plonger de nouveau dans une transe bienfaisante.

— Heureux de te revoir parmi nous, fiston, dit Yan pour lui-même. Mara, Lando, ramenons-le sur Coruscant. Il en a besoin.

Un rugissement caractéristique jaillit des haut-parleurs. Yan se leva d'un bond et courut jusqu'à son fauteuil. Par la verrière, il aperçut une navette de l'Empire, la coque constellée de traces noires.

— Chewie ! cria joyeusement Yan.

Un rugissement lui répondit.

6PO ne put s'empêcher de traduire :

— Chewbacca est ravi de vous revoir, général Solo. Si vous voulez sortir de la Gueule, suivez-nous, car le bon cap est programmé sur notre ordinateur de navigation. Je crois que nous avons tous hâte de rentrer à la maison.

Yan regarda Mara et Lando et sourit.

— Pour une fois, je ne te contredirai pas, Bâton d'Or. En route !

CHAPITRE XLI

Dans le réfectoire du Grand Temple, sur Yavin 4, Cilghal gardait le silence, s'efforçant de ne pas céder à l'insistance d'Ackbar.

De nouveau vêtu de son uniforme, l'amiral était penché sur sa compatriote, les deux mains posées sur ses épaules. L'aspirante Jedi sentait la force de l'officier et sa détermination. Mais elle refusait d'accéder à sa demande.

— Vous ne vous déroberez pas si facilement, ambassadrice. Il ne suffira pas de dire que c'est impossible. Il faudra le démontrer.

Cilghal se sentait toute petite face à ce héros de légende. Même si aucun humain ne s'en apercevait, elle voyait sur son visage combien il avait souffert et lutté, ces derniers temps.

Après le drame de la planète Vortex et sa démission, le Calamarien avait vécu avec un atroce poids sur la conscience. Délivré de la culpabilité, il avait réintégré l'armée et repris le combat.

Y compris celui qu'il livrait à présent.

— Il n'y a plus eu de guérisseurs Jedi depuis des lustres, dit Cilghal. Maître Luke pense que je suis douée en ce domaine, mais je n'ai pas reçu d'entraînement spécifique. Je serai hésitante, maladroite, je n'oserai pas...

— Il faut prendre le risque ! coupa Ackbar.

Il la lâcha et recula, la blancheur de son uniforme faisant cligner les yeux de sa jeune compatriote.

Dorsk 81 entra et jeta un regard en coin à Ackbar. Reconnaissant le commandant en chef de la flotte, il marmonna de vagues excuses et battit en retraite.

Ackbar continuait à fixer Cilghal. Elle accepta de croiser son regard, mais attendit qu'il parle le premier.

— Je vous en supplie, dit-il. Mon Mothma mourra dans quelques jours si vous ne faites rien.

— Quand je suis devenue ambassadrice, puis lorsque j'ai débarqué sur Yavin 4 pour suivre l'enseignement de maître Skywalker, j'ai juré de faire tout ce qui serait en mon pouvoir pour servir et défendre la Nouvelle République. (Elle baissa les yeux sur ses mains palmées.) Si mon maître a foi en moi, qui suis-je pour douter de son jugement ? Rejoignons votre vaisseau. En route pour Coruscant !

Dans le Palais Impérial reconstruit, Cilghal fit le point de la situation et sentit renaître son angoisse.

Mon Mothma n'était plus consciente. Les micro-tueurs avaient envahi son corps, détruisant ses cellules les unes après les autres. Sans les machines qui la maintenaient en vie, elle aurait été morte depuis des jours.

Certains membres du Conseil avaient demandé qu'on la débranche, car la conserver dans cet état leur semblait une vaine torture. Apprenant qu'une des élèves de son frère accourait à la rescousse de la malade, Leia Organa Solo, la nouvelle présidente, avait insisté pour qu'on laisse cette ultime chance à son amie.

Dès son arrivée dans la Cité Impériale, Cilghal, flanquée de Leia et d'Ackbar, avait été conduite dans la chambre où Mon Mothma attendait la mort.

Les yeux noirs de Leia passaient de Cilghal à l'agonisante. Derrière les larmes de l'humaine, la

Calamarienne sentit un espoir fou qui n'osait pas s'exprimer.

Les odeurs médicamenteuses et les émanations des produits chimiques stérilisants irritaient les yeux et la peau de la Calamarienne. Elle eût aimé nager dans les eaux apaisantes de sa planète et chasser de son corps les toxines et les pensées négatives qui l'empoisonnaient.

Mais Mon Mothma avait beaucoup plus besoin qu'elle de cette purification.

Elle avança vers la mourante, laissant Leia et Ackbar derrière elle.

— Sachez que je ne connais rien de spécifique sur les pouvoirs de guérison des Jedi, dit-elle comme pour s'excuser. J'ignore quantité de choses sur le poison qui est en train de la détruire...

Elle prit une grande inspiration.

— Qu'on me laisse seule avec elle ! Nous mènerons ensemble ce combat. Et nous vaincrons... peut-être...

Après avoir murmuré de brefs encouragements, Ackbar et Leia sortirent. Cilghal s'en aperçut à peine.

Sa robe bleue d'ambassadrice flottant autour d'elle, la Calamarienne se pencha sur le corps immobile de Mon Mothma. Invoquant la Force — mais ignorant ce qu'elle était censée en faire —, elle commença par établir un diagnostic.

Quand elle découvrit en profondeur le corps de sa patiente, l'importance des dégâts causés par le poison l'étonna. Comment l'ancienne présidente avait-elle pu vivre jusque-là ? L'incertitude submergea l'esprit de Cilghal.

Pouvait-elle s'opposer à pareille maladie ? Alors qu'elle ne comprenait pas comment la Force aidait les créatures vivantes à guérir, pouvait-elle lui demander ce qui ressemblait à s'y méprendre à une résurrection ? Les droïds médicaux les plus perfectionnés avaient été incapables d'enrayer le mal.

Face à la déroute de la médecine, que valait une simple élève Jedi ?

Cilghal allait seulement faire ce que maître Skywalker lui avait appris : sentir avec la Force, entrer en contact avec les êtres vivants, déplacer des objets.

Elle enveloppa Mon Mothma d'un halo de Force, espérant trouver une réponse à ses questions, ou au moins un début.

Ses pouvoirs de Jedi étaient-ils en mesure de redonner vie à Mon Mothma ? Devait-elle aider la patiente à guérir, ou chercher un moyen de la stabiliser ?

Tandis qu'elle hésitait, une autre possibilité lui traversa l'esprit. L'importance de l'effort à produire l'inquiétant, elle tenta de chasser cette idée. Mais il lui fallait l'examiner.

Maître Skywalker leur avait parlé de son séjour sur Dagobah, où Yoda lui avait appris que la « taille ne comptait pas ». Pour le vieux maître, soulever le chasseur de Luke n'était pas plus difficile que manipuler un caillou.

Cilghal pouvait-elle inverser la proposition ? Utiliser la Force pour déplacer l'infiniment petit ?

Elle cligna plusieurs fois des yeux. Des millions de microscopiques tueurs habitaient le corps de Mon Mothma.

La taille importe peu...

Si la Calamarienne pouvait extirper le poison du corps de la malade, la guérison se ferait d'elle-même, sans difficultés particulières.

Cilghal refusa de se laisser décourager par la vision du nombre de molécules qu'il lui faudrait combattre une à une, les arrachant d'abord à la cellule qu'elles avaient colonisée, puis à la chair de la mourante.

La Calamarienne prit la main gauche de Mon Mothma et la souleva, laissant ses doigts reposer dans une petite coupe de cristal qui avait dû servir à lui faire boire des médicaments. Malgré toute la délicatesse de Cilghal, des veines éclatèrent sous la peau translucide de l'ancienne présidente.

Cilghal laissa la Force couler à flots dans le corps de Mon Mothma. Fermant les yeux, elle commença à voyager à travers ses organes, utilisant sa vision intérieure pour sonder chaque cellule.

La guérisseuse fut projetée dans un univers étrange dont les composants — cellules, nerfs, fibres musculaires — n'étaient plus capables de remplir leur fonction. Sans vraiment comprendre ce qu'elle voyait, elle distingua d'instinct les parties saines des molécules qui conspiraient à la destruction de Mon Mothma.

Grâce à la Force, la Calamarienne put se doter de « doigts » minuscules qui saisirent un des microtueurs et l'expulsèrent du corps affaibli.

C'était donc possible ! Mais la tâche semblait démesurée. Ce n'étaient pas des millions, mais des milliards de cellules qu'il allait falloir nettoyer.

L'une après l'autre...

Encouragée par son premier succès, Cilghal se tourna vers une autre proie.

Puis une autre.

Et encore une autre...

— Son état s'améliore ? demanda Leia, debout sur le seuil de la porte.

Elle revenait d'une réunion où le général Antilles, le docteur Xux et Yan Solo avaient fait un rapport complet sur la bataille de la Gueule.

Leia avait écouté attentivement, couvant du regard son mari, qu'elle avait trop peu vu à son goût, ces derniers jours. Mais dans un coin de son cerveau, l'image de Mon Mothma n'avait pas cessé de tourner.

— Rien ne se passe, dit Ackbar. J'aimerais comprendre ce que Cilghal essaye de faire.

La Calamarienne n'avait pas bougé depuis neuf heures. Assise à côté de Mon Mothma, les mains posées sur sa peau, elle était plongée dans une transe qui semblait ne jamais devoir cesser.

Le droïd médical n'ayant pas prévu que la malade vivrait aussi longtemps, devait-on s'autoriser un peu d'espoir ?

Leia jeta un coup d'œil et constata que rien n'avait changé. Les doigts de la main gauche de Mon Mothma étaient toujours dans la coupe, des gouttes d'un liquide épais en tombant à peu près toutes les demi-heures. Le processus était trop lent pour qu'on puisse vraiment l'observer, mais le résultat était visible : une petite quantité de liquide au fond du récipient.

Vêtu d'un uniforme vert sombre dépourvu de galons, Terpfen faisait les cent pas dans le couloir. Bien que pardonné, l'ancien chef mécanicien avait refusé qu'on lui rende son grade. Depuis son retour d'Anoth, il n'avait presque pas quitté ses quartiers.

Il s'immobilisa à plusieurs mètres de la chambre. Leia savait qu'il se jugeait responsable des malheurs de l'ancienne présidente. Même si elle comprenait qu'il se sente coupable, l'épouse de Yan commençait à se lasser de le voir se complaire dans sa misère. Il était temps qu'il réagisse !

Terpfen approcha enfin et s'inclina devant Ackbar.

— Monsieur, je suis arrivé au terme de ma réflexion. Je veux retourner sur Calamari et continuer votre œuvre. Corail City a besoin d'être reconstruite. Et... je crains de ne plus jamais me sentir à l'aise sur Coruscant.

— Terpfen, croyez que je vous comprends, répondit Ackbar. Je serais mal venu d'essayer de vous faire changer d'avis. Vos projets me semblent un bon compromis. Vous avez besoin de guérir *et* de vous amender...

Terpfen se redressa comme s'il avait retrouvé un peu de confiance en lui.

— Je voudrais partir dès que possible.

— J'arrangerai ça.

Le chef mécanicien se tourna vers Leia.

— Ai-je votre permission, madame la présidente ? demanda-t-il.

— Vous l'avez, Terpfen.

Le Calamarien s'en fut. Leia se tourna de nouveau vers la chambre...

Très tard dans la nuit de Coruscant, Cilghal quitta le chevet de Mon Mothma. Titubant, elle tenait dans la main droite la coupe de cristal, remplie du poison que l'ambassadeur Furgan avait jeté au visage de la présidente.

Les deux gardes en faction devant la chambre se hâtèrent d'aller aider la Calamarienne, si épuisée qu'elle pouvait à peine mettre un pied devant l'autre.

Le bras tremblant, elle tendit la coupe à un garde.

— Faites attention, murmura-t-elle. Incinérez le tout.

L'autre soldat activa l'intercom et fit appeler les membres du Conseil.

— Et Mon Mothma ? demanda le premier homme.

— Elle guérira... (Les yeux de la Calamarienne se fermaient tout seuls.) Pour l'instant, il faut qu'elle se repose... (Lentement, la guérisseuse glissa sur le sol.) Et moi aussi, finit-elle, plongeant immédiatement dans une transe Jedi.

CHAPITRE XLII

Lâchant un flot de radiations à travers des centaines de brèches plus ou moins importantes, le *Gorgone* avançait dans l'espace comme un grand dragon blessé.

Un seul de ses moteurs subluminiques fonctionnait encore. Les ingénieurs avaient prévenu l'amirale Daala qu'il faudrait plusieurs jours avant que le vaisseau puisse plonger de nouveau dans l'hyperespace.

Les systèmes de survie étaient au minimum sur les douze ponts inférieurs. Mais les soldats de Daala avaient l'habitude des conditions difficiles. Des quartiers inconfortables les encourageraient à réparer plus vite.

Le chauffage étant quasiment coupé, il régnait à bord un froid terrible. Chaque fois qu'elle disait un mot, l'amirale expulsait un nuage de vapeur blanche.

Son précieux destroyer était gravement touché. Mais la jeune femme n'entendait pas en refaire un navire de guerre capable de frapper l'ennemi. Cette fois, il suffirait de rafistoler assez les moteurs pour retourner dans le territoire de l'Empire, où elle repartirait de zéro.

Daala avait un atout dans son jeu : à coup sûr, les Rebelles pensaient que le *Gorgone* était réduit en poussière, car leurs senseurs avaient dû être « aveugles » pendant l'explosion du Complexe.

Voyant le centre de recherches se désintégrer, Daala avait ordonné qu'on lève les boucliers et qu'on pousse les moteurs au maximum. Le destroyer s'était alors enfoncé dans le labyrinthe de trous noirs, slalomant entre les singularités.

Un voyage qui n'avait pas été vraiment paisible.

Après avoir subi tant de chocs électriques, la moitié des consoles de la passerelle refusaient de fonctionner. Les techniciens étaient en train de travailler dessus ; les mains gelées, ils ne laissaient pas échapper une plainte, du moins pas en présence de leur chef.

Un grand nombre de commandos avaient été tués au moment de l'explosion, puis pendant le voyage. Les infirmeries regorgeaient de blessés.

Les ordinateurs ne fonctionnaient plus qu'à moitié...

Peut-être, mais le *Gorgone* était toujours là !

Le commander Kratas s'approcha de Daala et la salua. Le visage couvert de suie, il semblait au bord de la syncope.

— Les nouvelles ne sont pas bonnes, amirale, dit-il.

— Ne m'épargnez rien, Kratas, cela renforcera ma détermination à survivre et à lutter. Je vous écoute.

— Il nous reste sept chasseurs Tie. Tous les autres ont été détruits.

— Sept ! s'écria Daala. (Elle se ressaisit vite ; le stoïcisme s'imposait.) Eh bien, continuez...

— Nous manquons de pièces de rechange pour réparer l'armement. Nos turbolasers sont hors service. Avec un peu de chance, on pourra compter sur deux canons...

Daala tenta d'être optimiste.

— Ce sera assez pour nous défendre si on est attaqués. Espérons que ça ne soit pas le cas... Bien entendu, nous nous garderons de toute action offensive. Compris ?

Kratas sembla soulagé.

— Compris, amirale. Il sera possible de réparer toutes les brèches, et de repressuriser certains ponts, mais... (Il hésita, levant ses épais sourcils.) Amirale, je ne vois pas à quoi ça servirait. Nous n'avons plus besoin d'autant de place... Comme les équipes de réparation travaillent déjà vingt-quatre heures sur vingt-quatre, je suggère que nous nous limitions à remettre en état les moteurs et le pont principal.

Daala hocha la tête.

— Je suis tout à fait d'accord, commander. C'est une décision difficile, mais nous devons être réalistes. Nous avons perdu une bataille, cependant la guerre continue. A nous de donner le meilleur de nous-mêmes pour le bien de l'Empire !

Elle prit une grande inspiration et regarda l'espace. Lentement, le *Gorgone* volait vers le centre de la galaxie.

— Kratas... (Elle baissa le ton.) Selon vous, où en est le moral de l'équipage ?

Le commander avança d'un pas pour pouvoir répondre sur le même ton :

— Nos hommes sont solides, amirale, vous le savez. Ils sont bien entraînés, et très disciplinés. Mais ils ont souffert de notre récente série de défaites.

— Ont-ils perdu foi en moi ? demanda Daala.

Son visage se fit de marbre, car elle refusait de montrer à Kratas que sa réponse pouvait la détruire.

Elle évita le regard de son subordonné, craignant qu'il ne la perce à jour.

— Absolument pas, amirale, répondit Kratas, sans dissimuler sa surprise. Ils ont la plus haute confiance en vous.

Daala acquiesça, dissimulant de son mieux un long soupir de soulagement. Puis elle se redressa et tourna la tête vers l'officier des communications.

— Branchez-moi sur l'intercom, général. Je veux parler à l'équipage.

Pendant que le lieutenant établissait la connexion, l'amirale rassembla ses idées.

— Vous pouvez y aller...

— Hommes et femmes du *Gorgone*, ici votre commandant. Je tiens à vous féliciter de votre courage face à l'adversité. L'ennemi a pris l'avantage parce qu'il ne recule devant aucune bassesse, mais cela ne durera pas. La bataille continue, et la victoire nous sourira. Pour l'heure, nous volons vers les Mondes du Noyau pour rejoindre les derniers bastions encore loyaux à l'Empire.

« Il n'a jamais été dans mes intentions de rallier un des seigneurs de la guerre qui se disputent l'Empire, mais il semble aujourd'hui que ce soit la seule solution. Car pour triompher, il faudra convaincre ces hommes de s'unir contre le seul véritable ennemi : la Rébellion.

Elle se tut un instant, puis haussa le ton :

— C'est vrai, le *Gorgone* est durement touché, et nos pertes sont lourdes. Nous sommes blessés, mais pas vaincus !

« De pareilles épreuves endurcissent un cœur. Soldats, ne ménagez pas vos efforts, le *Gorgone* en a besoin. Et merci de votre loyauté !

Elle fit signe au lieutenant de couper la communication.

La situation n'était pas si mauvaise. Dans la mémoire de l'ordinateur dormaient les informations secrètes arrachées aux banques de données du Complexe. Avec ces nouvelles armes, l'Empire remporterait la guerre, c'était évident.

Sondant l'espace, Daala eut le sentiment que l'univers se déroulait docilement devant elle.

Le *Gorgone* atteindrait bientôt les Systèmes du Noyau. Un jour, il en reviendrait, plus vaillant que jamais.

Pour vaincre !

CHAPITRE XLIII

Le *Lady Luck* volait en rase-mottes au-dessus de la surface dévastée de Kessel. Un soleil blême luisait sur les plaines ravagées. Dans le ciel foisonnaient les météorites : des fragments de la lune détruite.

— Tu sais, je trouve à ce paysage une certaine beauté, dit Lando à Mara Jade.

Assise à côté de Calrissian, la jeune femme semblait des plus sceptiques. Avec un soupir, elle regarda son compagnon comme si elle doutait de sa santé mentale.

De fait, il y avait souvent de quoi.

— Si tu le dis...

— Je sais qu'il faudra beaucoup de travail, admit Lando.

Il lâcha les commandes d'une main, qu'il posa sur l'accoudoir de Mara, qui sursauta, mais... pas trop.

— Le plus urgent, continua Lando, sera de remettre les usines atmosphériques en état de marche. Il faudra faire venir des robots spécialisés... Au fait, j'ai contacté Nien Nunb, mon ami sullustéen. Il est ravi de s'installer dans les tunnels ! Crois-moi, il fera un super directeur d'exploitation ! (Il gratifia Mara de son plus beau sourire.) Sans la base lunaire, la défense sera plus difficile, mais avec l'aide de la Guilde des Contrebandiers, je suis sûr qu'on mettra sur pied un système génial. Mara, on va faire une équipe du tonnerre, toi et moi ! Et tu ne peux pas savoir combien j'apprécie de travailler... hum... si près de toi.

La jeune femme soupira, plus amusée qu'agacée.

— Tu ne renonces jamais, hein, Calrissian ?

Il secoua la tête, un grand sourire sur les lèvres.

— Exact. Ça n'est pas mon genre. Et ça ne le sera jamais.

Mara s'adossa à son siège, faussement accablée.

— C'est bien ce que je craignais...

Dans les cieux blêmes de Kessel, les étoiles filantes continuaient de pleuvoir.

Deux droïds médicaux soutenaient une Mon Mothma dégoulinante à sa sortie d'une cuve à bacta. Encore peu solide sur ses jambes, l'ancienne présidente n'avait aucune honte à s'appuyer sur les épaules métalliques de ses anges gardiens.

Sidérée par la rapidité de son rétablissement, Leia regardait sa vieille amie avec des yeux ronds.

— Mon Mothma, je n'espérais plus vous revoir debout...

— Moi non plus, admit la miraculée avec un haussement d'épaules. Mon corps se régénère à une vitesse incroyable. Maintenant que le poison ne me ronge plus, les cuves à bacta sont très actives. Tu sais, j'ai hâte de savoir ce qui s'est passé pendant que j'étais dans le coma. J'ai beaucoup à rattraper. Mais les droïds médicaux ont décrété que je devais rester là et me reposer.

Leia éclata de rire. Elle reconnaissait bien là l'indestructible Mon Mothma.

— Vous avez tout le temps, ne soyez pas inquiète. A ce propos... (Elle hésita, ne voulant pas mettre la convalescente sous pression.) Hum... Quand pensez-vous être prête à reprendre vos fonctions ?

Toujours aidée par ses droïds, Mon Mothma alla s'asseoir sur un siège moelleux, près de la cuve.

Elle prit tout son temps pour répondre, le cœur de Leia battant de plus en plus fort.

— Leia, je ne suis plus présidente. J'ai loyalement servi pendant des années, mais cette maladie m'a affaiblie. Pas seulement sur le plan physique, comprends-le. Aux yeux de l'opinion publique, je ne suis plus la même. Un chef doit être fort et dynamique. Il faut quelqu'un comme toi, la fille du légendaire Bail Organa.

« Ma décision est irréversible. Je n'essayerai pas de reprendre mon poste. L'heure est venue de me reposer, puis de réfléchir à d'autres moyens de servir la Nouvelle République. Désormais, mon enfant, l'avenir est entre tes mains.

Une expression stoïque s'afficha sur le visage de Leia, mais il aurait fallu être aveugle pour ne pas voir combien elle était forcée.

Au point d'en devenir comique...

— Je redoutais que vous ne disiez cela, répondit Leia. Si j'ai pu aider à vaincre l'Empire, je réussirai à me débrouiller avec les Conseillers. Après tout, ils sont de notre côté...

— Certes, mais tu découvriras bien vite que les Impériaux baissent plus facilement pavillon que nos politiciens.

— Encore de beaux jours en perspective ! soupira la présidente.

Les vents chantaient sur Vortex. Emerveillée, Leia regardait la Nouvelle Cathédrale des Vents, qui se dressait bravement face aux terribles tempêtes. A ses côtés, Yan plissait les yeux pour se protéger de la bise, mais lui aussi semblait impressionné par l'édifice.

La nouvelle cathédrale était plus aérodynamique que la précédente. Les Vors, trop imaginatifs pour reproduire le concept précédent, avaient suivi des plans issus de leur conscience collective.

Des cylindres de cristal brillaient sous le soleil, rappelant les tuyaux d'un orgue géant. Des orifices étaient aménagés dans ces structures incurvées. Les Vors utilisaient leurs ailes pour boucher et déboucher ces trous, composant ainsi une mélodie éolienne. Tout le reste était construit à ras de terre, mais la cathédrale, comme l'esprit de la Nouvelle République, était un défi lancé à la fatalité.

Les vents faisaient rage. Peut-être était-ce leur façon de rendre hommage au courage des bâtisseurs. Car, sans les tempêtes, il n'y aurait point eu de musique.

Entourés d'une escorte de dignitaires de la République, Leia et Yan occupaient une petite plate-forme d'observation semée d'herbe verte. Au-dessus de leurs têtes, les Vors tournaient, redevenus joyeux.

Depuis l'Ordre Nouveau décrété par Palpatine, les habitants de Vortex n'avaient plus invité aucun étranger à leur concert annuel. Avec la victoire de la République, leur sévérité s'était adoucie, et les diplomates d'une multitude de mondes étaient conviés à la fête.

La première visite de Leia, avec l'amiral Ackbar, avait tourné au désastre ; aujourd'hui, tout irait bien, la nouvelle présidente en était certaine.

Yan l'accompagnait, sanglé dans une tenue d'apparat qui le gênait visiblement aux entournures. Leia le trouvait splendide, mais ça ne semblait pas le consoler.

Sentant que sa femme le regardait, il tourna la tête et lui sourit. Puis il lui passa un bras autour de la taille et l'attira vers lui.

— Ça fait du bien de se détendre, dit-il. Et j'adore être avec vous, Votre Splendeur.

— Général Solo, maintenant que je dirige l'Etat, peut-être vais-je vous ordonner de rester plus souvent à la maison.

— Tu crois que ça ferait une différence ? Avec ma façon très personnelle d'obéir, j'en doute...

Leia sourit.

— Ne penses-tu pas qu'on pourrait arriver à un compromis ? dit-elle. La galaxie semble conspirer pour nous éloigner l'un de l'autre. Avant, nous vivions nos aventures ensemble.

— Le destin se venge peut-être de tous les coups de veine que j'ai eus dans ma chienne de vie.

— Alors, j'espère que ta chance reviendra bientôt.

— Sait-on jamais, avec les probabilités ? fit Yan. (Il laissa ses doigts courir dans le dos de Leia, qui frissonna.) Pour tout dire, je me sens déjà le plus veinard des hommes.

A cet instant, la musique s'éleva, majestueuse.

La fourrure de Chewie était hérissée comme s'il avait pris un bain de vapeur et oublié de se peigner. Agressé par les vents et la musique de la cathédrale, il grognait sourdement.

La voix flûtée de 6PO s'éleva :

— Anakin ! Jacen et Jaina ! Où êtes-vous ? S'il vous plaît, revenez ! Nous nous inquiétons terriblement.

Chewie et le droïd cherchaient Anakin et les jumeaux dans les hautes herbes. Le petit dernier de la famille Solo avait profité de la cérémonie d'inauguration de la cathédrale pour prendre la tangente. Fasciné par la musique, aucun spectateur n'avait remarqué sa manœuvre. Chewie et 6PO pas plus que les autres...

Voyant que leur frère n'était plus là, Jacen et Jaina étaient partis à sa recherche. Bien entendu, aucun des trois garnements ne s'était remontré. Menant la battue, le droïd et le Wookie essayaient de passer inaperçus.

— Jacen ! Jaina ! appelait 6PO. Mon Dieu, mon Dieu, qu'allons-nous faire, Chewbacca ? C'est très embarrassant.

Ils avançaient dans une végétation qui arrivait à la poitrine du Wookie. Le droïd se frayait un chemin en battant des bras de manière quelque peu désordonnée.

— Ces végétaux rayent ma peinture, gémit-il. Je n'ai pas été conçu pour faire ce genre de choses.

Chewbacca tendait l'oreille, ignorant le babil du droïd. Quelque part devant, il entendait des rires d'enfants.

Il bondit, faisant plier les herbes. Mais il n'y avait plus personne. Cependant, il remarqua une piste étroite dans la végétation.

Les gamins étaient piégés. Tôt ou tard, il les aurait...

Derrière lui, des gémissements montèrent.

— Chewbacca, où es-tu donc passé ? Je suis perdu ! Seigneur, ça n'est pas possible.

Sur la plate-forme des officiels, l'amiral Ackbar écoutait la musique de la cathédrale. Vêtue d'une magnifique robe blanche, Winter était assise près de lui.

Le Calamarien avait longtemps hésité à venir assister à la cérémonie. Après tout, il avait détruit l'ancienne cathédrale, et les Vors auraient été en droit de lui garder une solide rancune.

Mais les créatures ailées ne nourrissaient pas ce genre de sentiment. Elles survivaient à tout, ne cessant jamais de lutter. Dans le cas présent, elles n'avaient pas mis la République à l'index ni même demandé des réparations financières. Simplement, elles s'étaient attelées à la reconstruction de leur monument musical.

Le vent frigorifiait Ackbar, mais la beauté des harmonies valait bien un coup de froid.

Non loin de l'amiral, une superbe jeune femme couverte de bijoux était accrochée au bras d'un jeune homme à l'air hagard.

Ackbar se pencha pour chuchoter à l'oreille de sa compagne :

— Qui sont ces gens ? Je ne crois pas les connaître...

Winter jeta un coup d'œil, puis se concentra comme

312

si elle était en train de consulter les fichiers de sa mémoire. Ce qui était exactement le cas.

— Je pense que c'est la duchesse Mistal, de Dargul. Le jeune homme est son consort.

— Je me demande pourquoi il a l'air si misérable.

— Il n'aime peut-être pas la musique, suggéra Winter. (Elle se tut, mal à l'aise. Il fallait passer à des sujets plus personnels, mais ça n'était pas facile.) Je suis heureuse que vous ayez repris votre place au sein de la République, Ackbar. Vous avez encore tant de choses à lui donner...

Le Calamarien acquiesça, regardant la femme qui s'était si longtemps dévouée à Leia.

— J'ai appris avec joie que votre exil sur Anoth était terminé. Je m'inquiétais pour vous. Vos talents méritaient mieux que ça, permettez-moi de le dire.

Ackbar vit que sa compagne gardait une impassibilité de surface, s'autorisant juste un petit sourire pour montrer qu'elle comprenait *tout* ce qu'il voulait dire.

— Eh bien, souffla-t-elle, les choses étant ainsi, nous aurons l'occasion de nous voir plus souvent.

— J'en serai le premier ravi, chère amie.

Qwi Xux se laissait bercer par la musique des vents. Les notes s'élevaient dans les airs, cristallines, composant une mélodie unique dans tous les sens du terme, puisque les Vorx interdisaient qu'on enregistre leurs concerts, chacun étant différent des autres.

Les créatures ailées volaient le long des tuyaux de cristal, jouant de la flûte avec leurs corps.

Au loin, une tempête approchait...

La musique rappelait sa vie à Qwi. Pure et dépouillée, elle faisait vibrer en elle des cordes sensibles : son enfance perdue, le cauchemar de sa formation, sa captivité dans le Complexe, le lavage de cerveau infligé par les Impériaux...

Alors elle avait rencontré Yan Solo, puis Wedge Antilles, qui, chacun à sa manière, lui avait montré qu'il existait une autre façon de vivre.

Wedge.... Grâce à lui, la jeune femme avait découvert de nouveaux mondes, et des aubes radieuses comme jamais elle n'aurait cru en connaître.

Depuis son retour du Complexe, Qwi Xux ne regrettait plus ses souvenirs perdus.

Quand le jeune Kyp Durron les avait effacés de sa mémoire, nul doute qu'il avait commis un acte violent et répréhensible. Victime du Côté Obscur, il n'en était pas vraiment responsable ; de toute façon, la scientifique le pardonnait de bon cœur.

En un certain sens, Kyp lui avait rendu service, même si c'était involontaire. Qwi ne désirait plus se souvenir de ses recherches, des armes atroces qu'elle avait aidé à fabriquer. Amnésique, elle pouvait renaître à la vie et accepter sans arrière-pensées l'amour que lui offrait Wedge.

La musique continuait, plus belle que tout ce qu'elle avait jamais entendu. La joie, le chagrin, l'espérance, le deuil... La vie entière vibrait dans cette mélodie.

— Tu aimerais revenir sur Ithor avec moi ? lui souffla Wedge à l'oreille. Pour de vraies vacances, cette fois ?

Qwi sourit à son bien-aimé. Retourner sur cette merveilleuse planète était le plus cher de ses désirs. Les paysages étaient si beaux, les gens si paisibles. Un tel bonheur lui ferait oublier un peu plus les souvenirs que Durron lui avait volés.

— Veux-tu dire que nous n'avons plus à nous cacher des espions de l'Empire ? Ni de l'amiral Daala ?

— On se fichera de tout ça, oui ! Notre seul souci sera de nous amuser... d'être heureux...

Les Vors ouvrirent toutes les fenêtres de la Cathédrale des Vents. S'engouffrant dans le bâtiment, la tempête offrit un fabuleux crescendo aux auditeurs.

Il était si glorieux qu'on eût cru qu'il pouvait s'entendre d'un bout à l'autre de la galaxie.

CHAPITRE XLIV

Le soleil se levait sur Yavin 4.

Cliquetant et bipant plus que jamais, D2-R2 roulait sur la rampe de pierre. Derrière lui avançaient les nouveaux Chevaliers Jedi. En silence, ils marchaient vers le sommet du Grand Temple, où ils regarderaient au-delà de la ligne des arbres encore brumeuse.

La planète gazeuse brillait dans leur dos ; devant eux, la boule orange du petit soleil n'avait pas encore émergé des nuages.

Luke Skywalker dépassa le petit droïd et prit la tête de la procession. A ses côtés se tenait le jeune Kyp Durron, souffrant encore un peu de ses blessures récemment traitées, mais débordant d'une formidable force intérieure.

En peu de temps, son attitude avait radicalement changé.

De tous, c'était lui qui avait traversé les pires épreuves. Néanmoins, les autres élèves aussi s'étaient révélés meilleurs que Luke ne l'avait prévu et espéré.

Ensemble, ils avaient vaincu Exar Kun, le Seigneur Noir de la Sith. Cilghal avait sauvé Mon Mothma en inventant une nouvelle technique de guérison.

Streen avait recouvré sa confiance et s'était montré

capable d'exercer une grande influence sur les éléments.

Tionne continuait sa lente reconstitution de l'histoire des Jedi. Maintenant que l'Holocron était détruit, sa tâche serait plus difficile, mais Skywalker ne se faisait pas trop de souci. Il restait d'autres Holocrons à découvrir, même s'ils étaient perdus depuis des millénaires.

Au fil des siècles, des légions de Maîtres Jedi avaient confié leurs souvenirs et leur sagesse à ces étranges machines.

D'autres aspirants, comme Dorsk 81, Kam Solusar ou Kirana Ti n'avaient pas encore donné le meilleur d'eux-mêmes, ni trouvé leur voie, mais ils maîtrisaient la Force un peu mieux chaque jour, et c'était l'essentiel.

Quelques-uns des nouveaux Jedi resteraient à l'Académie pour parfaire leur formation. D'autres étaient assez mûrs pour sillonner la galaxie et se mettre au service de la Nouvelle République.

D2 bipa un pronostic : le moment exact où le premier rayon de soleil frapperait l'apex du temple. Le droïd en forme de tonneau semblait ravi d'être aux côtés de son maître.

Luke rassembla les nouveaux Chevaliers Jedi autour de lui, sentant la puissance qui émanait d'eux. Ces jeunes gens formaient une équipe, pas une association hétéroclite de phénomènes de foire dotés de pouvoirs et d'aptitudes qu'ils ne comprenaient pas.

Skywalker chercha un moment ses mots. Exprimer sa fierté et ses ambitions n'était pas si facile.

— Vous êtes les premiers d'une nouvelle génération de Chevaliers Jedi, dit-il, levant les mains comme pour une bénédiction. Vous êtes le noyau de l'Ordre qui protégera demain la Nouvelle République.

Il marqua une longue pause.

— Vous êtes les Champions de la Force !

Même si ses élèves ne répondirent pas, il sentit les

émotions qui tourbillonnaient en eux, et la fierté qui les submergeait.

D'autres aspirants remplaceraient ceux-là, aussi déterminés qu'eux à devenir des Chevaliers Jedi.

Un petit nombre céderait à la tentation du Côté Obscur, c'était inévitable. Mais plus Luke entraînerait de défenseurs de la Force, plus les légions du côté lumineux seraient puissantes.

Avec un cri collectif d'émerveillement, les étudiants et leur professeur saluèrent l'apparition des arcs-en-ciel. Chaque aube était un miracle, mais celle-là leur semblait la plus belle de l'histoire de la galaxie.

D2-R2 bipa de satisfaction ; Luke et ses compagnons gardèrent un silence respectueux.

La lumière s'étendait sur eux, les enveloppant, les caressant. Une fois encore, elle avait triomphé des ténèbres...

Achevé d'imprimer en septembre 1996
sur les presses de l'Imprimerie Bussière
à Saint-Amand (Cher)

POCKET - 12, avenue d'Italie - 75627 Paris Cedex 13
Tél. : 44-16-05-00

— N° d'imp. 1872. —
Dépôt légal : octobre 1996.

Imprimé en France